RIMINI

I libri di Pier Vittorio Tondelli

PIER VITTORIO TONDELLI
RIMINI

A cura di Fulvio Panzeri
Postfazione di Elisabetta Sgarbi

I LIBRI DI
PIER VITTORIO TONDELLI

MARE ADRIATICO

Gatteo a Mare

Bellaria
Igea Marina

RIMINI

Miramare

Riccione

Cattolica

Gabicce Mare

S. MARINO

PESARO

Fano

Sassocorvaro

URBINO

Fossombrone

Acqualagna

Gubbio

Fabriano

o
ttima
ia
enatico

© 1985/2015 Bompiani/RCS Libri S.p.A.
Via Angelo Rizzoli 8 – 20132 Milano

ISBN 978-88-452-7997-3

Prima edizione Bompiani 1985
XX edizione Tascabili Bompiani giugno 2015
I edizione I libri di Pier Vittorio Tondelli

a A.T.

"Che lo voglia o no, sono intrappolato in questo rock'n'roll. Ma sono un autore e sono un musicista, per molti versi un *entertainer.*"

Joe Jackson, in una intervista

PARTE PRIMA

IN UN GIORNO DI PIOGGIA

1

Verso mezzogiorno la segretaria di redazione telefonò in cronaca per dirmi che il direttore voleva parlarmi. "Venga tra quindici minuti," aggiunse.

"Perché non ora? Sono libero," dissi.

"Fra quindici minuti," fu la sua risposta. E riattaccò.

Mi restava dunque poco tempo per fare un bell'esame di coscienza, ripassarmi bene a memoria gli ultimi pezzi, ricordarmi i servizi, gli articoli e tutto quanto avevo scritto in quegli ultimi giorni. Mi sembrò evidente che da qualche parte avevo scazzato. Forse avevo riferito con imprecisione una notizia o trascritto infedelmente un breve colloquio telefonico con un informatore della questura. Boh. Rinunciai dopo qualche minuto. Era tutta energia sprecata. D'altra parte se il direttore si prendeva la briga di convocare un umile e giovane cronista nel suo ufficio, un tipo come me che il più delle volte non arrivava nemmeno a firmare i propri articoli, un nulla insomma, questo poteva avvenire solo per quello che in gergo si chiama "cazziatone".

"Un idiota di lettore avrà disdetto l'abbonamento. Si sarà sentito offeso in non so che diavolo di storia, valli a capire," dissi a voce alta.

Bianchini, il vice-caposervizio, che in quel momento sedeva alla scrivania di fronte alzò gli occhi sornione.

"Grane in vista?"

"Penso di sì. Il capo mi vuole."

"Allora sono grane." Tornò con lo sguardo ai suoi telex. "Ma non farci caso. Più vai avanti più ti accorgi di quanta gente sia pronta a sentirsi offesa non appena scrivi qualcosa. Non fanno altro che scrivere lettere ai giornali." Prese il fazzoletto e se lo passò sul cranio calvo per detergere il sudore. Faceva caldo. "Fra quanto devi andare?"

"Un quarto d'ora."

Bianchini sbuffò. L'estate era già scoppiata. Si respirava male, ci si muoveva con fatica, il sole – che sole? un riverbero chiaro e indistinto e senz'ombre – non capivi da dove potesse mai arrivare, dall'alto, dal basso, forse da quell'orizzonte di antenne televisive che disegnavano i contorni della periferia milanese come graffiti sbavati. Inoltre già afa. E non s'era che a giugno. "Tre quarti d'ora di attesa per i complimenti, mezz'ora per i chiarimenti, venti minuti per i rimproveri, quindici per le sfuriate. Va così," disse Bianchini. "È da un sacco di tempo che qui sta andando così."

Imprecai fra i denti. Mi restavano ancora pochi minuti per togliere il culo da quella poltroncina di plastica che il caldo rendeva appiccicaticcia come una seconda, ignobile pelle; pochi minuti prima di uscire dall'ufficio, percorrere il corridoio, salire due rampe di scale, imboccare un secondo corridoio e poi, finalmente, entrare nell'anticamera della direzione. E lì incontrare lo sguardo delle due dattilografe, la voce rauca della segretaria di redazione con il suo bell'accento di milanese ricca e colta e squisitamente invecchiata, i grandi occhiali rosa, la bocca sottile e affilata serrata fra un paio di labbra appena strusciate da una passata di rossetto opaco e discreto. Mi avrebbe detto "un attimo Bauer, avviso il direttore che lei è qui", e lo avrebbe detto senza guardarmi, senza chiedere nulla come l'esecutore neutrale di una sentenza. E quella mattina, fra pochi minuti, quella sentenza sarebbe stata pronunciata contro di me.

Mi allungai nella poltroncina facendola ruotare verso la finestra. Cacciai la figura di Bianchini dietro le spalle. Ero solo, in silenzio, improvvisamente calmo. Il mio sguardo vagò annoiato e lento oltre i vetri verso la periferia in cui era stretto l'edificio del giornale, un edificio bianco, in origine, ma ormai grigio, uguale ai tanti altri edifici, capannoni, rimesse, garages, fabbriche che si trovano oltre la cintura dei viali di Milano. Edifici che sono la periferia, il suo colore, il suo respiro, la sua gente. Guardai nelle stanze di una ditta, al quinto piano dello stabile di fronte. Una ragazza batteva i suoi rapportini quotidiani sui tasti di una macchina elettronica che carrellava velocemente avanti e indietro. Non mi sembrò stanca, né abbattuta, né tantomeno sottomessa al proprio lavoro. Era semplicemente una dattilografa che stava svolgendo il proprio mestiere. Poi si fermò, allungò il braccio verso una bibita, ne bevve un sorso e tornò alla macchina da scrivere. In quel preciso istante entrò nello specchio della finestra la figura di un uomo. Si rivolse alla ragazza. Fui sicuro, almeno per un attimo, di vedere comparire sul suo viso un largo, temperato, rinfrescante sorriso.

Un rivolo di sudore mi scese dalle tempie. Presi a sudare. La mia attenzione restava fissata all'esterno. Osservai il lavoro che si stava svolgendo in un laboratorio di pelletteria e poi, in un altro edificio, altre segretarie altri impiegati rinchiusi negli uffici, vaganti per i corridoi, fermi a chiacchierare, raccolti in due-tre alle finestre per fumarsi una sigaretta; e poi le luci accese nelle abitazioni, le insegne dei negozi, le aste dei tram che scoccavano scintille d'amianto negli incroci dei reticolati elettrici e quei bagliori, quegli striduli flash mi apparvero come le condensazioni di una generale atmosfera di tensione che regnava nei nervi e nelle teste di tutti. Ma io continuavo a sudare, lì, sulla poltroncina che da tre anni occupavo in quella redazione, continuavo a sudare. Sudavo sulla fronte, sotto le ascelle, nelle palme delle mani. Sudavo dietro le spalle e in fondo alla schiena, sudavo in mezzo alle cosce e in quel paio di scarpe da yacht sfasciate. Mi sentivo andar via in quell'acqua pesante e molliccia e salata che stavo spurgando senza soluzione di continuità, come una maledizione. Ma ero tranquillo, stranamente tranquillo.

Vidi uomini che attraversavano lenti la strada, donne in attesa dell'autobus cariche di sporte e pacchi, bambini che scorrazzavano lungo i marciapiedi urtandosi e destreggiandosi tra i banchi della verdura, i cumuli di spazzatura che debordavano fin sulla strada, le cassette di acqua e di vino davanti ai negozi. Indagai in altri uffici e in altre finestre, mi misi a canticchiare un blues tamburellando le dita sulla coscia, un blues che mi piaceva molto, un tempo, e che ora tornava fuori come fossi del tutto sereno, tranquillo e niente di male stesse per accadermi; un blues metropolitano che parlava di una stanza d'affitto e di un materasso logoro e di cinque cents, ma ero sereno: la serenità che si può avere solamente quando il peggio è stato fatto. Vidi altre persone che si affacciavano alla finestra e guardavano fuori esattamente come stavo facendo io in quel preciso momento e con la stessa assenza di sentimenti, in quel preciso istante, sotto il finto sole del mezzogiorno, in un afoso mattino di metà giugno, a Milano, il diciotto giugno millenovecentoottantatré.

"Pr-prego, entri. Come sta?" Il direttore si appoggiò con entrambe le mani ai braccioli della poltrona per farsi forza e, mantenendo la testa rivolta ai fogli che aveva sul tavolo, fece per alzarsi. Quando fu definitivamente in piedi, mi guardò con interesse. Aggirò la scrivania e mi raggiunse tendendomi la mano. Sembrava una presentazione e in effetti, da tre anni che lavoravo al giornale, quella era la prima volta che entravo nel suo ufficio. Con me avevano sempre trattato i marescialli, ogni tanto qualche ufficiale. Il Colonnello si sprecava per la prima volta. "Stavo pe-pensando a quando ero un giovane cronista come lei, Bauer," continuò. Muoveva la testa in avanti con impercettibili tremiti ogni volta in cui gli si inceppava in gola l'emissione di una parola. Non era una vera e propria balbuzie, era piuttosto un tic di linguaggio, un tic che probabilmente aveva dovuto nascondere agli inizi della carriera, correggere, forse vincere, ma che ora lasciava correre senza problemi, anzi con una specie di compiacimento, come si mostrano le cicatrici ottenute in combattimento. Voleva semplicemente dire: da questa poltrona posso permettermi di parlare come voglio e tu sei obbligato a capire. Dietro il tavolo, appoggiata su un ripiano di cristallo alto un mezzo metro, si trovava una scultura di Henry Moore. La fissai. Il direttore se ne accorse. "Ho d-deciso che rimarrà qui anche quando avrò fatto le valigie. L-lo sa che con il primo di agosto lascerò questo incarico?"

Sì, lo sapevo che se ne sarebbe andato in pensione. Tutti lo sapevano. Accennai con lo sguardo. "Il suo caporedattore ha pre-preparato in questa cartella il frutto dei suoi tre anni di lavoro..." "Ho fatto del mio meglio." Il direttore mi squadrò: "Tutti lo facciamo, Bauer." Ci fu un istante di silenzio. Il direttore spostò lo sguardo verso la finestra, accarezzò con gli occhi il suo Henry Moore e tornò infine su di me. "Co-conosce Rimini?" "Rimini?" Si alzò in piedi. "Pr-prepari le valigie. Andrà a passare due mesi laggiù." Disse "laggiù" come se si fosse trattato del Sud Africa. Mi sentii lusingato. Il suo ordine era molto più di un semplice ordine poiché era stato formato con quelle precise parole, solenni e retoriche, che si riservano alla crema della nostra professione, gli inviati speciali. Ero troppo giovane per un'investitura di quel genere, ma pur sempre di una investitura si trattava. Avevamo raggiunto la porta dell'ufficio. La aprì. Mi congedò senza dirmi "buona fortuna" o "in bocca al lupo" o frasi del genere. Disse solamente: "Addio," e gliene fui grato.

La segretaria di redazione mi venne incontro reggendo una busta gonfia di fogli. Erano gli ordini. La guardai con aria di sfida, ma la sua espressione rimase neutrale. Faceva parte del suo mestiere. Veder cadere una testa o assistere a una incoronazione per lei erano la stessa cosa, tappe insignificanti sul percorso della propria carriera. Ma, poiché un buon maresciallo si riconosce dal numero di ufficiali che lo hanno comandato e non dal numero di soldati che lui stesso ha fatto filar dritto, mi concesse un sorriso di congedo. In quel momento la stavo infatti onorando.

"E allora quanti minuti ci vogliono per una promozione?" dissi, tornando di corsa da Bianchini. "Quindici," rispose. "È sempre stato così. Da quando c'è il vecchio." Scoppiammo a ridere. Bianchini si alzò e mi abbracciò tutto sudato e molliccio e grassoccio com'era. "Quando parti?" "Devo leggere gli ordini." "Ah," fece lui piegando la bocca e alzando il mento come per dire "capisco". L'euforia del primo momento svanì di colpo. Bianchini si asciugò più in fretta del solito il collo e la nuca con il suo fazzoletto sporco. Sembrava un pollo cotto. Mi trattenni presso la sua scrivania aspettandomi un elogio o un complimento che invece non vennero. Lo sentii ostile. Tornai alla mia scrivania. Guardai il foglio bianco già in macchina. Battei meccanicamente qualche tasto, ma non riuscii a concentrarmi. Che me ne importava di quell'articolo? Era roba vecchia, ormai. Scrissi il mio nome lentamente, un tasto dietro l'altro, poi lo riscrissi, e poi ancora finché la macchina cominciò a carrellare velocemente e le mie dita spedite batterono i tasti con furia e il ticchettio della macchina, sempre più veloce e ritmico, tasti, spaziatore, carrello, tasti, tasti, interlinea, spaziatore, divenne una musica, la mia musica, il canto. Scrissi di getto il pezzo di quella mattina, con una velocità e lucidità che non avevo mai conosciute. Estrassi il foglio dal carrello, mi alzai e lo feci scivolare sul tavolo di Bianchini.

"Sono sicuro che andrà bene," dissi, prendendo la mia giacca. Bianchini non alzò nemmeno la testa da quelle veline che stava scrutando come un contabile di banca. Non guardò il pezzo, né lo toccò. Me ne andai.

Trascorsi il pomeriggio a leggermi gli ordini. In verità non erano veri e propri ordini, ma una serie di burocratici fogli ognuno con l'intestazione del giornale e la sigla dell'ufficio a cui avrei dovuto riconsegnarli una volta compilati: ufficio personale, amministrazione, ufficio viaggi e così via. Dovevo scrivere il mio nome e cognome, data e luogo di nascita e ogni sorta di inezie riferibili alla mia vita anagrafica. Tutto questo faceva parte della promozione.

Verso sera cercai di rintracciare Katy allo studio, ma trovai più volte il suo telefono occupato. La mandai al diavolo. Va bene, vivevo in casa sua, lei era la mia donna, mi piaceva, volevo invitarla in un qualche ristorantino per cenare in intimità – e non, come solitamente accadeva, con tutta la sua brigata di stilisti froci, indossatori, sartine, fotografi e parrucchiere. Avrei voluto quel momento, quella serata soltanto per noi due. Ma Katy non rispondeva al telefono. E quindi che andasse al diavolo. Così presi la Rover e mi cacciai allo Yellow Bar. Certi momenti, certe vittorie, le puoi solamente festeggiare con il tuo barman di fiducia.

Quando entrai nel piccolo cocktails-bar erano da poco passate le sei. Il fumo stagnava nel piccolo locale nonostante un grande ventilatore a pale si desse languidamente da fare per smaltirlo. Armando stava al banco. Lo salutai e gli chiesi di prepararmi qualcosa di forte. Mi guardai intorno e incontrai lo sguardo di Lanza. Si avvicinò.

"Che stai bevendo?" disse, pizzicandosi i baffi. "Non so ancora. Dipende da lui," e indicai Armando che stava miscelando il mio intruglio. Lanza guardò nel mixer. Fece un grave cenno di assenso. Aveva una quarantina d'anni ed era, a detta di tutti, un buon cronista. Soltanto che non decollava. E nessuno sapeva spiegarne il perché. "Ci stai dando dentro, vero?" Portai la coppetta alle labbra. "Festeggio qualcosa di importante." "Katy è incinta?" fece e si mise a ridere. Nel giro di pochi secondi mi trovai circondato da un gruppetto di colleghi attirati dalla sua risata. Mi stavano addosso come poiane assatanate di pettegolezzi. "Parto lunedì," dissi misteriosamente. "Ah. E potremmo sapere per dove?" Scrollai la testa. "Non fatevi troppe

19

illusioni. Resto in Italia." "Quel vecchio rimbambito del tuo direttore l'ha pensata bene. Al posto suo ti avrei spedito via già da tempo. Non si trova tanto facilmente gente così giovane e così arrivista come te," rimbeccò Marianetti. Avevamo un conto aperto da anni e si vedeva. Finii il mio beveraggio: "C'è chi arriva e chi è arrivista una vita intera." Tutti risero e Marianetti mandò giù il rospo. Ero eccitato, i colleghi mi battevano pesanti manate sulle spalle e ordinavano da bere. In breve ci trovammo tutti alticci.

"Ci vuoi dire allora dove cazzo vai?" chiese Lanza, il primo che aveva abboccato all'amo. Per tutta risposta chiesi il conto. Lanza tornò alla carica e anche gli altri. Cominciai a sentire caldo, ma forse era lo Yellow che non mi piaceva affatto, quel pomeriggio. Entrò una ragazza e finalmente distolsero l'attenzione. Guardai anch'io, non era niente male. Marianetti fu il primo a staccarsi dal gruppo e avvicinarla. Lentamente, anche gli altri cambiarono angolo preferendo quello in cui s'era seduta la ragazza. Rimase solo Lanza.

"Dovunque tu vada amico mio," disse con malinconia, la voce incerta e umida della sbronza, "io ti auguro che sia la volta buona." "Sarà la volta buona," dissi. Armando fece scivolare il conto sul bancone. Lasciai cinquanta carte sotto il bicchiere. Mi sentii in dovere di dirglielo allora, di penetrare quegli occhi lucidi di tante notti in redazione, di scarpinate, di delusioni per aver visto tanti altri passargli davanti, cambiare ufficio, ricevere incarichi importanti e lui, il Lanza, invece, sempre inchiodato lì. Mi sentii di comprenderlo. Parlai sottovoce, ma in tono fermo: "Ho la direzione della Pagina dell'Adriatico."

"Ah, la Pagina dell'Adriatico," disse, senza espressione. Mi guardò e ripeté quella frase come si fosse inceppato. Forse anch'io, in quel momento, lo stavo ferendo. Invece, dopo un paio di minuti si mise a strillare come un pazzo: "Ehi, ragazzi, il nostro Bauer ha la direzione della Pagina dell'Adriatico!"

Cercai di zittirlo, ma era troppo tardi. Gli altri si voltarono verso di me. Mi guardarono stupiti come dovessi da un momento all'altro salire sul patibolo. "La Pagina dell'Adriatico!" e giù a ridere come se si trattasse della miglior barzelletta che avessero sentito. Li mandai affanculo e uscii. Anche lo Yellow, come il mio ufficio con Bianchini, non faceva più per me.

Ma era davvero un lavoro importante o forse invece si trattava semplicemente di un noiosissimo spostamento di sede, un banale trasferimento? No, no. Cristo, una buona dose di elementi obiettivi assicurava il colpo grosso. Innanzitutto la Pagina dell'Adriatico non era una pagina, bensì un inserto che il nostro quotidiano pubblicava in appoggio alla diffusione estiva per raggiungere i lettori sul luogo di vacanza. E visto che la maggior parte del nostro pubblico era costituita da un pubblico popolare, il cosiddetto "pubblico famigliare" quello, tanto per fare un esempio, della vacanza tutto compreso in pensione o in un piccolo appartamento, quello con la "moglie in vacanza" e il capofamiglia che fa la spola, ogni week-end, per andare a trovare il proprio nido, ecco che la scelta della riviera adriatica per far uscire il giornale diventava una via obbligata. Se il nostro piccione viaggiatore, per tutti i motivi di questo mondo, o forse anche per uno solo, l'abitudine, sceglieva quella zona d'Italia per le proprie ferie, a noi non restava altro da fare che seguirlo. Gli fornivamo le notizie della sua città e in più, con il supplemento, la cronaca del luogo della sua villeggiatura. Gli facevamo comprare un solo giornale e gliene davamo in cambio due.

Il secondo elemento importante consisteva nell'entità della tiratura: quindicimila copie possono far sorridere l'editore di un giornale inglese, non certamente uno italiano, anzi. Terzo dato di fatto: il mio stipendio che cresceva. Quarto: la mia nuova qualifica di caposervizio alle province. No, non si trattava di un bluff. Era un'ottima occasione. Che quegli idioti dello Yellow facessero spallucce non poteva che rallegrarmi. Avrei avuto paura se si fossero complimentati più caldamente. Questo sì sarebbe stato il bacio di Giuda.

Indubbiamente, però, esistevano anche degli aspetti negativi. Non si dà una cosa nuova senza una controparte. Solo che ancora non riuscivo a vedere dove si celassero queste insidie. C'erano sì, i rischi della tiratura, il fatto che se dopo un mese, e anche meno, le vendite non avessero subito un incremento o al peggio si fossero stabilizzate in acque stagnanti, bene, allora avrei dovuto alzare le chiappe un'altra volta. Questo era un primo rischio da valutare con attenzione. Ma più ci pensavo più non lo consideravo tale. Era impossibile sbagliare. La nostra testata aveva più di ottant'anni di vita, era una abitudine radicata in una precisa fascia sociale di lettori del nord Italia. Perché avrebbe dovuto vacillare proprio nel momento in cui ci mettevo le mani io? No, non esisteva. C'era piuttosto il fatto della mia totale ignoranza del luogo. Rimini per me era semplicemente una espressione geografica simbolo di vacanze a poco prezzo, confusione, intasamento. Ma anche questo, a ben vedere, non era un vero e proprio rischio. Avrei avuto i miei collaboratori locali. E allora? L'unico rischio poteva a questo punto annidarsi nel mio ritorno a Milano in settembre. Già. A questo non ero ancora preparato a pensare. E forse era l'aspetto più pericoloso. Una volta tornato in sede il mio grado mi avrebbe inevitabilmente messo in conflitto con i colleghi, in particolare con Bianchini. Ma perché pensarci ora?

Ero così intrippato in quei fumamenti di testa che quasi investii un paio di passanti all'altezza di Porta Venezia. Pigiai sul clacson come un indemoniato. Si scansarono. Stavo raggiungendo casa di Katy, dalle parti di Piazza Repubblica, in cui abitavo da quando l'avevo conosciuta, sei mesi addietro. Avevo scelto, senza pensare, la strada più lunga per arrivarvi. Ero troppo eccitato. Mi fermai lungo il viale, scesi dalla macchina ed entrai in un negozio. Avevo bisogno di bere un altro po' e il nostro frigidaire, a quanto ricordavo, era completamente a secco. Comprai sei lattine di birra inglese, acqua tonica e whisky. Faceva ancora molto caldo quando lasciai la macchina al portiere e mi avviai verso l'entrata principale dell'edificio.

Un caldo greve e grigio che però, data l'ora, le otto e mezzo, cominciava a lasciar spazio alla notte. La portinaia stava innaffiando le piante davanti all'ingresso usando un lungo tubo di gomma e bagnando l'alzata di cemento su cui stavano i vasi, diffondendo così attorno un acre odore di pioggia polverosa. Mi salutò con un cenno del capo. Le risposi ed entrai nell'atrio.

L'abitazione di Katy stava all'ultimo piano, a una quarantina di metri da terra. Era un appartamento abbastanza grande, ma non abbastanza per due persone. C'era una sola stanza da letto, una grande sala rettangolare, una cucina, un antibagno spazioso che fungeva da guardaroba e un bagno. Il problema era appunto costituito da quell'unica stanza da letto. Katy e io eravamo individui liberi, autonomi, completamente assoggettati al nostro lavoro. E questo andava magnificamente bene. Ma non conoscevamo orari comuni se non nei week-end. E allora tutto diventava troppo stretto.

Entrai in casa. Mi diedi immediatamente da fare per prepararmi un beveraggio. Passai quindi in sala e accesi lo stereo inserendo la prima cassetta che trovai lì in terra. Controllai le chiamate della segreteria telefonica. Nessuno aveva lasciato niente di importante. Allora, con il bicchiere, raggiunsi il bagno.

Venti minuti dopo mi sentii finalmente a posto. La doccia era riuscita a rilassare il mio cervello e a cacciare quei pensieri che da quella maledetta mattina lo avevano intasato. Mi distesi in poltrona con lo sguardo rivolto alle finestre, accesi una sigaretta e respirai profondamente controllando il movimento degli addominali. Mi arricciai distrattamente i peli del pube. Mi strofinai l'uccello, lo ispezionai, tesi i muscoli delle gambe. Ero solo, ero nudo e al buio: come se tutto aspettasse la nascita di un uomo nuovo.

Il profilo notturno di Milano entrava dai larghi vetri con gli indistinti bagliori della metropoli: i fumi, i chiarori, le insegne pubblicitarie, le luci rosse e arancioni e azzurre. Mi fissai su quelle luci. Sentii crescermi dentro un'inquietudine nuova e strana. Versai un goccio di whisky. Sentii freddo sotto i piedi. Il mio sguardo, come nel pomeriggio, vagò attorno a quelle luci, le accolse fino a trasformarle interiormente. Fu tutto chiaro. Per anni avevo inseguito quelle luci desiderando più di ogni altra cosa di essere io un faro, un punto luminoso nella notte. E invece ancora, a ventisette anni, dovevo accontentarmi di ammirarle da lontano, dall'altra parte, attraverso i cristalli di una finestra. Non brillavo da solo. E solo questo invece da anni e anni io desideravo, solo per questo, come tutti i giovani avevo dato il via alla mia carriera abbandonando inutili studi, università e gettandomi nel lavoro. E ora, forse, l'occasione giusta si stava presentando nella mia vita. Non potevo più continuare a guardare quelle luci come in uno specchio. Volevo di più, molto di più per la mia vita, volevo essere là. Volevo il successo e volevo la lotta. Volevo infrangere quei cristalli e gettarmi dall'altra parte, fra quei bagliori e bruciare. Sentivo che era l'occasione giusta.

Avvertii il rumore delle chiavi che giravano nella serratura della porta d'ingresso. "Che fai lì al buio?" chiese Katy entrando. La salutai con un grugnito. "Mi sono addormentato... Che ore sono?" "Le due." Attraversò la sala e accese le luci della camera da letto. "Già le due? E perché non hai telefonato?" "Lo sai Marco, il lavoro." La sentii spogliarsi: il fruscio della gonna che scendeva, le scarpe che volavano per la stanza. Raccolsi l'asciugamano e lo attorcigliai attorno ai fianchi. Barcollai verso la cucina.

"Sei sbronzo?" chiese Katy sporgendosi dalla camera. Non le risposi. Sentii poco dopo lo scroscio della doccia e così preparai un melone e qualche fetta di prosciutto solo per me. Katy mi raggiunse avvolta nel suo accappatoio bianco. Si sedette sullo sgabello di acciaio al mio fianco. "Che ti è successo, oggi?"

Esitai a rispondere. Alla fine scelsi di tacere. E fu una scelta giusta perché lei attaccò immediatamente una brutta storia.

"Devi avere pazienza, caro," disse sottovoce. "Ancora un mese. L'undici luglio ci sono le sfilate a Firenze e dopo prenderemo finalmente una vacanza. Avrei pensato a qualcosa per settembre. E tu?"

"Non ho progetti... Vuoi un po'?" "Ho parlato con Ellen stamane. Chiede se per agosto andiamo da lei. Non ti sembra una buona idea? Poi a settembre partiremo." "Da Ellen?" "A Pantelleria." "Il mare mi sembra una buona idea." "Sono felice di sentirtelo dire." Si avvicinò con la testa e strusciò i capelli dietro il mio collo. Sapeva come farmi eccitare. Questo mi piaceva di lei. Che a trentasette anni (o forse più) dormendo poche ore al giorno, strillando per ore con le sue sartine e le sue modiste di fiducia, impartendo ordini ai disegnatori, ai grafici, agli stilisti, tornando a casa nel cuore della notte, era sempre pronta a farlo. Come quella sera. Appoggiò le labbra alla mia schiena e prese a mordicchiarmi. Finii il bicchiere di birra. Mi voltai. "C'è una cosa che dovrei dirti."

"Non ora Marco, non ora." Mi fissò con gli occhi stretti per la stanchezza e il desiderio. "Non parliamone adesso." "Come vuoi," dissi, abbracciandola, "ma ricordati, dopo, che in questo momento avrei voluto dirtelo." "C'è un'altra donna?" Le sue labbra continuavano a strusciarsi contro il mio collo, il petto, le spalle. "No, non è questo." La vidi abbassarsi. "Allora non c'è niente che tu possa dirmi di tanto importante. Assolutamente niente." La sollevai da terra. Le feci scivolare l'accappatoio. La baciai in bocca, a lungo. "Mi spiace, sai, per questo week-end... Ma il lavoro... Il lavoro..." Furono, quella sera, le sue ultime parole. Mi aprii la strada con le dita, poi entrai deciso. Katy mi serrò tra le braccia. Mi dissi: anche tu non fai più per me. Come il vecchio bar, come la vecchia stanza di redazione. Siete tutti arredi del mio passato. Io vi sto lasciando e quel che è peggio è che non ho rimorsi. Vi lascio come si lascia una lunga, noiosa convalescenza. Per vivere.

Fu una lunga masturbazione nel corpo caldo di Katy. Ecco, non fu nient'altro per me che una lunga, ritmica, accelerata sega dentro di lei. Ma, come spesso accade in questi casi, lei non se ne accorse. Facemmo l'amore e quando tutto fu finito, sul letto, prima di spegnere la luce, mi accarezzò. Era il suo grazie per avere ancora una volta ricreato la magica intesa dei primi tempi. Non sapeva che le stavo dicendo addio. Ed essendo io ancora troppo giovane, ingenuamente ero portato a rendere assoluto quello che mi stava accadendo. Credevo ancora che un addio fosse un saluto definitivo, un addio per sempre. Stavo bruciandomi le navi alle spalle, come solitamente si dice. Era vero. Io non avevo più, da quel momento, nessuno che mi legasse al mio passato. Ero un uomo nuovo, nudo, solo che partiva per conquistare il mondo. Ma forse si trattava solamente della conquista di se stessi, di un sé ancora una volta impulsivamente confuso dentro il proprio sogno.

Nei giorni seguenti mi diedi da fare per preparare la mia partenza. Mi sorbii un sacco di riunioni in redazione per decidere l'assetto complessivo della Pagina dell'Adriatico; mi accordai con i grafici per la veste tipografica, scelsi un carattere diverso per l'impaginazione delle rubriche giornaliere in modo da separarle dal resto delle notizie e dai servizi. Scesi nell'archivio a rileggermi le passate edizioni, feci centinaia di fotocopie, riportai sul mio taccuino i titoli dei servizi che mi erano parsi più interessanti e che anche in questa edizione avrei voluto riprendere. Sfogliai, lessi, copiai, annotai. Fu un buon lavoro. Di quelli che io preferivo: breve e intenso.

Vidi Katy, in quei giorni, solamente la notte. O, per meglio dire, avvertii la sua calda e morbida presenza accanto a me nel letto. Parlammo di sciocchezze, le chiesi del lavoro, e lei del mio. Eravamo molto cortesi in quello che in definitiva nient'altro era che un abbandono. Naturalmente non le comunicai le mie intenzioni. Soltanto, il giorno prima, la avvertii del fatto che sarei andato a Rimini per lavoro.

"Starai via molto?" chiese.

"Un po'... Dipenderà dal giornale." Katy sbadigliò. "Capisco." Pensai fosse finita lì. Invece, quando ormai ero addormentato, sentii la sua voce roca che diceva: "Credo che tu mi stia lasciando." Mi voltai verso di lei. Era appoggiata allo schienale del letto e si massaggiava delicatamente la fronte. Piuttosto, se la tormentava. "Ma che dici?" dissi senza convinzione. La sentii sorridere. "Ho dieci anni più di te e cento storie in più. Non credere che mi dispiaccia. Va così. Perché stare a farci dei problemi?"

"Non ti sto lasciando," mentii. "Devo solo partire. È diverso." Non disse niente. Il silenzio era imbarazzante. Non riuscii nemmeno a sfiorarla. Era veramente separata da me, come non lo era mai stata. Nemmeno prima di conoscermi, nemmeno quando eravamo due perfetti estranei che vivevano ai lati opposti della città. C'era una forza sotterranea e sconosciuta che ci avrebbe fatti incontrare. Ora invece, quella stessa forza, ci spingeva lontani.

"Non stai soffrendo, vero, Katy?" ebbi la forza di aggiungere. "No. Non sto soffrendo," disse lentamente. "In fondo eri pur sempre qualcuno che mi faceva fare l'amore, che mi baciava. Eri pur sempre il mio uomo. Eri 'qualcuno'." "Vuoi che facciamo l'amore?" Detto così era chiaro che non lo avremmo mai fatto. Era solamente una maniera efficace per difendermi. Mi sembrò che sorridesse. "Sono molto stanca, sai il lavoro... Le sfilate..."

Il mattino dopo mi svegliai nel letto vuoto verso le sette e mezzo. Preparai il caffè, feci una doccia e sistemai i bagagli. Chiamai la portiera all'intercitofono pregandola di salire per darmi una mano. Arrivò dieci minuti dopo. Non fece domande e questo mi piacque talmente tanto che al momento di lasciarle le chiavi dell'appartamento, perché le riconsegnasse a Katy, affidai alla sua mano aperta una mancia esattamente doppia di quanto ero solito darle per il disbrigo dei piccoli piaceri domestici. Me ne andai in fretta da quella casa. Mi sentii di aver pagato il silenzio. Come se avessi sottoscritto un patto.

Sull'autostrada del Sole, un'ora dopo, stavo già molto meglio. Faceva caldo, ma la giornata s'era aperta in un quieto e rilassato sole estivo che illuminava compiaciuto la pianura del Po. Accesi l'autoradio, ascoltai un po' di musica, fumai una sigaretta. Il traffico procedeva veloce in entrambi i sensi di marcia. Le vetture di chi si stava recando in vacanza erano poche e riconoscibili, soprattutto con targhe estere. Pensai al lavoro che mi attendeva da lì a poche ore. Tutto filava alla perfezione. Ogni tanto dovevo correggere la frequenza di una stazione radio poiché il segnale, con l'aumentare dei chilometri, si allontanava e veniva disturbato da uno più vicino. Ma non mi seccava. Quelle voci che cominciavano a gracchiare fino a sparire nel nulla assorbite da altre voci e altre musiche, altro non erano, in realtà, che le tabelle di marcia del mio viaggio. In qualità di segnali avevo non tanto i cartelli dell'autostrada quanto quelle frequenze elettroniche. Così che non fu un pannello segnaletico che mi avvertì dell'arrivo a destinazione, bensì le note avvolgenti di una allegra mazurka romagnola diffuse nitide da Radio Antenna Rimini nella luce ormai accecante del mattino e del mare scintillante, verso mezzogiorno.

2

La sede della redazione era in un palazzotto a cinque piani nel centro di Rimini, sul corso che dà verso l'Arco di Augusto. Era un edificio dei primi anni sessanta né bello né brutto, un edificio anonimo abitato in maggior parte da ragionieri, geometri, liberi professionisti, qualche commerciante. La targhetta del nostro giornale sul campanello era anonima come quelle degli altri inquilini: una semplice scritta battuta a macchina che riportava il nome del giornale e l'indicazione del piano, il primo, scala A. Salii a piedi. Mi venne incontro un uomo sui cinquant'anni che si presentò come il corrispondente. Avevo parlato con lui al telefono, nei giorni precedenti e riconobbi la voce. Aveva una pronuncia inconfondibile impastata nella fortissima cadenza romagnola.

"Sono Romolo Zanetti," disse, con un breve sorriso di cortesia. "Faccio il corrispondente qui da vent'anni."

Ci stringemmo la mano. Mi fece entrare per primo.

La redazione era composta di tre stanze, più un bagno e un cucinotto. Nella sala grande stavano tre scrivanie, un grande divano addossato a una parete ingombra di riproduzioni di stampe antiche, due poltrone su cui erano appoggiate riviste e quotidiani senza nessun ordine apparente, un buffet con vetrinette colmo di bottiglie, un lampadario a gocce, due finestre e una porta-finestra da cui si passava per raggiungere il balcone affacciato sul Corso.

"Le piace?" chiese Zanetti, avvicinandosi al buffet e prendendo due bicchieri.

"Sì, mi piace," risposi perplesso.

Offrì del porto e mi spinse, con gentile premura, verso una seconda sala in cui stavano due telecopy collegati con Milano. Alla fine mi fece entrare nel suo ufficio arredato come un vero e proprio studio.

"È qui che vengo a scrivere i miei saggetti," disse compiaciuto.

"Quali saggetti?"

"Mi interesso di storia antica, sa? Prenda pure." Mi consegnò una pubblicazione di una trentina di pagine stampata da una tipografia di Rimini. Lessi il titolo. Si trattava di uno studio condotto sull'iscrizione di una lapide funeraria romana. Ringraziai Zanetti e spinsi l'opuscolo nella tasca della giacca. Tornammo nel salone. Mi misi a girare per la sala guardando le riviste impilate, i tavoli, le macchine da scrivere. C'era ovunque molta polvere. Il tappeto, per esempio, non sembrava battuto da un secolo.

"Non si preoccupi," disse Zanetti che si era accorto delle mie smorfie. "La donna delle pulizie è venuta soltanto ieri. Per riaprire la stanza. Ma tornerà."

"Riaprire?"

"D'inverno sono il solo che lavora, qua dentro. Sto nel mio studio. Qui ricevo una qualche visita. Interviste di prestigio, capisce?"

Annuii.

"Lo scorso inverno non è successo nulla," disse rassegnato. Si palpeggiò la gola. I suoi modi erano vagamente untuosi, la sua voce, al contrario, simpatica. Portava un paio di occhiali con lenti a mezza luna che si toglieva e metteva in continuazione. Aveva i capelli brizzolati, corti e curati in modo maniacale nel taglio sopra le orecchie e sulla nuca. Non c'era un pelo di troppo. Era grasso e la sua pancia generosa esplodeva dalle fettucce delle bretelle tirate. Indossava un completo beige e non portava cravatta.

"Vuol forse dirmi che il porto è stato aperto due anni fa?"

Zanetti tossì. In quel preciso momento suonò il telefono. Mi avventai al ricevitore. "Sì?"

"Romolo! Sono... Chi parla?" Era la voce di una ragazza. Una voce sensuale e calda.

"Bauer."

"Ah, è già arrivato?"

"Eravamo d'accordo per la mezza, signorina Borgosanti," dissi gelido, guardando Zanetti. Abbassò gli occhi come fosse colpa sua.

"Telefonavo per avvertire... Fra dieci minuti sarò lì."

"La aspettiamo."

Zanetti si avvicinò. "È una brava ragazza. Sono tre anni che lavora qui d'estate. È molto intraprendente."

Era un complimento? "Talmente tanto che non sta qui," dissi.

"Quello è il suo tavolo." Indicò la scrivania verso la finestra.

"Perché il 'suo'?"

"Per via della sedia," disse sottovoce quasi confidasse un segreto.

Mi venne da ridere. "La sedia?"

Il corrispondente raggiunse il tavolo e scostò la sedia. Cristo, non era una sedia, era una poltroncina Luigi XV con il tessuto ad arazzo e una scena di passeggio cittadino nell'ovale dello schienale e tanti ghirigori sulle zampette e sui braccioli! Avevo voglia di bestemmiare. Quella cretina s'era addirittura portata la poltrona come i generali sul campo di battaglia. Zanetti mi invitò a provarla. "È per via della schiena. Susy è a disagio con quelle altre," disse Zanetti, con l'aria di voler aggiustare qualcosa.

"Certamente. E a che ora prendete il tè, qui?" Lo guardai con aria di sfida. Parve offendersi. Ritrasse improvvisamente le dita dal bracciolo che stava accarezzando.

"Com'è che gli altri praticanti non sono qui?" dissi.

"Ne abbiamo uno solo. Arriverà a luglio."

"Santiddio!" urlai. "Me ne hanno promessi due. Vogliono ingrandire, alzare la tiratura, allargarsi e mi danno una principessa del pisello e un diavolo di praticante! Non stiamo lavorando al supplemento di un giornale letterario letto da qualche marchesa. Stiamo facendo una professione moderna, dinamica, veloce. Non voglio avere l'impressione di lavorare a un giornale rococò. O al foglio della Deputazione di Storia Patria! Molte cose cambieranno, qui dentro, glielo assicuro."

"Potrà cambiare quello che vuole, Bauer. Ma non la mia sedia."

Mi voltai. Era lì che si stava togliendo la giacchetta gettandola distrattamente sul divano. Era la principessa e che razza di principessa. Aveva capelli neri, occhi neri, pelle abbronzata, un paio di gambe affusolate inguantate in calze trasparenti, nere, scarpe col tacco alto anch'esse nere. E una camicetta senza maniche di seta bianca che lasciava indovinare un paio di tette da schianto, ritte e dai grandi capezzoli scuri.

"Mi chiamo Susanna Borgosanti," disse la fata. Era una favola, una bellissima favola.

"Ciao, Susy," fece Zanetti.

Mi avvicinai per stringerle la mano. La porse lentamente con un gesto dinoccolato. "Molto piacere," soffiò guardandomi dura negli occhi.

"Sono contento che lei sia arrivata. Stavo facendo rilevare alcune questioni a Zanetti." Mi arrestai. "Vorrei fare una riunione e vorrei anche il marmocchio. È possibile?"

"È possibile," disse lei.

"Alle diciotto?"

"Certo. Alle diciotto."

"Allora a stasera. Ah, dimenticavo. Voglio anche il fotografo. Provvederò io stesso ai beveraggi, non disturbatevi." E uscii.

L'abitazione che il giornale mi aveva assegnato per l'intero periodo del mio incarico in riviera si trovava a un paio di chilometri dal mare in direzione dell'aeroporto. Era un piccolo centro alberghiero situato in mezzo a palazzi alti parecchi piani e piccoli appezzamenti di terreno coltivati con cura. Aveva la forma complessiva di un fortino costruito con colate di sabbia bagnata da ragazzini in riva al mare. E non solo perché il colore delle abitazioni era identico, il grigio intenso del cemento armato, ma soprattutto per la forma dell'insieme costituita da torrette e guglie tremolanti come disegnate da un Gaudí daltonico e particolarmente in preda a "delirium tremens". Si chiamava *Residence Aquarius* ed effettivamente l'impressione che offriva a prima vista era la stessa che si ha nell'osservare, attraverso la deformazione ottica dei cristalli, quei sassi tutti buchi e anfratti che si dispongono sul fondo degli acquari domestici perché i pesci vi prendano alloggio. Aveva forma circolare e nel centro una grande costruzione simile a una tenda da circo, sempre però fitta di guglie e tremolii, ospitava gli uffici della reception, il ristorante, un supermarket con rivendita di tabacchi aperto fino a mezzanotte. Un viottolo di ghiaia derivava dalla strada principale e immetteva nel parcheggio in cui una grande insegna luminosa diceva: "RESIDENCE AQUARIUS - APERTO TUTTO L'ANNO" e più sotto, in caratteri corsivi: *Wir sprechen Deutsch - On parle Français - We speak English.*

L'interno del "fortino" oltre che dalla grande tenda di cemento era occupato da due piscine che si incastravano l'una nell'altra proprio nella parte della vasca meno profonda e destinata ai bambini. Attorno un prato all'inglese con aiuole di fiori multicolori.

Mi avevano assegnato l'appartamento numero quarantuno. Un ragazzo mi aiutò a portare i bagagli. Era un tipo foruncoloso con i capelli rossi al di sotto dei vent'anni. Disse lì c'è questo e là c'è quello come recitasse un rosario, senza nessuna espressione. Una volta davanti all'abitazione, aprì la porta, appoggiò le valigie in terra, aggiunse qualche altra giaculatoria e se ne andò.

L'appartamento era un ambiente unico che si sviluppava in un piano rialzato a vista dove erano un letto a due piazze e una branda. Al piano terra, invece, si trovavano riuniti nell'unica stanza una piccola cucina monoblocco, un divano, un tavolo rotondo, un ripostiglio e la stanza da bagno. C'era anche un piccolo caminetto con una griglia elettrica. In sostanza, pensai, l'appartamento poteva ospitare comodamente sia una famiglia di quattro persone sia una soltanto, offrendo in entrambi i casi l'impressione di starci né troppo larghi né troppo stretti.

Cercai nel frigorifero qualcosa da bere e trovai soltanto birra italiana. Stappai una lattina guardandomi attorno alla ricerca del telefono. Lo trovai al piano di sopra, accanto al letto. Mi sdraiai, lanciai le scarpe in aria e feci il numero del giornale chiedendo del vicedirettore Arnaldi.

"Tutto bene?" chiese, poco dopo, la sua voce.

"L'appartamento va benissimo. La città pure, la redazione è in buono stato. Ma perdio! che razza di armata mi avete dato?"

"Il professore non ti sta bene?" Mi immaginai il suo ghigno sarcastico.

"È proprio perché è un professore! In quanto alla principessa, deve avere un sacco di grana, da come si veste, un sacco di uomini dietro e un sacco di belle idee per il cervellino. Ma perché diavolo fa la giornalista?"

"Chiediglielo."

"Ok. Glielo chiederò... Dovrò fare molti cambiamenti. Voglio la tua autorizzazione..."

"Quali cambiamenti? Vacci piano, Bauer. Tu sei il responsabile e ti giochi la partita, ma stai attento. Ricordati: sono solo due ore che hai messo piede lì. Loro ci vivono da anni. Ricordalo. Hai bisogno di loro più di quanto non creda." Presi a slacciarmi meccanicamente i bottoni della camicia. Cominciavo a diventare nervoso. "Mi dai questa autorizzazione o no?"

La voce di Arnaldi si fece tesa come una lama. "Certo che te la do. Ci fidiamo di te."

Sbuffai. "Ci voleva tanto?" Abbassai il ricevitore e chiamai il ristorante dopo aver consultato il cartellino con tutti i numeri dei servizi.

"Numero quarantuno," dissi non appena una voce femminile ebbe risposto. "Vorrei ordinare un piatto di scampi alla griglia e qualche lattina di birra inglese."

"Le consiglierei del Bianchello del Metauro o dell'Albana di nostra produzione," disse la signorina.

"C'è qualche differenza con la birra?" dissi sarcastico.

"... Certamente, signore," fece imbarazzata.

"Allora vada per la birra."

Accesi una sigaretta, mi spogliai e presi una doccia cercando di organizzarmi ben bene le idee in testa per quella riunione che mi attendeva di lì a poche ore.

"Ecco come intendo organizzare il nostro lavoro," dissi alzandomi in piedi e posando il bicchiere vuoto su una scrivania. Eravamo nella sala grande della redazione da una ventina di minuti circa. Erano le sei e mezza del pomeriggio. Avevo portato con me un paio di bottiglie di scotch e qualche bibita da allungare per sbloccare un poco la tensione che immaginavo alta. Almeno per quanto mi riguardava. Zanetti era seduto sul divano di fianco a Susy e mi guardava con una nota di apprensione. Ogni tanto Susy si infilava le dita fra i capelli, formava un ricciolo e lo stuzzicava tenendo gli occhi bassi. Il moccioso invece ci dava dentro con lo scotch. Si chiamava Guglielmo, aveva l'aria sveglia e mi piaceva. Aveva detto che la sua massima aspirazione era diventare cronista sportivo. Lui stesso giocava in una squadra di rugby. Aveva un buon fisico e reggeva bene l'alcool: le prime qualità che si chiedono a un buon giornalista. Di questo fui contento. Sapevo che avrei potuto fidarmi di lui. Il fotografo invece era un ragazzone attorno ai quaranta, del tutto calvo sul cranio ma con due sbuffi di capelli arruffati che gli scendevano da sopra le orecchie e dalla nuca. Aveva un paio di baffi prodigiosi, foltissimi e neri. Gli occhi piccoli, gonfi, dalle pupille cerulee erano incassati nel volto come se qualcuno glieli avesse cacciati indietro. In realtà tutto il suo viso aveva una espressione bastonata e schiacciata come il grugno di un mastino. Era grasso, tozzo, con piccole mani cicciottelle. Portava anelli di fattura grossolana a entrambi i mignoli e una pesante catena d'oro pendeva al centro del petto premendo contro i peli del torace. Indossava una camicia nera aperta fino all'ombelico e un paio di jeans stracciati e scampanati in fondo. Ai piedi un paio di scarpe da tennis con un buco in coincidenza dell'alluce destro; ma anche quello di sinistra premeva e tendeva la tela per far capolino. Cosa che sarebbe avvenuta presumibilmente entro un paio di giorni. O forse, quella sera stessa.

"Innanzitutto vorrei che qui ci organizzassimo come in una redazione centrale. L'unica differenza sarà che ognuno di noi diverrà l'unico responsabile del proprio settore e non riceverà nessun altro aiuto se non da se stesso." Andai con gli occhi sui loro visi. Erano attenti e tesi. "La Pagina dell'Adriatico," proseguii, "svolge soprattutto un servizio di cronaca. Per questo non sorgono molti problemi se non quello di distribuirci bene le fonti di informazione e i settori di intervento. Ma la Pagina dell'Adriatico vuole anche essere qualcosa di più e di meglio. Vuole offrire un servizio di informazione completa non soltanto su quel che succede ma anche su tutto ciò che è nell'aria. Inoltre, essendo un giornale popolare, dovremo assolvere a una funzione di intrattenimento. Il lettore deve sentire anche dal proprio giornale che è in vacanza, che ha tempo da dedicare a se stesso e al proprio divertimento. Potenzieremo le rubriche quotidiane di consigli e suggerimenti per la vacanza. Daremo questi consigli e nello stesso tempo gli offriremo il modo per tenersi informato senza annoiarsi."

Feci una pausa e mi versai un goccio di scotch. Stavo andando bene, benché parlassi a braccio. Mi stavano seguendo con attenzione. Non era ancora fiducia, ma attenzione, sì. Solamente il fotografo rollava distrattamente una sigaretta col tabacco olandese.

"Ecco il piano," ripresi. "Il nostro corrispondente ufficiale, lei, Zanetti, si occuperà della cronaca giudiziaria, di quella nera e, se sarà il caso, di quella gialla. Questo perché Zanetti già conosce, ed è conosciuto, da tutte le fonti indispensabili a questo genere di informazioni: carabinieri, questura, commissariati di zona, procure. Non credo, d'altra parte, che avrà molto lavoro in questo periodo di vacanza. Quindi a lui spetteranno anche i rapporti con gli enti pubblici, in particolare con l'Azienda di Soggiorno e con gli uffici turistici delle varie municipalità costiere. Le sta bene?"

Zanetti trasse un profondo sospiro. Si palpeggiò la gola. "Questo fa già parte del mio lavoro," sottolineò.

"È per questo che continuerà a farlo. Ma lo farà, se possibile, in modo nuovo, più svelto e più sbrigativo. Mi bastano le notizie. Non voglio i commenti. Abbiamo poco spazio e dovremo sfruttarlo al meglio."

Parve rassicurato. Quando attaccai con Susy, la sua espressione divenne quasi felice. Sapevo il perché. Per il momento non lo avevo estromesso dal suo studiolo.

"Per quanto riguarda te, Susy, ti occuperai della cronaca rosa, della cultura e dello spettacolo. Questo perché voglio che tu copra tutti gli avvenimenti con lo stesso stile. Non mi interessa se ci sarà un concerto di Schönberg o uno di Mick Jagger. Voglio sapere dove alloggiano il direttore d'orchestra o il cantante. Voglio il loro parere sulla Riviera e non sulla loro musica. Voglio sapere cosa mangiano prima o dopo il concerto. È sufficientemente chiaro?"

"Vuoi scandali o semplicemente pettegolezzi?"

"Oh, no, mia cara," dissi, fingendo di ridere. "Voglio semplicemente alzare la tiratura."

"Tutto qui?"

"Avrai tre rubriche quotidiane: moda, salute, gastronomia."

Susy rise apertamente. Era la prima volta che lo faceva da quando l'avevo conosciuta, qualche ora prima. Rise spingendo avanti la bocca e aprendo le labbra in modo da spalancare la visione dei denti bianchissimi e serrati. Il suono della risata aveva qualcosa di estremamente infantile. Si arrotolava su se stesso per riprendere poi più squillante. Solamente nel momento in cui portò con eleganza le dita contro le labbra – qualche secondo più tardi – parve placarsi. "Mi devi scusare," disse, "ma non ho nessuna intenzione di sgobbare tanto su queste sciocchezze."

"Se sono sciocchezze non ti costeranno fatica," risposi appoggiandomi al ripiano della scrivania. "E poi, come saprai, queste cose *sono* il giornale."

Ci fu qualche attimo di silenzio imbarazzato. Il fotografo tossì ripetutamente e si versò un po' di aranciata.

"E per me?" intervenne Guglielmo. Si stropicciava le dita nervosamente. Restavano pochi settori ancora da coprire e già intuiva, con apprensione, quale sarebbe stato il suo.

"Ti occuperai di giovani e di sport. Tornei cittadini, gare di bocce, maratone di paese, vela, wind-surf, tornei di pesca, competizioni per la costruzione di castelli di sabbia, pugilato, basket, minigolf. Tutto. Ogni giorno voglio almeno cinque servizi di sport. Non ha importanza di quale sport si tratti, ma li voglio. Non dovrai preoccuparti per la lunghezza: dal semplice trafiletto alla cartella e mezzo. Mai di più. E anche interviste agli atleti, dal semplice turista che fa la gara di nuoto al campione arrivato qui per un torneo importante. Abbiamo da queste parti l'autodromo di Misano e l'ippodromo di Cesena. Voglio sapere chi li frequenta, chi gioca ai cavalli, chi paga un centone sopra l'altro per fare un giro di pista su una Ferrari presa a noleggio. Non voglio dichiarazioni di dirigenti, allenatori, amministratori, politici. Non frega niente a nessuno. Tanto meno a me. Voglio solo i protagonisti sul campo. E per te, Guglielmo, vale lo stesso discorso di prima: non mi interessano le tattiche di gara, né chi ha deciso che il tal ciclista dovesse scattare proprio a quel chilometro in cui ha preso avvio la sua fuga. Voglio sapere con chi sono venuti qui. Se con la moglie o la fidanzatina o l'amante o la mamma. Solo questo mi interessa. Non siamo un giornale sportivo. Siamo un giornale di cronaca spicciola. Tutto ci riguarda, ma solo il particolare ci interessa. Ok?"

Il ragazzo rimase serio e immobile. Mi guardò, e la sua espressione era quella che cercavo. Diffidenza, ma volontà di scavalcare quella stessa diffidenza impegnandosi al massimo. Dimostrarmi quello che poteva valere.

"Ognuno di voi, ogni giorno, fin d'ora sa quello che deve fare. Sa quali avvenimenti coprire. Ma ognuno, ogni giorno, sarà tuttavia disponibile per le eventualità del momento: sarà l'inviato e il caposervizio di se stesso. Per quanto mi riguarda, oltre a coordinare il lavoro e mantenere i contatti con Milano, mi occuperò dei servizi speciali." Mi guardarono in un modo interrogativo. Li lasciai nel loro brodo. Poi riattaccai: "Questo vuol dire, prima di tutto, i servizi fotografici."

Il fotografo ebbe un balzo e mi guardò con curiosità.

"In apertura di supplemento voglio tutti i giorni una sequenza di fotografie organizzata come un servizio. Fotografie di notevole richiamo e curiosità. Potrà anche trattarsi di una sola foto svolta, però, con ingrandimenti successivi di un qualche particolare, come una notizia."

"Non ci sono tante cose qui da fotografare. Le solite turiste a seno nudo."

"Il tuo compito è di dimostrarmi il contrario."

"Non c'è nient'altro," insistette il fotografo.

"Ci sarà. Perché tu lo troverai o lo inventerai. Il reportage di prima pagina sarà la tua rubrica fissa. Sei un giornalista a tutti gli effetti."

"Certo. Ma..."

"D'accordo?" Lo stavo pungolando.

"Non so se riuscirò... Ogni giorno..."

"Sappiamo tutti che tu ci riuscirai."

Spense la sigaretta nel posacenere. Sbuffò il fumo dalle narici. Stava dicendo di sì. Non gli lasciai certo il tempo per fare obiezioni. Mi bastava che, davanti a tutti, non opponesse una resistenza valida. Gli avrei lasciato una vita intera per essere perplesso, ma non un secondo per rifiutare.

"Non ci resta che definire gli aspetti tecnici. Riunione alle dodici e trenta per definire i servizi. Fissa con Milano alle diciannove per la trasmissione dei pezzi. Una settimana, a partire da mercoledì, di numeri zero. Il primo di luglio si parte sul serio. Obiezioni?"

"Per me sta bene," disse per primo Guglielmo.

"Ok. E per gli altri?" Nessuno rispose. Così fu necessario stanarli uno a uno. "Zanetti?"

"Vorrei solamente sapere... Chi farà le corrispondenze nazionali?"

"Oh. Sempre lei, naturalmente. Ma non si preoccupi per questo. Quando avremo un fatto così importante da passare in cronaca nazionale quel telefono squillerà come un demonio. E non ci darà tregua... E tu, Susy?"

"Sei tu il capo, no?"

"Johnny?"

Il fotografo si grattò la pancia con quelle sue mani da porcellino ben pasciuto. "Sta bene," ammise.

"Nient'altro, per oggi." Mi diressi verso la sedia su cui avevo appoggiato la giacca. Anche gli altri si alzarono. "Resta inteso," dissi prima di andarmene, "che tu Johnny trasferirai qui la tua camera oscura. Fattura pure le spese che dovrai sostenere." Bestemmiò fra i denti. Ma era fatta. Non volevo correre il rischio che si imboscasse. Per nessuna ragione al mondo. Era quello più libero. Era quello che dovevo imprigionare per primo.

I cambiamenti che imposi furono accettati con qualche mugugno, soprattutto da parte di Zanetti che trovò ogni occasione buona per manifestare il suo dissenso scuotendo la testa, ma poi, in fondo, lasciandomi fare. Riunii le scrivanie al centro del soggiorno in modo che si potesse lavorare gomito a gomito. Tolsi dalla porta le vecchie stampe e feci appendere una grande cartina geografica che raffigurava la costa dalla foce del Po fino al promontorio di Gabicce. Centotrenta chilometri all'incirca che costitui-vano la nostra zona di intervento. Sul cerchietto che indicava Rimini infilzai uno spillo rosso. Alla base della cartina misi una cassettina divisa in piccoli scompartimenti, ognuno ripieno di spilli dalla capocchia colorata. Distribuii i colori: bianco a Susy, giallo a Guglielmo, blu a Johnny e verde chiaro a Zanetti. Io mi tenni quelli rossi. Ogni componente della nostra redazione avrebbe dovuto segnalare sulla cartina la propria presenza in qualsiasi località diversa dalla redazione. In questo modo avrei sempre avuto la situazione dei movimenti sotto controllo e, in più, mi sarei reso conto con un solo sguardo se per quel giorno stavamo coprendo tutta la zona che ci era stata assegnata, non tralasciando nemmeno un qualche fottuto borgo sperduto nel delta del Po.

A Zanetti feci poi stendere un elenco, in ordine alfabetico, di tutti i centri turistici della nostra zona di operazione, diviso in tre settori: settore rosso, settore arancione, settore giallo. Nel primo vennero raggruppati i centri turisticamente più importanti, nel secondo quelli di medio interesse e nel terzo quelli di interesse minore. Susy riportò questo elenco in un grande pannello che appendemmo alla parete di fondo della sala. Ogni mattina avremmo per prima cosa riportato il titolo degli articoli relativi alla zona o al centro turistico di cui ci eravamo occupati. In questo modo potevamo quantificare in ogni momento il numero di servizi che si occupavano di una determinata località, correggere errori e dimenticanze, supplire a mancanza di informazione su un certo settore facendo cadere – per esempio – un grande reportage su una gara di bocce in una località fino a quel momento trascurata. Tutto questo lavoro aveva un solo punto debole e cioè che la notizia, l'accadimento di cui ci saremmo dovuti occupare, poteva nascere improvviso, e magari proprio nella città più improbabile. Una tale eventualità ci avrebbe costretti a sbancare. Ma, a fronte di questo evento improbabile esisteva un lavoro quotidiano, scrupoloso, e programmato a tappeto che ci avrebbe messi in grado di far cadere la notizia dove la situazione lo richiedeva. Dove, per essere chiari, la situazione delle nostre vendite languiva. In questo senso la redazione era una vera e propria "cucina" – come viene chiamata in gergo giornalistico. Almeno come la intendevo io: eravamo certamente in quel posto per seguire lo svolgersi degli avvenimenti, ma soprattutto per farli accadere. La Pagina dell'Adriatico doveva *fare* informazione. In tutti i sensi e a qualunque costo.

Johnny sistemò la sua camera oscura volante nel cucinotto. Lì avrebbe sviluppato i negativi e stampato sbrigativamente i provini a contatto. Una volta scelte insieme le fotografie, avrebbe potuto andarsene con tutta tranquillità nel suo studio per le stampe da trasmettere a Milano. In quanto al menabò, lo avremmo preparato nello studio di Zanetti usando il video-terminale e così, in una prima redazione, lo avremmo trasmesso a Milano. Il vicedirettore lo avrebbe visionato e, una volta approvato, passato in fotocomposizione. In questo modo potevo gratificare il vecchio corrispondente organizzando nel suo studio la riunione giornaliera e dandogli così l'impressione che ci si recasse tutti quanti da lui per i fatti importanti, quale tributo alla sua anzianità di servizio; nello stesso tempo lo tenevo in pugno facendolo poi venire ogni mattina nella "cucina" per programmare i servizi.

Nei giorni che seguirono cominciammo a lavorare sul serio collaudando soprattutto il mio metodo di organizzazione del lavoro. Li trascinai tutti quanti dalla mia parte. Non soltanto Guglielmo, che era quello che dimostrava di seguirmi con più accanimento e foga, ma soprattutto Susy. La principessa doveva essere trattata sempre con il velluto. Mi adeguai. La accarezzavo, la gingillavo, la gratificavo e, tutto sommato, la lasciavo in pace. E lei veniva dalla mia parte come attratta da una forza lenta, ma irreversibile.

Una sera, verso le undici, la incontrai seduta a un caffè di Riccione. Avevo lasciato il mio appartamento per cercare un posto in cui mandare giù un boccone in compagnia di qualche sconosciuta.

Per i primi giorni, avevo deciso di fare vita appartata. Non intendevo farmi coinvolgere dalla atmosfera di cameratismo che si stava costituendo in redazione. Preferivo conoscere a poco a poco i miei collaboratori e, soprattutto, separare il lavoro dai momenti di svago. Questo significò, alla resa dei conti, una sola pessima cosa: consumare il pasto serale in solitudine nell'appartamento quarantuno. Tutt'al più seguire, dalle finestre aperte, i giochi in piscina di un paio di coppiette di tedeschi farciti di birra.

Presi la Rover e seguii il lungomare in direzione di Riccione. La strada era illuminata e piena di gente. Si trattava in maggioranza di stranieri, poiché i turisti italiani sarebbero arrivati in massa solo nei mesi seguenti. L'impressione fu che quelli avessero assunto, in tutto e per tutto, il contagio delle nostre cattive maniere: attraversavano la strada come pollastre ubriache senza rispettare né le precedenze né i pochi semafori accesi. Gironzolavano sui risciò e sui tandem eseguendo miracolose serpentine fra gli autobus e le automobili con il risultato di intasare il traffico. Gridavano, schiamazzavano, stiracchiavano "ciao" a tutti con quelle mani sporche di gelato sciolto o di pizza o di spaghetti al sugo. Una ragazzina bionda, esile, dal viso arrossato dal sole, mi venne incontro e chiese un passaggio parlando un italiano stravolto. Aveva una minigonna bianca a pois minuti color pervinca, una maglietta nera e un foulard giallo allacciato attorno ai fianchi. Dissi che non era il caso. Tirò fuori la lingua e si piazzò seduta sul cofano. Il semaforo scattò sul verde. Alle mie spalle la colonna di vetture prese a eccitarsi suonando il clacson. Suonai anch'io, ma lei niente, restava lì seduta sul cofano della Rover come fosse il suo salotto e salutava e alzava le braccia fischiando "tschüß" a tutti. Continuai con il clacson. La ragazza si distese con la schiena e alzò le gambe in alto battendole come dovesse nuotare. I passanti si erano fermati e formavano una piccola folla curiosa. Mi sporsi dal finestrino: "Togliti, perdio!"

"Mi porti allora? Mi porti?"

Da dietro tuonarono: "E portala!"

Scesi dalla macchina. La afferrai per il polso e le diedi uno strattone. "Sali, avanti!"

La ragazza gorgheggiò qualcosa, fece un paio di inchini al suo pubblico e salì come su di una Limousine. E naturalmente l'autista ero io.

"Dove vuoi andare?" chiesi.

"Non lo so. Voglio fare un giro in macchina."

"E quando ti viene la voglia ti piazzi in mezzo alla strada e assali le persone come stasera?"

"Poi torno indietro," disse come fosse la risposta più naturale di questo mondo. Abbassò il finestrino e sporse completamente la testa. I suoi capelli biondi entravano nell'auto come tante fiamme d'oro liquido. Urlò qualcosa, cantò, agitò le braccia. Allontanai la mano dalla cloche e la tirai dentro.

"Come ti chiami?"

"Claudia... Ti importa qualcosa?"

"Sei tedesca?... Austriaca?"

Non rispose. "Sei sola qui?"

Chiese una sigaretta e si grattò il naso. Fu un brutto gesto. Un gesto che parlava da solo. Ci sono molti modi per togliersi un prurito dal naso, ma ce n'è uno solo, inequivocabile, eseguito con il palmo della mano, che dimostra che quel prurito non è un fastidio momentaneo, ma il semplice segno di un anestetico assunto in dosi massicce. Come quando si esce da una camera operatoria. Come quando ci si era trattati come si era trattata lei.

"Mi fermerò a Riccione," dissi.

"È lo stesso..."

"Non abiti in albergo?"

"No."

"Sei ospite di qualcuno?"

Cacciò un urlo: "Voglio scendere! Fammi scendere!"

"Non posso ora! Aspetta!"

Gridò con tutto il fiato che aveva in gola. Si attaccò al mio braccio e prese a tirarlo con tutte e due le mani. L'auto sbandò, ma non mi fermai. Ero incolonnato e mi sarei fatto tamponare. Rallentai. "Sto fermandomi!" dissi.

Claudia cacciò un altro urlo e mi azzannò il braccio. Sentii un dolore acuto. La macchina scartò sulla destra nella zona di sosta dell'autobus. Claudia schizzò fuori. Si mise a correre nella direzione opposta cercando di fermare un'altra macchina. La chiamai più volte. Fu inutile. Finì inghiottita dai fari accesi e dalle luci della strada.

Arrivai a Riccione. Oltrepassai il ponte sul canale del porto e deviai a sinistra. Mi immisi nel traffico lento del lungomare. Grandi fari illuminavano il retro degli stabilimenti balneari. La sequenza ordinata delle cabine – dipinte a blocchi con tonalità pastello – aveva in sé qualcosa di metafisico e infantile nello stesso tempo: come si trattasse di un paesaggio costruito per i giochi dei bambini – le casette, i tettucci, i lettini, gli oblò, le finestrelle, le tinte tenui, il rosa confetto, il verdolino, il celestino, l'arancio, il grigio-azzurro, il giallo limone, il viola pallido e altri colori di balocchi e zuccheri filati e frutte candite – oppure di un assemblaggio ordinato di altri materiali per altri uomini e in questo caso il colpo d'occhio mi sembrò il ponte di un gigantesco transatlantico arenato sulla sabbia, una portaerei sulla cui pista di lancio scorrevano le automobili e i cui alloggi erano appunto là, sistemati in quella fila di costruzioni chiare. Dalla parte opposta stavano gli alberghi, un paio di night-club, un campo da minigolf, un giardino brullo con qualche pino marittimo agonizzante. Arrivai a una rotonda immersa nella luce e parcheggiai. Lì sfociava un grande viale pieno di luci, insegne al neon, tavolini dalle tovagliette bianche affacciati sul passeggio, biciclette, stormi di turisti che procedevano lentamente. Striscioni luccicanti di lampadine congiungevano i due lati del viale passando al di sopra dei pini come festoni luccicanti. Mi immersi nel flusso della passeggiata. Alzai gli occhi, ma non mi fu possibile scorgere l'altezza dei palazzi. Ma erano veramente palazzi di cento piani come si era indotti a credere abbagliati da tutte quelle luci sospese a mezz'aria o non invece dei semplici condomini? L'illusione era perfetta. Non avevo mai visto nulla di simile in

Italia. Ovunque suoni, musiche, luci, insegne sofisticatissime che si accendevano e spegnevano seguendo un ritmo preciso; disegni elettronici che si svolgevano su pannelli grandi come schermi cinematografici procedevano da destra a sinistra e poi da sinistra a destra e poi trasversalmente e dall'alto in basso e viceversa controllati, nella immensa varietà di combinazioni, da un computer: scritte, slogan, figurazioni grafiche, labbra che sorridevano spargendo bollicine frizzanti, che succhiavano cannucce, gelati, bibite... E in mezzo, per strada, camerieri in giacca bianca e alamari coloratissimi che procedevano spediti reggendo in equilibrio su una mano vassoi colmi di gelati e creme e sorbetti dai colori fluorescenti, long-drinks decorati con minuscoli parasoli di carta cinese, ventaglietti, piume di struzzo, ruote di pavoni. E poi il profumo improvviso e sapido di una grigliata di pesce cotta lì, sulla strada e ragazzi in completo scuro e doppiopetto che invitavano nei night-clubs della costa promettendo ragazze, champagne e ogni disponibilità. Flash di fotografi e paparazzi. Disegnatori e ritrattisti ognuno con il suo cavalletto appoggiato al tronco rugoso di un pino marittimo e intorno circoli di gente curiosa e bambini in posa e donne sedute con le mani in grembo e il profilo di tre quarti e l'occhio emozionato per l'eccitazione di entrare a far parte del quadro. Ragazzi in canottiera e jeans strettissimi appoggiati alle loro motociclette, i capelli lucidi di brillantine e gomme, i bicipiti potenti, piccoli orecchini ai lobi delle orecchie. Crocchi di ragazze cinguettanti. Playboy con catenelle d'oro attorno al collo, ai polsi, sulla caviglia appena sopra il mocassino e anelli alle dita e bracciali e orologi scintillanti. Frotte di ragazzini che si rincorrevano urtando la gente per darsi grandi manate sulle spalle e tirarsi i capelli e fischiare alle tette e alle gambe che passavano. Coppie innamorate sempre ferme e pensose e indecise davanti alle boutique, ai negozi di antiquariato, alle edicole colme di souvenirs. Risciò che fendevano il flusso della folla come piccole vedette rompighiaccio. Ragazzi di colore che improvvisavano un breaking al suono di uno stereo portatile. Gruppi di turisti tedeschi che intonavano allacciati inni bavaresi alzando boccali da un litro di birra. Omosessuali tirati a lucido che procedevano come tanti robot girando continuamente la testa indietro o di lato in movimenti indipendenti dal resto del corpo. Checchine fragili e vaporose e leggiadre che sostavano ai tavolini dei caffè e delle gelaterie come tante farfalle nei calici dei fiori: bevendo un sorso qui e uno là e la testa sempre per i fatti suoi. Macho dai baffi frementi che procedevano avanti e indietro come tanti bambolotti big-jim in fase di collaudo oppure a una parata militare. Ragazze seminude che sembravano uscite da *Cleopatra* o *La Regina delle Amazzoni*. Altre invece addobbate secondo un look savanico e selvaggio: treccine fra i capelli lunghi e vaporosi, collanine su tutto il corpo, fusciacche stampate a pelle di leopardo o tigre o zebra messi lì per scoprire apposta un seno o una coscia. Vecchie signore ingioiellate che slumavano avide dai tavolini tutto quel panorama di baldanza e prestanza fisica e mostravano con orgoglio le rughe sul volto e la pelle grinzosa sulle braccia, simboli di tante altre e ben migliori stagioni, simboli del trionfo del navigato e del vissuto sull'inesperto e sull'ingenuo. Lesbiche longilinee che passeggiavano altere con le mani ficcate nelle tasche della giacca Giorgio Armani e non degnavano alcunché di sguardi o gesti, immerse com'erano nella loro vita parallela e differente. Gente comune che si sbrodolava le braccia fino ai gomiti per via dei "coni" squagliati.

Girai per la strada lasciandomi incantare da quel brulichio di segni e di luci e di musiche finché la sua voce non mi chiamò, una, due volte.

Susy era seduta al tavolo di una grande gelateria tutta acciai e cristalli e granito, lustratissima e algida come un igloo. Scorsi il suo braccio alzato in un segno di saluto. Portava un paio di lunghi guanti di raso nero che lasciavano scoperte le ultime falangi delle dita.

"Che ci fai qui?" chiese con una nota di finto rimprovero.

"Sopraluoghi... È la prima volta che vengo da queste parti."

I due ragazzi che sedevano in sua compagnia presero queste parole per una battuta. Risero. Risero da ricchi. Quasi tossendo.

"Dovrò portare gli occhiali da sole, la prossima volta," dissi, sedendomi.

"Davvero non conoscevi Riccione?" domandò Susy. Mi presentò i suoi amici. Quello che si chiamava Carlo era un tipo sui trent'anni. Tutti i capelli in testa e tutti i muscoli a posto. Portava una Lacoste bianca sotto una giacca a disegni madras blu e verde. L'altro, Gualtiero, mi parve più giovane. Una variazione esile sullo stesso tipo. Portava un paio di occhiali dalla montatura trasparente e vestiva una tuta da ginnastica bordeaux. Mi chiese se giocavo a tennis. Dissi di sì.

"C'è un torneo notturno che inizia a luglio. Sto cercando un compagno per il doppio."

"Mi piace giocare di notte," ammisi. "Ma non so se siamo allo stesso livello."

"Le propongo un paio di set per provare. Ha tempo stasera?"

Non volli dare l'impressione di tirarmi indietro per incapacità o impreparazione. Ero un buon giocatore. Soltanto che ero lì per lavorare. E il lavoro era tutto. Così la presi alla larga. "Il giorno dopo non è un problema, per voi?"

Mi guardarono interrogativi. "Intendo la fatica da smaltire, il dover ritrovare la concentrazione per il lavoro..."

"Ancora non ha preso il ritmo di questa città," disse Carlo. "La gente crede che sia un posto di villeggiatura. È al contrario un luogo faticosissimo. Si vive di notte, tutta la notte. Se ne accorgerà fra pochi giorni quando la riviera funzionerà nel pieno delle proprie possibilità: discoteche, locali di intrattenimento, feste per i turisti, sagre di paese... E la nostra industria principe macinerà giorno e notte: a qualunque ora potrà trovare qualcuno con cui divertirsi e togliersi tutte le voglie che ha, di qualsiasi genere. Qui la chiamano l'industria del sesso."

"Credevo fosse il mare, l'attrattiva maggiore."

"Quello è per le famiglie," sorrise Susy. "È dei bambini e delle nonne. Dei clienti delle pensioni tutto-compreso. Per gli altri c'è solo a metà pomeriggio. Il tempo per scottarsi un poco. Poi inizia la notte."

Arrivò il cameriere. Ordinai un aperitivo.

"Il fatto curioso," proseguì Carlo, "è che molti snobbano la nostra riviera. Ma più per sentito dire che per altro. Dici Rimini o Riccione e subito quelli pensano alla pensioncina, alla piadina e alla mazurka sull'aia. E dicono Rimini per carità, l'Adriatico, via! Poi li porti qui un week-end e non si toglierebbero mai più. Ho visto un sacco di gente con la puzza sotto il naso implorarmi poi di cercargli una camera anche alla pensione Elvira, anche un sottotetto senza bagno. Disposti a tutto, pur di consumare qui qualche notte."

Il discorso mi interessava più di quanto non mi interessassero la mia cena, Susy, il Martini che il cameriere aveva appena appoggiato sul tavolino. "Fa l'albergatore?" domandai.

"Oh, no. Ho la direzione di un paio di boutiques qui in viale Ceccarini. Non ha idea di quanto vendano i nostri negozi durante la stagione. Le collezioni invernali più costose spariscono in quattro-cinque giorni. E i clienti non sono mica miliardari, sa? Persone normali, gente che non vuole far sapere in giro che stacca assegni da venti milioni alla volta soltanto per il guardaroba. Arrivano dalle città di provincia, dalla Lombardia, dall'Emilia, dal Veneto e assaltano le collezioni. Poi spariscono. Sembrano tutti americani."

"Ma non è la stessa cosa. Questo non è il Sunset Boulevard o la Quinta Strada."

"Certo," disse serafica Susy, "l'importante è farlo però credere. E crederci. Ma ora andiamocene. Ti porto a mettere qualcosa sotto i denti. Avevi fame, no?"

Prendemmo la sua auto, una vecchia spider Alfa Romeo. Il motore rombò salendo la collina di Riccione alta. Susy guidava con molta perizia, ma anche con una specie di disinvolta sbadataggine. Si voltava verso di me e sorrideva nel vedermi preso a scrutare il paesaggio.

Faceva fresco ed era piacevole viaggiare scoperti. L'odore della salsedine si mescolava a quello della collina, degli alberi, della campagna. Abbordammo un piccolo tornante. Improvvisamente il cielo di un profondo blu notte si aprì sulla visione della riviera con le strisce luminose delle automobili, i fari, le insegne degli alberghi non più distinguibili se non in confusi bagliori luminosi. E le città, le città dai nomi così perfettamente turistici – Bellariva, Marebello, Miramare, Rivazzurra – apparvero come una lunga inestinguibile serpentina luminosa che accarezzava il nero del mare come il bordo in strass di un vestito da sera. Poiché se da un lato tutta la vita notturna rifulgeva nel pieno del fervore estivo, dall'altro esistevano solo il buio, il profondo, lo sconosciuto; e quella strada che per chilometri e chilometri lambiva l'Adriatico offrendo festa, felicità e divertimento, quella strada per cui avevo da ore in testa una sola frase per poterla descrivere e cioè "sotto l'occhio dei riflettori", ecco, quella stessa scia di piacere segnava il confine fra la vita e il sogno di essa, la frontiera tra l'illusione luccicante del divertimento e il peso opaco della realtà. Ma non si trattava che di un lungomare e non di un regno. Si trattava di una strada sottile che separava i due territori di desolazione della terra e del mare. Dall'alto vidi tutto questo e tutto questo mi piacque, mi eccitò; forse anche mi confuse. Se qualcuno avesse percorso in tutta la sua lunghezza quella strada, senza uscirne mai, avrebbe forse veramente vissuto il sogno. A patto di non sbandare mai né da una parte né dall'altra. Era necessario camminare in linea retta, senza oscillazioni. In fondo, come aveva detto Susy al caffè il trucco era piccolo e banale. "Basta crederci," aveva detto. "L'importante è farlo credere." Funzionava. Io stesso ne ero ormai prigioniero. Crederci era più forte di me.

Raggiungemmo un casolare posto sulla sommità di una collina e lì, finalmente, consumai la mia cena. Susy mi fece compagnia soltanto al momento del dessert. Era golosa. Mi appuntai questo particolare. Sarebbe sempre potuto tornarmi utile. Poi le parlai di Claudia. Ascoltò in silenzio il mio racconto.

"Sei sicuro che fosse drogata?" chiese infine.

"Ho una certa esperienza in proposito."

"Personale esperienza?"

"In un certo senso... Quando cominci a lavorare in un giornale, il minimo che ti può capitare è passarti una notte dietro l'altra in questura. E i poliziotti, ti posso assicurare non sono il genere di uomini che preferisco."

"Deve essere eccitantissimo."

"Non più di un film pornografico. Promette sempre qualcosa e non rende nulla."

Susy rise. Terminò il dolce e appoggiò un lembo del tovagliolo all'angolo delle labbra.

"Perché ridi?"

"Così... Ci farai l'abitudine."

"Ai film porno?"

"Ai tossici. Ad agosto calano qui come tafani impazziti alla ricerca di sangue. In città l'eroina scarseggia e il mercato si sposta. E col mercato anche i consumatori."

"Vorresti occupartene tu?" dissi serio.

"Un articolo? Una notte in questura o cosa?"

La fissai: "Credo che metteresti insieme un buon pezzo."

"Moda, gastronomia, salute. Più pettegolezzi vari. Ho forse dimenticato qualcosa dei miei compiti?"

Era una sfida. Come ogni sfida, stupida e insensata. Soltanto un esercizio di eleganza. "Come vuoi," dissi. "Ammetto che il mio metodo di organizzazione del lavoro possa aver creato qualche fastidio. E, implicitamente, qualche buco... Tu hai la sensibilità adatta per fare un servizio del genere. O vuoi lasciarlo a Guglielmo?"

Dischiuse le labbra in un accenno di sorriso. "Questo non mi riguarda, Marco."

Era la prima volta che pronunciava il mio nome. Fu un buon colpo, da parte sua. Non ci si abitua mai abbastanza a essere chiamati dagli estranei con il proprio nome di battesimo. È sempre un battito un po' strano e piacevole essere riconosciuti per quelle "quattro" sillabe; e quando ciò accade partendo dalle labbra di una bella donna, bene, allora ha un senso quasi magico. Lo si interpreta come una promessa. E si è stupidamente felici di abbassare la guardia. Di cedere l'onore delle armi. "Va bene, Susy," sussurrai, "ho capito. Vogliamo andare?"

Nei giorni seguenti il ritmo del lavoro al giornale accelerò parallelamente all'avvicinarsi dell'alta stagione. Avevamo già messo insieme cinque numeri zero e, sebbene non fossi ancora completamente soddisfatto, mi accorgevo che procedevamo nella direzione giusta. Le informazioni su cui lavoravamo per trasformarle in notizie e articoli cominciarono a ricoprire i nostri tavoli con la posta del mattino. In quei giorni di fine giugno, contavamo sulla costa ben cinque feste di "benvenuto all'estate", tre sagre di paese con il loro contorno ora di grigliate di pesce sulla spiaggia, ora di abbondanti bevute di vino locale, ora di carri allegorici costruiti soavemente con fiori. Inoltre un torneo internazionale di boxe, l'inaugurazione dei corsi estivi di wind-surf, la celebrazione dei venticinque anni di attività di un importante circolo velico di Riccione. Avevamo concerti d'organo alla basilica Malatestiana, la festa del café chantant con tutti i locali interessati che avrebbero suonato, la stessa notte, fino all'alba. Avevamo mostre, spettacoli teatrali e un festival del Cinema Giallo. Due convegni internazionali: uno a Gabicce sui "serials" televisivi e uno a Misano sulla stampa femminile. Il materiale dunque non mancava. Come sempre il problema consisteva nell'organizzarlo e noi eravamo sufficientemente rodati per gestirlo con una certa professionalità.

Johnny preparò una dozzina di servizi fotografici più un centinaio di foto sciolte scattate a caso. Fra queste insistette perché ne scegliessi una in particolare. Era una foto sensazionale. Anche commovente. Johnny l'aveva scattata il giorno d'apertura, visitando una sorta di parco di divertimenti chiamato "Italia in Miniatura". Percorrendo i vialetti del parco si potevano vedere, tutte insieme, la cupola di S. Pietro e la Torre di Pisa, il Cervino, il lago di Garda e la Mole Antonelliana, il ponte di Rialto e il Vesuvio. Certo, era un parco di divertimenti che non aveva in sé niente di straordinario e che me ne ricordò uno simile nei pressi di Lugano. Eppure la foto di Johnny aveva centrato qualcosa di importante in quello sfondo di cartapesta e scagliola e travi di legno; ma non avrei saputo dire cosa. I vialetti apparivano deserti, una panchina vuota, un'asta per innaffiare il prato e, sullo sfondo, le costruzioni monumentali. In primo piano una coppia di turisti stranieri con le macchine fotografiche al collo, le borse da spiaggia in mano, le scarpette di tela. La donna aveva un fazzoletto in testa gonfiato dal vento e un abito che assomigliava più a un grembiule di lavoro che a un vestito vero e proprio. L'uomo, anche lui anziano, aveva un viso scavato con un gran naso spiovente. Portava occhiali di metallo dalle lenti a forma rettangolare, una camicia a mezze maniche lasciata fuori dai pantaloncini corti. In mano reggeva una sporta di tela su cui era possibile leggere: "Saluti da Rimini." I due vecchi guardavano in macchina sorridendo e tenendosi per mano. Erano gli unici personaggi in campo. La foto era stata scattata dall'esterno del parco, in modo che la scritta Italia in Miniatura incorniciasse il quadretto famigliare. Sullo sfondo risaltavano il Vesuvio e la Torre di Pisa. Mi feci stampare una copia in grande formato e la appesi nell'appartamento quarantuno, di fronte al mio letto, in modo da potermela gustare con tranquillità. Per molti giorni guardai, in seguito, quella fotografia cercando di cogliere in essa un qualche significato nascosto o una qualche sentimentalità che l'obiettivo aveva focalizzato, ma che ancora il mio cervello non riusciva a puntualizzare. Opportunamente svolta in una sequenza di quattro fotogrammi – totale, piano americano, primo piano dei volti, dettaglio della scritta "Saluti da Rimini" sulla borsa di tela – quella fu, comunque, la fotografia di benvenuto del nostro primo numero che andò in edicola la mattina del primo luglio con una tiratura di quindicimila copie e l'appoggio promozionale di una discreta campagna pubblicitaria.

3

Verso Oriente correvano le nuvole sospinte dal vento testardo di una limpida giornata estiva, quando il rinascere della bella stagione è ormai una certezza che dà aria ai polmoni e rende i pensieri frizzanti e facilmente eccitabili; quando l'odore dell'aria carica di profumi arriva in città dalla foresta del Grunewald sospinto dal vento e il Tiergarten esplode nella varietà delle specie arboree, dei colori freschi, dei fruscii allegri delle piante, del canto degli uccelli; e nei vialetti appartati, nel cuore di Berlino Ovest, gli studenti passeggiano tenendosi per mano, rincorrendosi fra i pontili e i laghetti; e le statue neoclassiche si spogliano dai muschi e dalle muffe invernali come altrettanti rettili per risplendere, con una nuova levigata pelle, al sole. Una giornata luminosa in cui era sufficiente passeggiare lungo la Sprea, accarezzare con lo sguardo le chiome dei salici curvati nell'acqua e dal lento scorrere dell'acqua resi ancor più sinuosi, per sentirsi crescere dentro le voglie e i desideri dell'estate, dei viaggi, di nuovi incontri sentimentali.

Il pungente freddo berlinese fatto di neve, pioggia acida che non lasciava scampo in quei pomeriggi bui fin da mezzogiorno, di nottate nei caffè e nelle Kneipen e nei salotti degli amici, s'era finalmente sciolto in un accavallarsi di giornate sempre più tiepide e calde e rigogliose nonostante le intemperanze meteorologiche della primavera: i caffè esponevano i tavoli all'aperto e già la sera era abitudine cenare nel mezzo del chiacchiericcio intellettuale di Savignyplatz o in riva alla Sprea, a Kreuzberg. E nei week-end prendere la prima delicata tintarella sulle spiagge del Wannsee riposando, la notte, in uno chalet nel cuore della *foresta verde*.

Era il pomeriggio del ventitré giugno e Beatrix guardava dalla vetrina del suo negozio di antiquariato il passeggio frenetico sulla Kudamm. Proprio nel tratto di marciapiede davanti al suo negozio posto tra la Giesebrechtstrasse e Clausewitzstrasse, due ragazzi avevano appoggiato al tronco di un ippocastano un grande registratore. Erano ragazzi turchi spintisi nella lunga via centrale per rimediare qualche soldo. Il registratore a tutto volume diffondeva musica rap e i due saltimbanchi si davano il cambio esibendosi in quella danza dinoccolata, slegata, frenetica e in fin dei conti comica nei suoi risvolti da pantomima. Beatrix guardò i ragazzi, i passanti e i turisti che formavano un semicerchio davanti a loro e, prima di andarsene, lasciavano una ricompensa dentro un canestro appoggiato di fianco al registratore. Aveva voglia di andarsene via, chiudere il negozio e partire. Da troppi mesi ormai quel pensiero la stava soffocando.

Beatrix era una donna né bella né brutta, alta, dai lunghi capelli neri e lisci che lasciava cadere sulle spalle strette e ossute. Aveva grandi occhi azzurri, labbra appena pronunciate e grandi denti che rendevano il suo sorriso simpatico, infantile, confidenziale. In quanto all'età appariva come una donna fra i trenta e i quarant'anni con la spigliatezza dei primi e la maturità dei secondi. Dieci anni prima era stata sposata con un americano, militare di carriera. Un matrimonio tiepido che era durato per lei anche troppo, cinque anni. Ora Roddy se ne stava in una base militare in Italia nei pressi di Udine. Aveva sempre amato vivere in Europa e una volta lasciata Berlino, avendo la possibilità di scegliere un altro paese dell'Alleanza Atlantica per svolgere il suo servizio, aveva optato per l'Italia. L'ultima volta che si erano sentiti, Beatrix aveva appreso che presto se ne sarebbe partito per gli USA poiché, come molti militari statunitensi, situazione a Beirut permettendo, avrebbe terminato la carriera in America. Roddy si era poi fatto vivo con una lettera natalizia. Aveva scritto, tra le altre cose, di essere diventato padre per la seconda volta. Beatrix sapeva perché Roddy le aveva scritto questo, per non risparmiarle una stoccata. Voleva figli e lei assolutamente no, non ne avrebbe mai voluti, non gliene avrebbe dati.

Beatrix abitava ora, di nuovo, in Leibnizstrasse, all'incrocio con Mommsenstrasse, a due passi dal negozio, in una zona costituita da abitazioni ordinate con la facciata dipinta in tinte pastello molto simili a quelle di Amsterdam. Erano palazzine ricostruite dopo la guerra, presuntuose e appariscenti. Avevano un'ampia scala davanti alla porta d'ingresso e una siepe che le separava dal marciapiede. Beatrix era nata in quella casa e anche Claudia, pur se venuta al mondo in modo drammatico in una clinica di Schöneberg, aveva sempre vissuto lì. Sempre. Non volendo considerare i sette mesi e più da quando era partita. O per meglio dire: sparita.

Dopo il fallito matrimonio, Beatrix era dunque tornata a vivere in Leibnizstrasse. Rolf Rheinsberg, suo padre, esercitava la professione di avvocato. Un uomo secco e scattante che lavorava ancora dieci ore al giorno nonostante i suoi sessantacinque anni e un cancro al polmone che lo avrebbe stroncato di lì a due anni. Era stato appunto Herr Rheinsberg a convincere Beatrix ad aprire il negozio sulla Kudamm. La vedeva infelice, stanca, disorientata. Aveva dapprima tentato di convincerla a riprendere gli studi ed entrare così nel corpo accademico dell'Università Tecnica, ma tutto era stato inutile.

"Ho solo due amori che mi legano alla vita, papà," aveva risposto Beatrix. "Occuparmi di arte e di te. Nient'altro."

"Vorresti aprire una galleria?" chiese Herr Rheinsberg.

"Oh, no, papà. Qualcosa di più solitario."

"Potresti avviare un negozio di antiquariato, allora."

Beatrix si fece seria.

"Prova a farti venire in mente qualcosa. Non sarà poi così difficile per te."

"Art Nouveau. Credi che avrà successo?"

"Ah. Molto bene, Beate. Possediamo già ottimi pezzi."

"Non vorrei disfarmene."

"Ne comprerai degli altri. Non preoccuparti."

Nel settembre del millenovecentosettantasette, Beatrix iniziò i lavori di ristrutturazione del negozio. Si trattava di due locali che avevano ospitato, dalla metà degli anni cinquanta, un laboratorio di alta moda. Beatrix scelse di mantenere i soffitti stuccati nel gusto dell'epoca, ma fece abbattere una parete in modo da ricavare un solo grande locale per l'esposizione. Quella parte che costituiva il laboratorio di sartoria vero e proprio fu smantellata e, al suo posto, Beatrix piazzò l'ufficio separato dal locale solo da un paravento viennese a tre ante del 1899. Mentre i lavori di ristrutturazione procedevano Beatrix cominciò a viaggiare per l'Europa in cerca di pezzi adatti. A Londra fece acquisti per oltre diecimila marchi portandosi a casa argenti e servizi da tè in porcellana d'epoca. A Parigi i prezzi le apparvero immediatamente proibitivi. Comprò alcuni quadri con la consapevolezza che non li avrebbe mai venduti per la loro bruttezza, ma costavano poco. Erano tele di piccolo formato e rappresentavano alcune marine, tre nudi femminili con chitarra e un ritratto di gentiluomo. Furono i pezzi che vendette per primi. Il colpo grosso comunque lo ebbe a Bruxelles. Si trovava in Belgio da qualche giorno. Aveva girato i mercatini provinciali di Bruges e di Gand senza trovare niente di particolare. Aveva ancora da spendere parecchi marchi e non voleva tornarsene a mani vuote. Raggiunse Bruxelles stanca e avvilita. Un sabato mattina girò fra i banchetti del Jeu de Balle. Guardò argenti, tazze, servizi sbeccati, gioielli, molte stampe, parecchi libri, qualche mobile. Comprò solamente un paio di scarpe, ma non per il negozio, per sé. Stava per scendere verso il Petit Sablon quando si imbatté in un piccolo banco che esponeva piastrelle di ceramica decorate con motivi floreali. Cominciò a guardare quelle piastrelle leggermente più piccole del consueto formato quindici per quindici. Si trattava, per la maggior parte, di oggetti recenti, ma fra questi esistevano almeno una trentina di pezzi ottimi, originali degli anni dieci-venti. Chiese alla ragazza della bancarella se fosse stata in grado di procurargliene delle altre, ma solo di quel certo tipo. La ragazza disse di sì, che poteva. Solo al momento di pagare Beatrix chiese disinvoltamente dove se le fosse procurate.

"Molte le stacchiamo dalle vecchie case," disse lei.

"Tu e chi altri?"

"Siamo un gruppo. Andiamo nelle case che devono essere demolite e facciamo traslochi, ripuliamo cantine, solai, cose di questo tipo. Io vedo quelle piastrelle ed è un peccato lasciarle lì alle ruspe. Allora con Léon-Luis abbiamo pensato di staccarle."

"Sono bellissime," disse Beatrix.

"Ne vanno rotte molte. Non è facile staccarle bene."

Beatrix ebbe un sussulto. Pensò a quei ragazzi intenti a sbattere giù con scalpelli pareti in maiolica di ingressi e bagni e salotti. Lo facevano per aiutare i paesi del Terzo mondo, aveva detto la ragazza. Da brava berlinese di buona famiglia, Beatrix realizzò che forse, se ci avesse messo le mani lei stessa, sarebbero stati tutti più contenti, i ragazzi e il Terzo mondo.

Si trattenne a Bruxelles una settimana. Herr Rheinsberg telefonava tutti i giorni all'hotel. In negozio avevano bisogno di lei per decidere alcune questioni che l'architetto non si sentiva di risolvere da solo. Beatrix chiese tempo. Raccolse le sue piastrelle, trovò una fabbrica che aveva molte rimanenze di magazzino e fra queste alcune serie di piastrelle d'epoca. Beatrix comprò. Aveva fiutato la sua pista e la stava seguendo come un segugio.

L'inaugurazione dell'Art Nouveau avvenne quello stesso anno sotto le festività natalizie. Un improvviso successo, poi acque ferme. Beatrix non si lasciò scoraggiare. Non aveva bisogno di guadagnare. Collezionava piastrelle e le rivendeva ad architetti che se ne servivano per arredare o impreziosire appartamenti rimessi a nuovo. Con il passare del tempo, Beatrix si specializzò in questo settore. Continuava ad acquistare servizi di porcellana, gioielli e anche vetri dipinti, ma la sua passione erano esclusivamente quelle piastrelline decorate nei modi più strani e dai colori che, nonostante il tempo, mantenevano la loro brillantezza; e, più di questa, il fascino di una grande stagione del gusto calata intatta – come per magia – nelle piccole cose di uso domestico e quotidiano.

Il tintinnio dei campanelli appesi a fianco della porta di ingresso la avvertì dell'arrivo di un cliente. Beatrix si voltò e scorse un uomo sulla cinquantina, di aspetto distinto, barba e capelli ben curati.

"Parla francese?" le chiese.

Beatrix annuì.

"Potrei dare un'occhiata ai suoi oggetti?"

"Bien sûr, Monsieur."

Tornò a sedersi dietro il tavolo di cristallo e finse di correggere alcuni appunti sulla carta. Ogni tanto controllava il visitatore con la coda dell'occhio. Se i loro sguardi si incontravano, lei sorrideva, come per dire prego, il negozio è suo. L'uomo parve attratto da un servizio di argenti custodito in una vetrinetta in stile dagli stipiti laccati di nero.

"Posso aprirla, se vuole," disse Beatrix.

"Non si preoccupi, Madame," fece lui, "voglio solo guardare."

Beatrix ebbe l'impulso di mandarlo al diavolo. Erano giorni che turisti di ogni sorta entravano nel negozio e se ne uscivano senza acquistare nulla. Faceva parte del mestiere, beninteso. Lo sapeva. Ma non ci si era ancora abituata. Tornò con lo sguardo su quei fogli bianchi. Prese il lapis e scarabocchiò qualcosa: dapprima una linea circolare, poi una spirale e da questa altri vortici di segni che si sovrapponevano, si snodavano, ricomparivano come geroglifici incomprensibili. Finché da quel gomitolo confuso di grafite non risultò netto un percorso, una traccia, un nome. Il nome era Claudia e Beatrix altro non aveva fatto che scriverlo inconsciamente in ogni calligrafia, in ogni schizzo, in ogni disegno. Si alzò dal tavolo e si avvicinò all'uomo. Voleva dirgli di andarsene, che avrebbe chiuso il negozio e che, se fosse stato veramente interessato, avrebbe potuto ripassare un altro giorno. Invece si fermò al suo fianco e lo guardò come si guarda un complice atteso da lungo tempo.

"Le piace?" disse sommessamente.

"È un pezzo notevole," notò l'uomo. "Ormai è difficile trovare in commercio tanke di questa fattura."

"È molto bella," ammise Beatrix come la vedesse per la prima volta.

Si trovarono fianco a fianco, leggermente ricurvi con gli occhi puntati verso il basso. La tanka era appoggiata in terra, dietro una piccola sporgenza della parete, come fosse capitata lì, per caso, da poche ore. Era ricoperta da un vetro sbeccato agli angoli e visibilmente fratturato verso il basso. In corrispondenza dell'angolo destro inferiore il vetro mancava completamente. L'uomo si chinò e introdusse le dita fino a sfiorare la miniatura di uno Yidam. Percorse con l'indice il contorno di fuoco che emanava dall'immagine della divinità, seguì le screpolature del lapislazzuli ossidato che rendeva l'originario colore azzurro intenso di un verde scuro e profondo. I contorni delle immagini sacre erano bordati di oro zecchino e rilucevano alla luce dei fari della galleria.

"L'ho avuta da mio padre," disse Beatrix. "Si è stancato di tenerla in casa."

"Quant'è il prezzo?"

"Tremilacinquecento marchi."

L'uomo si pizzicò la barba. Svolse mentalmente la cifra in franchi francesi. L'equivalente di diecimila franchi. Sì, era un prezzo interessante. "Potrei vedere il retro della tanka?" disse infine uscendo dai suoi calcoli.

Le sembrò una richiesta accettabile, ma fastidiosa. "Bisognerà smontarlo," disse.

"Temo proprio di sì. Ma non c'è altro modo per vedere se i *chakra*, i centri vitali, sono animati attraverso un *Bijiamantra*. Sarebbe la miglior prova della sua bellezza."

"Va bene," cedette Beatrix, "mi aiuti a portarlo di là."

Raggiunsero insieme il retrobottega. Era uno stanzino senza finestre colmo di cornici, piastrelle impilate su scaffali come tanti libri, attrezzi di falegnameria, barattoli di colle e vernici. Appoggiarono la tanka in terra. Fu necessario spaccare completamente il cristallo per estrarre il dipinto senza rischiare di ferirsi con le schegge. L'uomo maneggiò il cacciavite con molta destrezza per staccare i chiodi che stringevano il sottile cartone su cui la tanka era stata adagiata. L'uomo parlava descrivendo lo Yidam Yamantaka, il soggetto centrale della tela. Disse che la raffigurazione era canonica e perfetta, non solo per le dimensioni – settantacinque centimetri per cinquanta – ma soprattutto per l'iconografia. Il dio dalla testa di toro era stato dipinto con tutte le sue diciotto paia di braccia innalzanti gli attributi delle passioni umane dalle quali Yamantaka – "il distruttore" dall'aspetto terribile, dalle collane di teste umane mozzate e putrefatte, dal mantello di pelle di elefante appena scuoiato e grondante sangue, dal *lingam* infuocato conficcato nella vagina della compagna Pasa stesa e sottomessa ai suoi piedi – liberava. Indicò con il dito il Buddha Bianco Vairocana posto in verticale rispetto alla testa di toro furente. Disquisì di colori e di famiglie asserendo che la discendenza dello Yidam Yamantaka poteva procedere più dalla famiglia del Buddha Vajra come dimostrava l'identico colore blu del corpo e la radice del nome in tibetano: Vajrabhairava – piuttosto che non dal Buddha Bianco. Beatrix lo ascoltò scrutando la tanka come fosse la prima volta. Erano dieci anni che la vedeva, ma quella era effettivamente la prima volta. L'avrebbe venduta e le sarebbe mancata. E solo allora l'avrebbe apprezzata e rimpianta. Come con Claudia.

Finalmente fu il momento di sollevare il dipinto per osservarne il retro. Beatrix era emozionata. La circospezione del francese l'aveva soggiogata fino a renderla partecipe di quella scoperta. L'uomo distese la tanka a rovescio. Dei piccoli segni color vermiglione erano sparsi al centro e agli angoli in gruppi di tre. Guardando in trasparenza, come l'uomo fece, era possibile notare che ogni sillaba era stata dipinta in corrispondenza della testa, della gola e del cuore delle divinità. Era questo che il francese voleva sapere. "Ho una carta di credito," disse, senza togliere gli occhi da quei mantra.

Beatrix disse che andava bene. Passarono nell'ufficio dietro il paravento e siglarono la vendita. Poi l'uomo raccolse la tanka e l'arrotolò con cura tra due veline. La mise sottobraccio e fece per uscire. Beatrix lo accompagnò verso la porta. Al momento di stringergli la mano per salutarlo, con un tono di voce assolutamente inadatto all'occasione, un tono drammatico e implorante, domandò: "Come ha fatto a sapere che la tanka che lei cercava era qui?"

L'uomo non parve sorpreso. "Vuol dire perché il suo negozio vende antiquariato del novecento?"

"Esattamente questo."

Gli aveva posto la mano sul braccio e glielo stringeva. La pressione aumentò, anche la forza, l'intensità. Beatrix voleva una risposta. L'uomo allora distaccò la mano, gliela prese tra le sue e la strinse amichevolmente come una carezza. Le sue parole furono: "Je ne cherchais guère cette tanka, Madame. C'est elle qui a cherché moi."

Nella sala da pranzo la luce era morbida e soffusa. Hanna stava servendo la cena a Beatrix scivolando silenziosamente fra la cucina e la sala; ma l'intuito di vecchia servitrice l'aveva già da tempo avvertita che il suo *gulasch mit spätzle* non sarebbe stato nemmeno sfiorato dalla forchetta di Beatrix. Nonostante ciò compariva di tanto in tanto in sala per accertarsi che la sua signora desiderasse qualcosa di diverso, magari qualche sottilissima fetta di prosciutto della Foresta Nera o una porzione di formaggio; ma Beatrix non alzava nemmeno la testa dando a intendere di avere qualcosa da chiedere. Solo percorreva con la punta del dito l'orlo del bicchiere, lo sguardo fisso alla trasparenza di quel vino del Reno.

Hanna tornò in cucina. Si sedette al tavolo, sull'orlo della sedia, e si versò un boccale di birra. Ne bevve un lungo sorso chiudendo gli occhi e alzando la testa all'indietro. Infine si alzò, afferrò il mestolo e versò nel piatto il gulasch. Silenziosamente, si mise a intingere una fetta di pane nero nel sugo denso e scuro. Nelle due stanze il silenzio era assoluto. Sotto la luce potente della lampada alogena, Hanna consumava la sua cena con le orecchie ben attente al minimo segnale proveniente da quell'altra stanza avvolta dalla penombra delle candele accese in cui Beatrix non mangiava, non si muoveva, non fiatava.

Erano rimaste sole. Oddio, Hanna era sempre stata sola in tutta la sua vita. Nata sessant'anni prima a Oberndorf am Neckar, nel Baden-Württemberg, da una famiglia poverissima, aveva sempre servito. Dapprima a Stoccarda, poi a Colonia e infine a Berlino da Herr Rheinsberg. Il buon Rheinsberg che preferiva la cucina sveva sopra ogni altra e che proprio per questo l'aveva presa con sé quindici anni prima. Il buon Rheinsberg rimasto vedovo con due figlie terribili sulle spalle: una ragazzina di appena sei anni, estroversa capricciosa, già invadente, e una signorina di vent'anni, Beatrix, che si sarebbe sposata solo per poi tornare in quella stessa casa a martoriarlo con il suo matrimonio fallito. E accanto a tutti lei, Hanna, con la sua saggezza tautologica di contadina sveva per cui la vita è la vita, l'amore è l'amore e il dolore soltanto e semplicemente il dolore; Hanna che fra pochi anni se ne sarebbe tornata nella sua Germania, in quella vera, e avrebbe abbandonato finalmente quell'isola bastarda che era Berlino Ovest: una città in cui aveva soltanto visto gente morire, donne crescere per poi tornare ragazze o addirittura sparire dalla faccia della terra come Claudia. "È il pensiero di Claudia," si disse, scrollando la testa come per darsi ragione. "È quella piccola vipera che torna a torturare la sorella come anni prima ha fatto con il padre, il povero Herr Rheinsberg. Ecco cos'è. Mica gli spätzle."

"Hanna?" disse in un soffio leggero Beatrix. L'aveva raggiunta in cucina. Si maledì per non aver prestato attenzione a quello scricchiolio del parquet, ma era troppo immersa nei suoi pensieri. "Hallo," rispose alzandosi.

Beatrix si sedette all'angolo del tavolo invitando la domestica a fare altrettanto. "Non stare in piedi, Hanna, ti prego." La sua voce era dolce e scivolava via come la linea dei suoi capelli lungo le spalle, pensò Hanna.

"Vuoi qualcos'altro per cena?"

"Non ho fame... Un goccio della tua birra."

Hanna si procurò un boccale e versò una abbondante dose della miglior birra di Berlino, la Schultheiss. Poi la guardò come aspettasse qualcosa.

"Dovrò partire fra qualche giorno," disse Beatrix.

"Capisco," fece Hanna. Non le sembrava ci fosse qualcosa di tanto eccezionale in quel discorso. Mise le mani in grembo e si accarezzò le dita grassocce e violacee. Era ancora in attesa.

Beatrix la guardò negli occhi, spostò lo sguardo verso la birra e poi verso la cucina. Accavallò le gambe e si avvicinò con il busto al tavolo come dovesse avvicinarsi ancora di più ad Hanna. Hanna la guardava e aspettava, ma cominciava a capire. Erano mesi e mesi che si chiedeva quando sarebbe giunto quello stesso momento. Infine Beatrix parlò.

"Andrò a cercare Claudia," disse.

Come se improvvisamente fra le due donne tutto fosse chiaro, come se la conversazione avesse imboccato un terreno su cui entrambe erano scese in lotta come alleate, un terreno di battaglia che le vedeva dalla stessa parte, Hanna parlò con impeto. "La polizia non ti ha saputo dir niente?"

"No."

"E quell'altra... Come si chiama?"

"Nessuno mi ha saputo dir niente," tagliò corto Beatrix.

"Sono i turchi! Io lo so, Beate, che sono i turchi," fece Hanna. Era diventata paonazza e parlava con foga. Come tutti i berlinesi, o i tedeschi in generale, si sentiva minacciata dalla emigrazione turca benché, in quello stesso periodo, il Governo Federale iniziasse una massiccia campagna per favorirne il reimpatrio promettendo in cambio grosse somme di marchi.

"No, non credo che si tratti di questo," fece Beatrix. "È Claudia che ha scelto così. Ma adesso io so che devo partire."

Hanna si versò altra birra per essere pronta a soccorrerla.

"So cosa vuol dire fallire, sbagliare. Essere costretti a tornarsene indietro. So che non è mai un ricominciare. Si finge che sia così. Si dice: ora tutto riparte in una direzione nuova, e può anche essere vero. Ma certo non ricominci niente di niente. Continui proprio dal tuo vicolo cieco. Da nessuna altra parte se non da quel punto lì... Claudia ha bisogno di me ed è troppo giovane per ammetterlo a se stessa."

"È sempre stata una ragazzina così testarda," ammise Hanna, in tono consolatorio.

Beatrix si alzò. Non poteva tollerare si parlasse di sua sorella come si parla in genere dei morti.

"Ti chiedo una sola cosa, Hanna," disse, uscendo dalla cucina. "Puoi restare in casa finché non sarò tornata? Te la senti?"

Hanna si stropicciò ancora più forte le mani. "Io spero, Beate, che quando verrà agosto tu e Claudia sarete di nuovo insieme."

Beatrix sorrise: "Non appena tornerò, potrai prenderti le tue ferie. Intanto puoi chiamare qui tuo fratello, o chi vuoi. C'è la camera degli ospiti."

"Non sarà necessario," fece Hanna con gli occhi lucidi. "Tornerai prima di agosto."

Beatrix guardò la donna seduta con il capo chino, i capelli grigi pettinati accuratamente in treccine arrotolate sulle orecchie, guardò il gulasch in cui galleggiavano, ormai freddi, alcuni pallidi spätzle.

"Sai, Hanna," disse. "Papà diceva sempre..."

"Che la cucina sveva è l'unica vera cucina tedesca." Hanna sorrise. "Lo so, Beate, lo so."

La camera di Claudia era rimasta esattamente uguale da quando se ne era andata, a sedici anni, per vivere in un appartamento di Hausbesetzer a Hallesches Tor. Allora c'era un ragazzo nella sua vita, un ventenne magro e allampanato, dai capelli candidi che si chiamava Emmett. Con lui rimase un anno o poco più. Emmett era un "politico", un giovane uomo pieno di ideali e di convinzioni e cause perse. Faceva parte di un gruppo violento, rabbioso, distruttivo. Aveva avuto noie con la polizia, ma in quegli anni tutti i ragazzi come lui erano passati sotto le forche caudine dei manganelli dei poliziotti. Emmett però reagì a quel pestaggio in modo diverso dagli altri. Con l'apatia e col cinismo. Claudia lo lasciò. Preferì Ossi, un amico che viveva nella stessa casa occupata. L'alba in cui la polizia li fece sfollare, l'alba che decretò la rinuncia di Emmett agli ideali e alle cause perse, li vide protagonisti di una occupazione feroce e inedita. Mentre la polizia pestava, Claudia, Ossi e altri ragazzi distrussero e incendiarono uno stabile sfitto in Ratiborstrasse. Di là dal muro, a poche decine di metri, i vopos guardavano, come sempre impassibili, le violenze di quell'altra incomprensibile parte del mondo.

Con Ossi, Claudia rimase qualche mese. Poi tornò a casa nella vecchia camera dal soffitto blu.

"Mi sono stancata di quella vita," disse una notte a Beatrix.

"Ne sei sicura?"

"Non so... Ho avuto paura."

Si erano abbracciate e avevano dormito nella stessa stanza. Ma Beatrix sapeva che prima o poi Claudia avrebbe di nuovo abbandonato il nido. Era troppo giovane, troppo diversa. Tutto quello che le poteva offrire era la tranquilla vita borghese di Leibnizstrasse. Una vita senza uomini, senza emozioni: una calda placenta femminile che poteva sì difendere dall'ansia della vita, ma non preservarne gli effetti distruttivi. Cominciarono a litigare, sempre più spesso. Claudia era insofferente a tutto, detestava gli orari della vita in comune e Beatrix – nonostante le dicesse che non era importante sedersi a tavola tutte nello stesso momento – doveva continuamente sorbirne i sarcasmi e la violenza.

"Sei una povera zitella! Ecco quello che sei!" urlò Claudia una sera, a tavola. "Io non ti voglio, non voglio la tua protezione di fallita. Perché te la devi prendere con me se gli uomini ti mollano? Cristo, perché? Mi sembra di impazzire! Così benpensanti! E io devo star qui a scaldare il letto a una povera cretina di frigida che non ha capito niente di niente."

Intervenne Hanna, quella sera. L'afferrò con le sue forti braccia di contadina e la sbatté sulla poltrona. "Non azzardarti a parlare così a tua sorella!" minacciò, rossa in volto e feroce. Claudia ebbe paura che quella donna grassa, vecchia, liberasse tutta la sua forza e la picchiasse. La vide china su di lei, con i denti gialli, enormi, che le sbucavano dalle labbra tirate, i piccoli occhi grigi ancora più piccoli e feroci, le braccia grosse, dalla pelle vizza alzate sulla sua testa. E allora abbracciandosi il volto e rannicchiandosi gridò: "Beate! Beate!"

"Tornatene in cucina, Hanna," disse Beatrix, accorrendo in suo aiuto, la voce calma, lentissima, estranea. "Tornatene in cucina."

Qualche giorno dopo, Claudia lasciò la casa. Se ne andò apparentemente tranquilla dicendo ad Hanna che avrebbe telefonato in seguito per dare un recapito. In Leibnizstrasse le due donne attesero quella telefonata per oltre un mese. In certi momenti Hanna si avvicinava a Beatrix e la guardava interrogativa. Erano momenti che un estraneo non avrebbe riconosciuti tanto facevano parte di una comunicazione intima e consueta fra le due donne. Erano momenti che cadevano nel bel mezzo di una conversazione su cosa preparare per cena quando improvvisamente Hanna si ripiegava in un mutismo assoluto e solo i suoi occhi ripetevano incessanti quella domanda; oppure quando Beatrix, rincasando, chiedeva chi avesse telefonato e Hanna scuoteva la testa e la guardava e le sue braccia abituate fin dalla fanciullezza a non conoscere mai un attimo di tregua o di riposo, tremavano per l'impazienza e l'impotenza, quasi volessero, a ogni costo, darsi da fare per cercare la piccola traditrice. Da quei giorni Beatrix cominciò a temere il silenzio che si creava fra lei e Hanna. Beatrix non era una donna abituata a parlare e discorrere. Il solo modo che conosceva per comunicare con gli altri era agire. Quando le sembrò che il suo matrimonio fosse sull'orlo del baratro, non cercò minimamente di rimetterlo sui binari giusti, prese la porta di casa e abbandonò Roddy. Mesi più tardi, quando la sua infelicità era diventata insopportabile non solo per se stessa ma anche per Herr Rheinsberg, non fece tante discussioni. Accolse il consiglio del padre e agì, aprendo il suo Art Nouveau. Non aveva mai temuto i silenzi dunque, eppure in quei faticosissimi trenta giorni la presenza muta di Hanna aveva cominciato a torturarla. E quando la domestica avviava il suo discorso, sempre quello: "Non abbiamo, Beate, notizie di Claudia?" lei, con fastidio rispondeva sempre nello stesso modo: "Io non so niente. E tu?" Ma ogni volta era sempre più difficile e ogni volta faceva sempre più male. Sapeva che non avrebbe resistito a lungo su quella strada, sempre calma, e forte, e serena a dire a Hanna che non c'era da preoccuparsi, Claudia avrebbe saputo badare a se stessa, era ormai una donna e loro invece due povere ansiose abbandonate. No, non avrebbe retto per molto. I piccoli occhi grigi di Hanna erano sempre più penetranti con lo sguardo del rimprovero e Beatrix avrebbe un giorno capitolato e fatto l'unica cosa che da tempo ormai, da quando era morto suo padre, avrebbe voluto fare: gettarsi nel grembo di Hanna e piangere e accarezzare quelle grandi dita di contadina passandosele sulle guance e sentire la sua vicinanza e domandarle infine, senza parlare, i segni e i gesti della sua protezione materna. E Hanna di certo non avrebbe risposto no alla sua bambina.

Un giorno, finalmente, il telefono squillò. Era la voce di Claudia modulata in un tono irriconoscibile, basso, gutturale e impastato di saliva. Disse che stava bene e che sarebbe presto partita per Amsterdam con alcuni amici. Beatrix le chiese di avere quel numero di telefono e Claudia glielo dettò velocemente.

Non appena si furono salutate, Beatrix ripeté il numero sulla tastiera. Le rispose, imbarazzata, la donna che stava facendo le pulizie all'Art Nouveau. L'aveva persa di nuovo.

Un altro segnale di Claudia giunse in Leibnizstrasse con la posta del mattino, sotto Natale. Si trattava di una cartolina proveniente da Londra che raffigurava Piccadilly Circus. Diceva: "Sto partendo per Hammamet. Buon Natale." Beatrix la mostrò esultante a Hanna. "Vedi?" le disse. "Non c'è da preoccuparsi. Sta bene. Si diverte." Hanna ebbe molto da ridire su quella cartolina. Beatrix non capiva il perché. Finché un giorno Hanna, servendo delle *Maultaschen* ammise: "Non si è ricordata di me. È la prima volta che non mi fa gli auguri per l'anno nuovo."

Il terzo e ultimo segnale di Claudia giunse sotto forma di telegramma ai primi di aprile. Claudia chiedeva soldi e forniva come recapito l'indirizzo di un hotel di Roma. Beatrix consultò il centralino internazionale ed ebbe il numero di telefono dell'hotel. Chiamò Roma sforzandosi di parlare italiano. Furono necessarie quattro chiamate per sentirsi sgarbatamente rispondere che la signorina Rheinsberg non alloggiava più da quelle parti. La linea cadde e la quinta chiamata servì a Beatrix solamente per farsi dire il nome del direttore dell'albergo che si trovava però fuori Roma. Due giorni dopo, Beatrix riuscì finalmente a parlare con il signor direttore Toscanelli. Questi assicurò che poteva mandare il vaglia bancario e che garantiva sotto la propria responsabilità di custodirlo finché la signorina Rheinsberg non fosse passata a ritirarlo. Beatrix non si fidò e non spedì i mille marchi che Claudia aveva chiesto. *Hotel Tiberio, Via Nazionale, Roma*. Le tracce di Claudia si perdevano lì.

Senza accendere la luce, Beatrix entrò nella camera dal soffitto blu. La luce dei lampioni sulla strada entrava dalla finestra rischiarando gli oggetti, i mobili, le piccole cose di Claudia. Sulla parete opposta al letto brillavano decine di piccole stelle fosforescenti, di diversa grandezza, che solo il buio rendeva visibili. Erano disposte a caso su una superficie di circa un metro quadrato e davano l'impressione reale di una finestra aperta sul buio stellato della notte. Beatrix si distese sul letto e fissò le piccole stelle finché la decisione di mettersi alla ricerca di quella piccola seminatrice di guai fu talmente pressante da costringerla a muoversi. Si alzò, accese la luce, cominciò a frugare tra gli oggetti di Claudia fingendo con se stessa che fosse la prima volta. Ma tutto era già accaduto infinite altre volte, ogni volta che Claudia scompariva.

In un piccolo cassetto dello scrittoio Beatrix trovò il pacco di lettere. Sfece il nastro rosa che le teneva unite e cominciò a leggerle, una per una, meticolosamente. Impiegò più di un'ora per passarle al setaccio. Erano lettere di Emmett, biglietti di Britta, un'amica d'infanzia, altre lettere di amici, un paio sue, di Beatrix. Lesse tutto con attenzione e conservò, fuori dal pacchetto che aveva ricomposto, soltanto un biglietto di Emmett. Risaliva al periodo in cui lui e Claudia si erano separati. Era una lettera abbastanza breve, una facciata e mezzo, scritta con una calligrafia lenta e precisa. Emmett ricordava una notte di amore con Claudia, la loro prima notte d'amore, e lo faceva con una malinconia fredda e controllata del tipo "questo mi è stato dato e questo mi è stato tolto". La lettera terminava con una quartina di Kurt Tucholsky, un autore che Emmett, come tutti i ragazzi berlinesi della sua razza, non poteva non amare. Diceva:

> Aus weiten Hosen seh ich dich entblättern, halb keusche
> Jungfrau noch und halb Madame.
> Ich laß dich sachte auf die Walstatt klettern...
> Du liebst gediegen, fest, und preußisch-stramm.[1]

Beatrix la rilesse e la mise da parte. Cercò di concentrarsi su ciò di cui avrebbe avuto bisogno per la sua ricerca. Senza alcun dubbio, una fotografia di Claudia. Non ne possedeva di

---

[1] Quando i tuoi bei mutandoni vai calando / sei un poco verginella e mezza una Madama. / Dal risalir la rena io ti sostengo... / oh mia dolce, volitiva, signorina prussiana.

recenti. Cercò affannosamente fra i cassetti, i ripostigli, i libri, le riviste, i dischi, ma fu tutto inutile. Si gettò esausta sul letto. Il suo orologio segnava le tre e quaranta. Chiuse gli occhi per qualche istante, cercando di rilassarsi. Quando li riaprì, qualche minuto più tardi, sapeva dove cercare. Si alzò, aprì le ante dell'armadio, estrasse l'ultimo cassetto colmo di biancheria e ne rovesciò il contenuto sul parquet. Prese i due diari, strappò la linguetta fiorata che li sigillava e li aprì. Erano libri rilegati a mano, di buona carta, dura e color dell'avorio antico. La copertina era di chintz imbottito. Prese un tagliacarte e lacerò la stoffa. Nel primo diario non trovò niente. Ripeté l'operazione e già mentre la lama affilata penetrava stridendo nella tela, emerse l'orlo di una fotografia.

Beatrix tolse tutto il contenuto da quel singolare nascondiglio. Si trovò in mano un piccolo dente da latte la cui corona era rivestita di un sottile strato d'oro; una medaglietta, anch'essa d'oro, un tovagliolo da bar macchiato di chiazze marroni su cui Claudia aveva scritto una poesia, e tre fotografie. Sentì una fitta stringerle lo stomaco. Esaminò quelle foto. Erano in bianco e nero, stampate da un dilettante, probabilmente ingrandite parecchie volte. In una Claudia appariva nuda, con il suo corpo ancora adolescente, morbido e quasi pingue, di quella rotondità che hanno le ragazze prima di diventare donne. Stava in piedi e guardava verso uno specchio che rimandava il lampo di un flash.

Nella seconda fotografia Claudia era abbandonata su un letto sfatto, i lunghi capelli biondi le ricoprivano parte del viso, ma lasciavano intravedere le sue labbra truccate e aperte in un sorriso di imbarazzo, o di piacere, forse. Un braccio di Claudia era riverso dietro la testa e Beatrix notò che l'incavo dell'ascella era pulito e tenero, senza l'ombra di un pelo. Eppure, inequivocabilmente, Claudia era già donna. La terza fotografia, che tutto faceva supporre essere stata scattata insieme alle precedenti, ritraeva Claudia adagiata sul ventre eretto di un ragazzo magro, biondo, di cui si poteva scorgere solo la parte centrale del corpo poiché il viso era nascosto dalla macchina fotografica puntata verso lo specchio. Claudia si protendeva verso quel membro eretto, sproporzionato rispetto all'esilità del suo viso e del suo corpo. Aveva l'aria di divertirsi, di essere dentro a un gioco. Beatrix abbandonò la prima e più facile ipotesi: che si trattasse di foto rubate sul set di un qualche schifoso imbroglio pornografico. Pensò che fossero solamente i ritratti dei momenti di amore, i primi, fra due ragazzi. In questo caso, quasi certamente, il biondo era Emmett.

Si alzò, ripose il resto del contenuto nel cassetto, prese la lettera e le fotografie e uscì dalla stanza. Ormai era decisa a partire. Avrebbe aspettato soltanto la fine di giugno per chiudere il negozio. Tutto quello che avrebbe portato con sé di Claudia sarebbero dunque stati un biglietto e tre fotografie erotiche, inutili feticci di un passato che forse Claudia stessa non avrebbe riconosciuto più.

4

Erano da poco passate le quattro del pomeriggio. Il caldo incombeva fra le vetture lucide di sole, le cartacce e i binari ferrugginosi. Ma non fu precisamente questa l'immagine più netta che Robby percepì muovendo i primi incerti passi sul suolo di Rimini.

Faceva caldo, probabilmente attorno ai trentacinque-trentasette all'ombra. E questo caldo appiccicoso e denso, un caldo sporco, praticamente nient'altro che la traspirazione evaporata nell'atmosfera di quelle decine e decine di migliaia di bagnanti che in quello stesso momento prendevano il sole sulla striscia di sabbia della riviera, ecco, un caldo umano, non un caldo puro, e per questo già istintivamente insopportabile – benché tutto ciò costituisse una sensazione grave e a suo modo importante, non era minimamente paragonabile a quell'altra immagine-sensazione che gli aveva folgorato il cervello pochi istanti prima, mentre scendeva dalla carrozza del convoglio: "Ma questo è già un set."

C'era dunque qualcosa di intimamente *artificiale* in ciò che aveva intorno, *totalmente* predisposto quasi come quel caldo opprimente e animalesco che fiutava nell'aria immobile della stazione. Era tutto non naturale. Tutto troppo dannatamente perfetto. Come sopraffatto da questo pensiero si arrestò all'inizio del sottopassaggio. Estrasse dalla tasca interna della giacca un kleenex e s'asciugò il viso. Spinse lo sguardo verso il primo binario per cercare Tony. Aveva un appuntamento preciso. Ma aveva già sforato di due ore. Centodieci minuti per l'esattezza.

Venne urtato e poi trascinato dalla calca nel sottopassaggio. Si trovò a sbattere contro la schiena scamiciata di una signora dai capelli corti e ossigenati color del marmo. La signora trasportava a fatica una valigia e una borsa voluminosa. Robby si scusò, ma la donna proseguì noncurante il suo cammino ondeggiando sotto il peso delle sacche e delle spinte della folla. Ai lati Robby era premuto da un vecchio che teneva per mano un ragazzino, e da una signora con il capo ricoperto da un fazzoletto bianco a pois gialli limone. La donna gli allungò un colpo con il gomito. Robby bestemmiò. La guardò feroce. Quella proseguì come seguisse un pensiero fisso, la fronte aggrottata e le sopracciglia contorte. Aveva braccia nude, flosce, bianchicce, rigate dal sudore; braccia larghe di contadina, braccia di pastafrolla. Attorno altra gente, ragazzi, ragazze, signore ancora giovani, zaini, valigie, sportine da supermercato, passeggini, freezer portatili, canestri da pic-nic, ombrelloni. E tutti premevano addosso a lui ora sulle caviglie, o sulla schiena, o alla bocca dello stomaco. Finalmente intravide la luce del sole che rischiarava l'uscita dal sottopassaggio. Prima di poterla raggiungere, si beccò un colpo in mezzo alle gambe. Guardò in basso e vide un bambino che reggeva una bottiglia di acqua minerale. Ebbe voglia di spaccargli la testa. Continuava a procedere ondeggiando e il traguardo di luce, là in fondo, sembrava irraggiungibile. Altre persone, parenti o amici, si erano ammassati ai lati della scalinata ingombrando così l'uscita. Non appena riconoscevano qualcuno, gli si gettavano al collo, lo abbracciavano. Le valigie prendevano a levarsi sulle teste degli altri. Il flusso dei viaggiatori così non soltanto defluiva all'esterno come i rivoli di un piccolo ruscello agonizzante percorrono il greto di un torrente, ma si gonfiava sempre più nello sbarramento della scalinata simile a una diga. Le grida della gente divennero ossessionanti, l'odore della grassona insopportabile. La macchina da scrivere che portava nella mano sinistra s'intrappolò nella tracolla di una sacca. Robby tirò, ma una forza uguale e opposta alla sua rispose. Sentì il braccio dolente per lo sforzo. Fu sul punto di mollare la presa. Diede uno strattone stringendo i denti e si liberò. Vide qualcuno, a un paio di metri da lui, vacillare. Gli augurò sinceramente di cadere e di essere calpestato fino alla fine dei suoi giorni.

Raggiunse l'atrio della stazione. Appoggiò a terra la sacca e la macchina da scrivere. Accese una sigaretta. Aspirò il fumo talmente forte che la testa prese a girargli e lo stomaco brontolò strizzato come una spugna. Gettò la sigaretta. Era un sacco vuoto. Non mangiava dalla sera prima.

Attorno a lui bivaccava un gruppo di ragazzi dai capelli lunghi fino alle spalle vestiti solamente con canottiere e jeans ora tagliati al ginocchio, ora ridottissimi a guisa di shorts, ora lunghi e stretti al polpaccio. Un paio tra loro portava in testa cappellacci di cuoio grezzo cuciti con fettucce e laccetti di pelle. I ragazzi, una decina in tutto, erano distesi gli uni accanto agli altri e rollavano sigarette nello stesso identico modo in cui i coetanei di Robby di mezza Europa, e lui stesso, lo avevano fatto ad Amsterdam, al Vondel Park o al Dam, quindici anni prima: gli stessi gesti, la stessa maniera rituale di tranciare il tabacco erboso con le unghie lunghe e affilate, gli stessi sacchettini – addirittura – del Samson, del Drums, del Clan, dell'Old Homburg... Dov'era allora la differenza fra quegli altri ragazzi dei primi anni settanta e questi? Gli stessi zoccolacci ai piedi, le sacche di stoffa indiana, gli orecchini, i piedi sozzi, le guance sporche di barba, i gilet di stoffa indossati sulla pelle nuda. Erano comparse o erano *veri*?

La voce di Tony lo chiamò in quel preciso momento. "Sono qui! Forza!"

Robby si voltò verso l'uscita e vide Tony, in piedi sulla sua macchina che agitava le braccia sporgendosi dalla capote abbassata. Un vigile gli si era avvicinato minaccioso. Tony continuò a sbraitare: "Spicciati! Sali, dai!"

Robby afferrò la portatile e la sacca e corse verso l'uscita. Non fece in tempo a salire che già Tony aveva ingranato la marcia e stava schizzando via.

"Ho avuto un sacco di grane, sono stravolto, non mangio da non so quanto, la mia giacca di lino è ridotta a uno straccetto da Porta Portese e quel cazzo di treno ha cominciato a fermarsi subito dopo Roma. E a Foligno..."

"Per chi mi hai preso?" lo interruppe burbero Tony. "Per l'ufficio reclami delle Ferrovie?"

"No, è che... Ti stavo spiegando i motivi del mio ritardo."

"E a me che importa?"

Robby mugolò qualcosa fra i denti. Probabilmente un vaff.

"E allora, come stai?" riprese Tony sorridendo e toccandolo sulle spalle. Aveva scherzato. Non era affatto un burbero. Era uno a cui piaceva scherzare. Soprattutto con il suo vecchio amico Robby.

"Bene. Sto bene," tagliò corto Robby.

"Da domani si comincia. Sei in forma?" Gli appoggiò una mano sulla coscia. Robby la tolse con una smorfia. "Voglio mangiare."

"E vorrai anche bere." Esitò un istante. Si fece premuroso. "Come ti va con l'alcool?"

Robby socchiuse gli occhi annoiato. Finse di guardare fuori dal finestrino con attenzione. "Pare stia tornando di gran moda."

"Ti trovo in forma," ridacchiò Tony.

Con il miglior tono blasé che conosceva, Robby gli terminò l'osservazione con un "Nonostante tutto". E abbassò la testa e allargò le braccia in una grande riverenza.

Tony abitava presso una zia in un piccolo condominio a tre piani costruito nei tardi anni cinquanta come si poteva facilmente dedurre osservando le colonnine decorate di mosaici multicolori che ornavano l'ingresso principale e quella piccola vasca con pesci rossi e ninfee e un ippocampo in bronzo alto mezzo metro dalla cui bocca fuoriusciva ormai solo un rivoletto di acqua e non più un getto zampillante polverizzato attorno dalla pressione.

Il condominio era situato a un duecento metri dal mare, oltre il sottopassaggio della ferrovia che taglia in due tutti i grossi centri della costa adriatica. La zona, pur non appartenendo alla privilegiata prima linea, era fitta di pensioni a conduzione famigliare dai nomi quasi esclusivamente femminili: Pensione Iris, Pensione Elvira, Pensione Afra, Pensione Tilde, Pensione Gabriella, Pensione Dolores, Pensione Ebe...

Tony portò Robby nell'appartamento. Dopo che ebbero mangiato, appesantiti dalle due bottiglie di sangiovese, si stesero in camera di Tony, Robby in poltrona e l'altro sul letto.

"Allora, qual è la tua grossa idea?" attaccò Robby aspirando finalmente con piacere un'ampia boccata di fumo.

"E la sceneggiatura?"

"L'ho portata, l'ho portata con me. Sta bene e non vede l'ora di crescere."

"Bene... Mi spiace, sai che non potrai fermarti qui."

"Che vuoi dire?" Robby si fece nervoso. "Come non posso restare qui! E dove vado?"

Tony mantenne la sua calma. Aveva, naturalmente, previsto tutto. "Per i prossimi tre giorni potrai stare al *Meublé Kelly* qui di fronte. Poi cercheremo un'altra sistemazione. Credimi, non è facile trovare una stanza singola in alta stagione. Ho fatto del mio meglio."

"Ma io sono scemo! Sono il più grande imbecille di questa terra. Il più idiota!" Robby si diede un pugno sulla fronte, e poi un altro, prima con la mano destra e poi con la sinistra. "S'è mai visto uno più rincretinito di me? Ho quasi trent'anni, ho lasciato perdere tutte le mie manie artistiche del cazzo, sono un buon sceneggiatore di fumetti, ok, ok, non è gran che, visto che ero partito per fare il grande autore, ma ora mi sta bene, ho un po' di lira, e niente! Mi imbarco in questa storia con il più perfido amico che abbia mai conosciuto!"

"Non farla tanto lunga. Sarà un ottimo film!"

"Un ottimo film, dice!" Aveva cominciato a gironzolare per la stanza andando avanti e indietro come un robot. Non appena cozzava contro il muro faceva marcia indietro e ricozzava dall'altra parte. "Un ottimo film! Ma se non abbiamo una lira. Se sono dieci mesi, venti, che scriviamo questa sceneggiatura e nessuno, nessuno si fida a darci il becco di un quattrino! Ma perché sono venuto qui! E poi mi sbattono in uno squallido albergo, per giunta! Camera e cesso sul pianerottolo e mogli traditrici e bambini e crucchi! Dio mio! La mia idiozia non ha limiti!"

Tony lo guardò divertito: "Calmati, Robby... Sei il più grande scrittore di cinema da vent'anni e più a questa parte."

Robby arrestò quella sua forsennata marcia muro a muro. Guardò l'amico così calmo e compassato, disteso sul letto, un braccio dietro la testa, le gambe accavallate. Fece un broncio e disse: "Sul serio?"

"Ma certo. Starei qui se avessi per le mani uno straccio di imbrattacarte a mio servizio?"

"Be', no... No, certamente."

"E allora?"

"Allora un cazzo!" Robby precipitò di nuovo nell'isterismo. "E chi mi paga l'albergo? Avrei dovuto farmi le mie vacanzine con Silvia, in Spagna, altroché. E invece! Stupido! Stupido! Stupido!"

"Ti dirò una cosa, Robby," attaccò Tony, tirandosi su come per dare ancora più importanza alle sue parole. "Quando ci siamo conosciuti all'Istituto, tu mi stavi sulle palle, e sai perché?"

"Perché mi sbattevo più ragazze."

"Perché tu sapevi tirar fuori una trama da qualsiasi cazzata ti dicessero. Sapevi imbastire in un'ora di lavoro dieci pagine fitte di dialoghi che raccontavano più di *Guerra e pace*. Ecco perché mi stavi antipatico. Perché eri il migliore. E lo sapevi."

Robby precipitò in poltrona sudato e sfatto. "Sono passati

cinque anni, da allora. Faccio lo sceneggiatore di fumetti popolari. E mi pagano, per questo."

"Ma puoi fare molto di più."

"Senti, caruccio. Io non sono come te. Non ho una famiglia alle spalle che mi passa la lira per fare il contaballe. E non c'è lavoro per me. Ho scritto cinque sceneggiature e nessuno si è mai sognato di farne un film, mai!"

"E *Feeling*?"

"Lascia stare!" sbraitò Robby.

Tony conosceva, il dannato, dove far sbattere la lingua. "E *Feeling*?" "Non ne voglio più parlare, mai più. E quello non è nemmeno il mio titolo! Mi hanno fregato il soggetto, ok. Hanno fatto un film da un miliardo e mezzo, ok. E allora? Io sono lo scemo che non ha depositato la sceneggiatura. L'ho pagata cara. Sbagli di gioventù. Me l'hanno fregato e basta. Avevo ventitré anni, che ne sapevo di trovarmi in mezzo a un branco di iene pronte solo a spolparti? Il produttore dice: non ne voglio sapere. Io me ne sono andato. Ha chiamato quei due paraculi, gli ha raccontato il soggetto, ha aperto il rubinetto e hanno montato il film. Punto e basta. Idiota me. L'avvocato si è messo a ridere quando sono andato a chiedergli di avviare la causa. Mi ha dato dell'imbecille anche lui. Ecco, basta. Finita."

"La tua idea era buona. È questo che volevo dirti." Tony si alzò dal letto. "Seguimi," disse deciso.

Raggiunsero la cucina. Sul tavolo erano rimasti gli avanzi del pasto, le bottiglie vuote, i piatti sporchi ripieni dei gusci dei crostacei, qualche fetta di pane sbriciolato. Tony invitò Robby a sedersi. Era un buon regista, Tony. Dava ordini, sapeva cosa voleva e dove intendeva arrivare. Robby obbedì. Si sedette al suo fianco.

"Vuoi whisky?"

"Un po' di vino."

Tony stappò un'altra bottiglia, aspettò che Robby bagnasse il becco e infine parlò. "Fingi che questa tavola sia il cinema italiano. E che noi vi sediamo pronti per mangiare qualcosa.

Siamo affamati, vogliosi, pieni di desiderio di mettere le mani su questa tavola, perché sappiamo che è la nostra vita. Che il nostro futuro dipende da quello che troveremo qui. È il nostro mestiere. Abbiamo studiato per questo, ci siamo sbattuti per anni e anni. E non per meritare la gloria o il denaro o cazzate di questo genere. Ma semplicemente perché lo sentiamo nel sangue. Perché lo sapremmo fare meglio di altri. Perché abbiamo più idee, più testa, e forse perché abbiamo anche sofferto, per arrivare qui, più di tanti altri. Veniamo dal nulla. Nessuno ci ha obbligato a scegliere questa strada, però l'abbiamo seguita inventandocela giorno per giorno sulla base esclusivamente del nostro talento. Non vogliamo rubare niente a nessuno. Portiamo soltanto noi stessi. I nostri progetti, le nostre storie, le nostre letture, i nostri sogni, le nostre donne, le nostre fantasie. Questa è la novità. Non siamo parassiti. Siamo organismi assolutamente efficienti. Se noi ci sediamo qua non è per arraffare quello che d'altra parte non c'è più, ma per portare qualcosa di nuovo. Mi segui?"

Robby terminò il vino. Avrebbe voluto mandarlo al diavolo, ma in fondo Tony stava magnificamente recitando la parte della sua stessa gioventù, dei suoi anni d'apprendistato quando una quantità enorme della sua adolescenziale energia veniva sprecata e buttata al vento solo per cercare di capire chi cazzo fosse lui, Roberto Tucci, e cosa volesse dalla sua vita. Come avrebbe allora potuto dirgli vai a farti fottere? Non aveva anche lui desiderato le stesse cose, trascorso in cineteca, fin da ragazzo, tutti i suoi pomeriggi, trascurato la scuola per attraversare la città fin dove un qualche cinema aperto fin dal mattino proiettasse qualcosa, qualunque cosa? Non aveva sputato sangue per ottenere l'ammissione all'Istituto Superiore di Studi Cinematografici dopo uno, due, tre rifiuti consecutivi, anno dopo anno? E con che si era mantenuto quella sua prima giovinezza, se non con la speranza di entrare a far parte un giorno del sogno? Certo, lui, Robby, aveva mollato. Silvia non avrebbe potuto mantenerlo e passargli i soldi per il resto della sua vita.

E allora benvenuto ai fumetti popolari, se questo serviva a tirare avanti. E al diavolo il resto! Ma in fondo quelle parole lo stavano scaldando. Stavano riaccendendo un fuoco, quel fuoco che aveva scaldato la sua vita fino a poco tempo prima.

"Bene," proseguì Tony. "Ci sediamo a questo tavolo. Però... Come puoi vedere non ci hanno lasciato più niente. Le bottiglie sono a secco, i piatti sono sporchi. Un po' di insalata affogata nell'olio. Hanno fatto baldoria prima di noi. Hanno consumato tutto. Hanno divorato tutto. Non si sono preoccupati di rifornire il frigorifero. Non hanno coltivato l'orto. Non hanno messo il vino in cantina. Non c'è più niente." Si fece solenne: "Noi ci sediamo qui davanti ai miseri resti di quello che è stato un buon pranzo. Ciò che hanno preparato l'hanno divorato fino in fondo." Fece una pausa. "Siamo arrivati tardi. Però siamo arrivati. Siamo seduti qui. Abbiamo le nostre idee e le nostre provviste come quel vino che tu ora stai bevendo. Abbiamo coraggio. E allora se guardiamo bene su questa tavola vediamo che in fondo, poi, c'è qualcosa. Qualcosa che non apparirà a prima vista, qualcosa che va oltre la desolazione e lo smarrimento di questa tavola depredata. Qualcosa per cui nessuno darebbe niente... Guarda bene."

Trascinato dall'enfasi di Tony, Robby cominciò a fissare il tavolo. Ma non scorgeva nulla di così importante. Niente su cui si potesse – attenendosi alla metafora di Tony – costruire qualcosa. Niente da cui partire.

"Allora? Hai visto?"

"No," disse Robby.

"Guarda bene. Immagina che questa tavola rappresenti il capitale. Il danaro necessario per produrre un film. Il nostro film."

"Niente. Non c'è niente."

"Guarda bene. Sforzati! Fai lavorare il tuo cervello!"

"Piantala con queste balle!"

"Guarda bene! La tua fantasia!" incalzò Tony.

Robby scattò in piedi furioso: "Merda! Non c'è niente!"

"Apri gli occhi bastardo!"

"Niente, niente, niente!"

"Guarda meglio! Avanti!"

"Cristo! mi farai impazzire. Non c'è un cazzo su questa tavola. Solo briciole!"

Tony si alzò in piedi a sua volta. Lo abbracciò. "Lo sapevo che potevo fidarmi di te."

"Come?" balbettò Robby sfinito.

"Hai visto giusto. Abbiamo le briciole. E dalle briciole partiremo. Questa è la mia idea."

Robby ammutolì. Si scostò con fastidio dall'abbraccio e andò verso la porta per uscire. Si fermò sulla soglia. Si voltò indietro lentamente. Guardò il tavolo spoglio, guardò Tony che raccoglieva quelle briciole fino a riempirsi il palmo della mano, lo vide innalzarlo come un'offerta al cielo e, scuotendo la testa, disse: "Tu sei pazzo, Tony. Completamente pazzo."

Meublé Kelly, ultimo piano. Robby se ne stava da un po' disteso sul letto della cameretta ricavata nel sottotetto di quello che fino a dieci anni prima, si vedeva, era stato un buon albergo e ora invece faceva pietà. Non accese la luce per evitare che le zanzare arrivassero attratte dal suo sangue dolce. Il caldo era insopportabile, il soffitto troppo basso, il letto troppo corto. E lui era lì, disteso e confuso, incapace di prendere una qualsiasi decisione. Aveva lasciato sgarbatamente Tony dopo quella discussione e aveva raggiunto l'albergo desiderando solamente di farsi una doccia, gettarsi a letto e chiarirsi le idee. Le complicazioni erano iniziate immediatamente. Quello che doveva essere il padrone, un uomo maturo ma con un viso ormai decrepito fiorito di venuzze spappolate sulle guance e sul naso, non aveva registrato la prenotazione. Robby insistette e fece casino finché non arrivò un ragazzo, il figlio, che ammise di aver ricevuto la telefonata di Tony e di aver potuto riservare solo quella cameretta in cima alle scale. Mentre salivano, Robby notò un odore strano, stantio, che usciva dalle pareti, dal passamano della scala, dai legni del pavimento.

"Cos'è," disse.

Il ragazzo che lo accompagnava finse di non capire. Si guardò intorno facendo una smorfia come per dire: Io non sento niente. L'odore si fece più forte. Non era solamente il puzzo del legno vecchio, della polvere, dell'aria chiusa e viziata. Era qualcosa di diverso. Si fermò. "Non sente una puzza strana," domandò Robby, "come... di bruciato?"

Il ragazzo cominciò a ridere. "Ah, non si preoccupi. È solo il fumo del mio cervellino fritto."

Robby ridacchiò in modo inquieto.

La seconda seccatura fu sotto la doccia. L'acqua non usciva se non a piccole gocce fredde. Aspettò qualche minuto, poi sfinito chiamò il ragazzo. Venne così a sapere che in quasi tutta Rimini non era possibile fare una doccia fra le sei e le otto di sera poiché tutti i bagnanti tornavano in quell'ora alle pensioni e si preparavano per la cena. L'acquedotto municipale – così improvvisamente prosciugato – non era in grado di erogare l'acqua ai piani alti e, in certi momenti di punta, nemmeno a quelli bassi. Robby si immaginò migliaia e migliaia di persone come lui, mezze insaponate, con i capelli pieni di schiuma, sorprese nude e sole davanti a quel getto d'acqua che languiva. Si sedette sul water e aspettò fino alle otto e mezza.

E ora, disteso su quel letto, un pensiero fisso l'aveva ormai conquistato: riprendersi i bagagli, raggiungere Genova e lì attendere il passaggio di Silvia. Era ancora in tempo per salire sull'auto degli amici di Roma e raggiungere la Spagna. E che Tony andasse al diavolo, lui e quel cazzo di film.

Cercò di dormire. Dalla strada proveniva il chiasso dei giardinetti davanti alle pensioni in cui le famiglie prendevano il gelato o i dolci con tutto il contorno di televisori accesi, radio, stereo, bambini in lacrime, nonne che non tacevano manco a strappargli la lingua, mamme isteriche che litigavano con i loro mariti su quale programma televisivo seguire. Qualcuno andava ossessivamente avanti e indietro su un dondolo cigolante. Lo scricchiolio giunse insopportabile alle orecchie di Robby battendogli il tempo, i minuti, i secondi di quel dormiveglia assurdo. Prendere una decisione. Abbandonare Tony, tuffarsi, di lì a qualche giorno, nel mare tranquillo di Mojácar, fare all'amore con Silvia sulla spiaggia granulosa della costa spagnola, ubriacarsi con la sangria scurissima, densa e ghiacciata. Giocare, la notte, alle slot-machines centinaia di pesetas in compagnia dei vecchi delle osterie e delle taverne. Chiacchierare con i punkettini di Barcellona e di Madrid, ballare, leggere, dormire, nuotare con Silvia... Oppure sfogliare ancora una volta quella maledetta sceneggiatura, riprendere tutte le osservazioni a matita che nel corso degli ultimi mesi vi aveva apposto con ritmo quasi maniacale, rimetterla a posto insieme a Tony, lanciarsi ancora una volta sperando in Dio, se mai un qualche Dio, ovunque fosse, potesse mai dare ascolto alle piccole fregole di due giovanotti che si erano ficcati in testa, fin da ragazzi, di sbancare lo schermo bianco. Già, piccole fregole. A guardarle ora, in quella squallida camera arredata come per un bambino, con un inutile scrittoio in truciolato rivestito di plastica, una specchiera appesa alla porta, un comodino che doveva servire anche come armadio, una sedia di ferro verde, un lavandino, sul cui fondo il metallo ossidato irradiava screpolature verdastre. Ma allora, quindici anni prima?

Si passò una mano sulla fronte e la scoprì fradicia di sudore. Si alzò dal letto. Non avrebbe saputo con che forze continuare. Ma avrebbe continuato. E solo per un motivo: proprio il rispetto profondo, amoroso quasi, per quel ragazzino che era arrivato testardamente fino a quel punto estremo, in quella camera e in quel letto. In altre parole per rispetto e amore verso la propria storia. Aprì la finestra. Una leggera brezza salata entrò nello stanzino. Aspirò profondamente, prese la sceneggiatura, accese l'abat-jour e cominciò a leggere. Erano le tre del mattino. Intorno tutto, finalmente, taceva.

L'insegna luminosa del night-club *Top In* finalmente si spense. Faceva ancora buio, ma Alberto sapeva che quando sarebbe arrivato davanti alla pensione le prime luci dell'alba avrebbero inaugurato il nuovo giorno provenendo dalla linea nebbiosa del mare. Ci si era abituato. Era già un mese che andava avanti così tutte le notti. E fra poco, non appena l'alta stagione avrebbe riversato altre decine di migliaia di turisti sulle traverse di Milano Marittima, sarebbe andato a letto ancora più tardi, avvolto già dalla luce del mattino. Salutò davanti all'ingresso del *Top In* gli altri suonatori. Gli offrirono un passaggio in auto. Alberto rifiutò. "Fumerò l'ultima sigaretta," disse.

Si incamminò sul lungomare, le mani infilate nei pantaloni da smoking, il bavero di raso nero alzato sulle guance ispide di barba, la super senza filtro fra i denti. Faceva fresco, il mare livido si era ritirato per la marea e scopriva i detriti di una giornata di vacanza infilzati nella sabbia sporca. Fra poco i bagnini sarebbero scesi in spiaggia con i loro attrezzi e avrebbero spazzato via la fanghiglia e i cumuli di alghe morte, le cicche delle sigarette, le lattine di birra, i kleenex stropicciati e sfilacciati dall'umidità, qualche preservativo sformato abbandonato quella stessa notte, forse solo pochi attimi prima.

Alberto guardò il mare. Il chiarore freddo del mattino si diffondeva nel cielo senza ancora illuminare. Ogni tanto incontrava una coppia di ragazzi ubriachi stesi sul marciapiede. Dormivano. Russavano.

Attraversò il lungomare all'altezza della xvi traversa. La percorse per qualche decina di metri e imboccò il viale interno fiancheggiato dagli ultimi, intossicati, esemplari arborei di quella che per millenni, e fino solo a qualche decennio prima, era stata la grande pineta ravennate. Faceva buio pesto lì, in quella via stretta fra gli alberghi e gli alberi, come fosse ancora notte. Le luci delle receptions illuminavano le entrate in cristallo e marmo rosa degli hotels di prima categoria rendendoli simili a tante palazzine di un gioco di società. Era tutto falso. Solo la sua stanchezza, sospesa fra la depressione e una zona di coscienza neutra, era vera. Gettò la cicca per strada. Portò gli indici delle dita alle orecchie come per stapparsele. Ronzavano, quella destra, in particolare, gli doleva. Non appena giunto a casa, avrebbe messo le gocce.

Avanzò ancora una cinquantina di metri fino a incrociare la traversa della sua pensione. Mise le mani in tasca alla ricerca delle chiavi di ingresso. Ne aveva un duplicato. A quell'ora nessuno si sarebbe alzato per aprirgli. Arrivò pochi istanti dopo. Prese dal quadro la chiave n. 38 e salì a piedi fino al terzo piano. Raggiunse lentamente il pianerottolo e poi il corridoio in fondo al quale stava la sua stanza. Fu allora che uno squarcio di luce tagliò l'oscurità del piano. Proveniva dalla camera di fronte alla sua. Alberto fece qualche altro passo e la luce sparì. Tutto tornò buio.

Richiuse la porta alle sue spalle. Tolse la giacca, le scarpe, i pantaloni, i calzini. Andò in bagno. Prese una lattina di birra dal lavandino in cui galleggiavano ormai solo un paio di cubetti di ghiaccio. La stappò. Ne bevve un lungo avido sorso sbrodolandosi di schiuma il mento e il torace. Gli piaceva l'odore della birra. Si gettò sul letto chiudendo gli occhi. Le orecchie ronzavano. Non trovò la forza di alzarsi e cercare le gocce. Voleva soltanto ammazzare quella notte e addormentarsi. Una immagine dapprima gli impedì di prendere sonno. Gli era parso, nell'istante in cui aveva voltato il capo verso quella fonte di luce, di aver intravisto un'ombra. Ma non poteva esserne sicuro. Non era nemmeno certo di saper riconoscere – l'indomani – da quale camera era provenuta. Le dita si allentarono attorno alla lattina di birra. Si addormentò. Una zanzara lo infastidì per le otto ore del suo riposo.

5

Il volo Pan Am 641 in partenza alle dieci e quindici dall'aeroporto di Berlin-Tegel diretto a Francoforte attendeva sulla pista, coi motori accesi, in corrispondenza del cancello di imbarco numero quattordici. Era un DC9 atterrato soltanto da pochi minuti e destinato a far la spola quotidiana fra le due città tedesche occidentali che nessun aereo della Lufthansa, la compagnia di bandiera, poteva però collegare. Nel piccolo e grazioso aeroporto di Tegel atterravano solamente aerei della Air France, della British Airways e della Pan Am. Il cielo di Berlino Ovest apparteneva agli "alleati" come un anacronistico bottino di guerra: loro potevano percorrere il corridoio aereo sopra il territorio proibito della Repubblica Democratica; loro potevano assicurare lo scambio delle genti e dei popoli inalberando, alto nei cieli, il vessillo della libertà. Loro erano i vincitori. Almeno da questa parte del mondo.

Quella mattina Beatrix attendeva, seduta su una poltroncina in resina gialla, di salire a bordo. Era lievemente ansiosa. Masticava caramelle americane alla violetta. Quando tutti i passeggeri provenienti da Francoforte furono usciti dal braccio meccanico che collegava l'aereo direttamente con il corpo dell'aerostazione, il funzionario della compagnia agganciò la catenella di metallo da una parte all'altra del tunnel chiudendo il passaggio verso la saletta arrivi e aprendolo verso la hall. I passeggeri in partenza, una ottantina, si accalcarono verso il bancone dello steward per consegnare le carte di imbarco. Beatrix aspettò che la ressa defluisse, si mise ordinatamente in coda, consegnò il cartoncino azzurro. Lo steward depennò il suo nome dalla lista augurandole buon viaggio. Dieci metri più avanti, entrò nella fusoliera dell'aereo. Prese posto accanto al finestrino nella zona riservata ai non fumatori.

Cinquantacinque minuti dopo, in perfetto orario, il DC9 rullò sulla pista dell'aeroporto di Francoforte. La prima parte del viaggio era filata via liscia e tranquilla. Le condizioni del tempo sul "continente" non erano delle migliori se raffrontate alla mitezza del clima dell'isola berlinese. Il cielo era coperto e l'aria probabilmente calda e pesante. Probabilmente. Come tutti i passeggeri che facevano scalo a Francoforte per viaggi di media distanza, Beatrix non avrebbe messo nemmeno per un istante il naso fuori dai corridoi, dai tunnel, dalle sale di attesa. Si sentì come incapsulata, un involucro con un po' di sangue, nervi e materia cerebrale pressato in un tubo e sparato, sotto pressione, a migliaia di chilometri di distanza.

Raggiunse un atrio grande come l'intera Nollendorfplatz. Controllò il suo volo sul cartellone elettronico e si diresse, senza indugi, verso il nuovo check-in. Aveva un'ora da impiegare. La trascorse in parte nel free-shop dove non comprò nulla e in parte seduta al bancone di un bar. Un grande Tupolev con la scritta in caratteri cirillici dell'Aerflot attraversò lento lo specchio della grande vetrata come un mastodontico mammifero tecnologico. A Roddy, il suo ex marito, piacevano gli aerei. A Beatrix invece non piacevano o dispiacevano più delle navi o dei treni: tutti racchiudevano un sottile senso di minaccia che nessuna abitudine ai viaggi avrebbe potuto scalfire. Per il resto: si trattasse di un transatlantico o di una bagnarola, di un Jumbo o di un vecchio, decrepito Caravelle, a lei non faceva né caldo né freddo. Era una donna pratica, vagamente intellettuale, sufficientemente colta. Non aveva puzze sotto il naso ed era, nel modo in cui solo i berlinesi sanno essere, prudentemente snob. Una solida e volitiva signorina prussiana: *Gediegen, fest und preußisch-stramm.*

Questa volta si trattava di un Boeing 727 della Lufthansa. Beatrix salì a bordo e rintracciò il proprio posto. La fila era costituita da tre poltroncine, tutte e tre occupate da giovanotti italiani, in maniche di camicia e cravatta allentata, che sfogliavano chiassosamente un quotidiano dalla carta rosa. Beatrix controllò il proprio talloncino con la plaquette fissata in alto sul bagagliaio. I numeri corrispondevano. Sorrise cortese verso i tre giovanotti mostrando il talloncino della carta di imbarco che le assegnava il primo di quei posti. Non le importava che metà della carlinga fosse ancora vuota. Quello era il suo posto. Gli italiani si guardarono facendo finta di non capire e parlandosi sotto i baffi neri e scambiandosi gesti. Beatrix non si spostò. Arrivò una hostess, Beatrix spiegò il problema e quella fece sloggiare gli italiani. "Signori, i vostri posti sono laggiù, prego," disse in inglese. I tre slacciarono le cinture e si alzarono. Quando sfilarono uno a uno davanti a Beatrix dissero qualcosa e risero insieme. Beatrix non capì. Non fu un male. Se avesse riconosciuto quelle parole, sarebbe quantomeno arrossita, e non avrebbe perduto l'imbarazzo che dopo qualche decina di minuti. A ogni modo, bene o male che fosse, il problema della lingua cominciò a farsi sentire.

Mentre sorvolavano Zurigo, mezz'ora dopo all'incirca, a bordo venne servita una colazione. Beatrix chiese solamente una tazza di caffè. Il suo vicino, un uomo di Amburgo che viaggiava in compagnia di una ragazza, le offrì una coppa di sekt. Beatrix rifiutò. Poco dopo l'uomo tornò alla carica chiedendole informazioni su Roma. Beatrix rispose senza entusiasmo. Approfittò di una domanda della ragazza rivolta all'uomo per estrarre il suo manuale di conversazione italiana e immergersi nella lettura. Era un vecchio libro appartenuto a sua madre e che Beatrix aveva usato nei precedenti viaggi in Italia. Sfogliandolo, ritrovò le annotazioni a matita che sua madre, prima di lei, aveva scritto a Taormina, Napoli, Venezia. Trovò anche un suo disegno dai tratti infantili vergato a penna. Beatrix aveva allora non più di sei o sette anni. Più tardi, con lo stesso manuale, si era presentata a un corso di lingua italiana che un ragazzo di Milano teneva nella sua stanza di Lützowplatz. Era un ragazzo magro, moro, con un paio di occhietti vispi e sempre in movimento. Beatrix sorrise a quel ricordo. A quel tempo studiare l'italiano era il tocco di classe che si esigeva da tutte le ragazze di buona famiglia come lei. E, innegabilmente, lei preferiva la dolcezza e la musicalità di quella lingua che ogni italiano parlava a suo diversissimo modo, alla gretta funzionalità della lingua inglese contemporanea che poi, sposando Roddy, sarebbe diventata la lingua del suo fallito ménage: la lingua dei litigi e delle incomprensioni più che la lingua del sentimento.

Arrivata a Roma prese alloggio in un hotel di Piazza Barberini che la sua agenzia di Berlino le aveva riservato per quattro giorni. Arrivò nella stanza e immediatamente chiamò l'Hotel Tiberio.

"Sono Beatrix Rheinsberg. Il signor direttore Toscanelli, per favore."

"Non abbiamo posto," disse una voce gutturale.

"Was?"

"Full up... Engombré... Tutto pieno, capisce?"

"No, no." La voce di Beatrix era angosciata. "Cerco il signor Toscanelli. Herr Toscanelli, il direttore." Sentì un rumore violento come se il ricevitore fosse stato sbattuto contro una parete. Seguirono parecchi gracidii e una scarica di frequenze sonore. Sospirò, pensando che la comunicazione fosse caduta. Invece la voce di Toscanelli esordì prepotente:

"Chi parla?"

Beatrix ripeté il suo nome.

"... Cosa posso fare per lei?"

Questo non si ricorda niente, pensò Beatrix. "Si tratta di mia sorella Claudia. Claudia Rheinsberg."

"Ora ricordo... Oggi non ho tempo. Venga domani, domani alle cinque."

Beatrix accettò l'appuntamento e riagganciò. Sospirò profondamente. Si affacciò alla finestra, guardò il cielo di Roma, l'azzurro caldo, quella luce che sembrava soffiata nel cristallo, le nuvole che procedevano placide gonfiandosi e rotolando una addosso all'altra come in un gioco di piccoli animali domestici. Non conosceva Roma. Aveva sì dei ricordi e delle immagini riguardanti quei viaggi in compagnia dei genitori. Ma niente di più delle solite visioni turistiche: il Colosseo, San Pietro, Trinità dei Monti. Avrebbe quindi fatto una passeggiata. Era a Roma, era contenta di esserci.

Toscanelli era un uomo sui sessant'anni, di statura piccola con una chioma di color giallognolo che teneva acconciata all'indietro con energiche sferzate di spazzola e con brillantina. Portava un paio di occhiali di resina chiara. Le lenti avevano una lunetta di spessore diverso per correggere il presbitismo. Indossava una camicia chiara e un paio di pantaloni sostenuti da bretelle. Ai piedi calzava un paio di scarpe beige di corda intrecciata.

Quando Beatrix si presentò all'Hotel Tiberio, erano le cinque esatte del pomeriggio e Toscanelli la stava attendendo dietro al bancone della reception di quello che era, a tutti gli effetti, soltanto un grande appartamento. Il palazzo d'inizio secolo ospitava in tutto tre hotel e due pensioni. Leggendo le varie insegne davanti all'unico portone di ingresso Beatrix s'era chiesta in cosa risiedesse la differenza fra gli uni e le altre. Si trattava in effetti di un palazzo trasformato da affittacamere senza scrupoli in bivacco per turisti squattrinati. Non c'era ascensore, non c'era luce sulle scale.

"Mi ricordo di sua sorella," esordì Toscanelli, chinandosi sul libro delle registrazioni. "Ecco qui. Si è fermata due settimane, dal ventotto marzo all'undici aprile."

"Era sola?"

Toscanelli alzò lo sguardo verso Beatrix. "La camera occupata dalla signorina era una camera doppia."

Beatrix non si ritenne soddisfatta. Continuò a guardarlo interrogativa.

"Ne passano tanti," disse il direttore, "e non viaggiano mai soli... La signorina era senz'altro in compagnia."

Estrasse il passaporto e glielo mostrò. "Sono sua sorella. Si fidi. Avanti..." Pensava che, nel caso Claudia avesse diviso la camera con qualcuno, sul registro sarebbe dovuto risultare almeno il nome di questo qualcuno. Toscanelli comunque non dava l'impressione di cedere delle informazioni più del dovuto. In quel momento due ragazzi di colore, etiopi così a prima vista, sbucarono dal corridoio e raggiunsero il bancone. Beatrix ne approfittò per appartarsi, estrarre dal portafoglio un paio di biglietti da diecimila lire e ripiegarli in un foglio di carta. I ragazzi consegnarono la chiave e uscirono. Mentre Toscanelli era ancora girato verso il quadro per rimettere la chiave nella apposita buchetta, Beatrix infilò velocemente il danaro sotto il registro in modo che sporgesse un lembo di carta moneta. Toscanelli si girò. Si accorse subito dell'omaggio. Fissò Beatrix. Lei si girò fingendo di seguire lo sviluppo di uno sbiadito decoro dipinto sul soffitto. Quando tornò con gli occhi verso Toscanelli, lo vide intento a scrivere su un piccolo foglio. Lo ripiegò e lo allungò a Beatrix.

"Addio, signora Rheinsberg," disse.

Beatrix prese il foglietto e se ne andò.

Giorgio Russo, via Ciceri 35/4 b, Palermo. Seduta a un caffè di Piazza Venezia Beatrix rilesse quel foglio centinaia di volte cercando il modo giusto per agire. Andare a Palermo? Con la speranza di trovare Claudia in casa di quel ragazzo? Ma era poi un ragazzo? Se fosse stato un uomo sposato, adulto, a Roma per impegni di lavoro? No, questo no. Non avrebbe alloggiato in quella stamberga. Però avrebbe potuto raggiungere Claudia da un altro albergo, questo poteva essere. Oppure la vedeva di pomeriggio, dopo il lavoro e magari... Le ipotesi si accavallarono fino a confonderla, fin quasi a farla una buona volta desistere dall'idea che si era cacciata in testa ormai da molti mesi: cercare Claudia. Doveva insistere, non aveva ancora cominciato. Aveva una traccia. Doveva persuadersi di questo, del fatto che in mano stringeva un foglio e che su quel foglio era scritto il nome di una persona che aveva passato due settimane in compagnia di Claudia. Da un certo punto di vista, partita così allo sbaraglio, questo era molto. Era già tanto.

Tornò in albergo. Si fece servire un piccolo pranzo sulla terrazza della sua camera. Chiese di poter consultare l'elenco telefonico di Palermo. Quando lo aprì, si accorse che la lista delle famiglie Russo occupava un paio di pagine. Fu necessario spulciare a uno a uno quei nomi e quegli indirizzi. Presa dallo scoramento, lasciò tutto e fece cercare alla segreteria telefonica. Le diedero in breve otto numeri telefonici di abbonati corrispondenti al nome che aveva chiesto. Non uno corrispondeva però a quell'indirizzo. Tornò alla carica riprendendo tutto daccapo. Finalmente lo trovò. Corse al telefono.

"Sono un'amica di Giorgio," disse, non appena dall'altro capo una voce femminile ebbe risposto.

"Giorgio non c'è. È via."

"Dove?"

"Mio figlio è lontano da casa da tanto tempo... Non lo sappiamo."

"È importante signora... Devo parlargli."

"Cosa ha combinato?"

"Come dice?"

"Cosa ha fatto quel disgraziato ancora?"

Beatrix avvertì l'angoscia in quella voce. Cercò di tranquillizzare la signora Russo. "Niente di male signora... Sono una amica. Sono a Roma. Vorrei salutarlo."

La donna mugugnò qualcosa di incomprensibile. Poi ci fu un lungo silenzio. Beatrix non seppe come continuare la conversazione. Non trovava le parole, né le espressioni. Finché dall'altra parte non udì una sequenza di singhiozzi. La donna stava piangendo, stava parlando, ma in un modo assolutamente incomprensibile. Si lamentava, raccontava alcuni episodi con passione e foga, ma Beatrix riusciva a comprendere, ogni tanto, solamente il nome Giorgio. Si fece forza e interruppe lo sfogo della donna. Ormai aveva preso la sua decisione.

"Verrò a Palermo... Signora... Partirò domani. Mi sente?"

No, non la stava ascoltando, non capiva e non voleva capire. Stava solamente sfogando in quell'apparecchio di plastica tutto il dolore e l'angoscia che erano, in quello stesso momento, il dolore e l'angoscia di Beatrix. Riattaccò. Ma non fu sicura che la signora Russo avesse sentito il suo buonanotte.

6

Il sole cadeva a picco sulla riviera. Luglio era iniziato da pochi giorni e già il paesaggio balneare aveva subito notevoli modificazioni nell'ambiente e nella fauna umana. La sera, ad esempio, diveniva più difficoltoso muoversi in automobile sul lungomare o sulla provinciale, all'interno. Le arterie stradali erano intasate del traffico. Per raggiungere Riccione da Rimini, un pugno di chilometri, si poteva tranquillamente impiegare un'ora e mezzo. L'età media dei turisti era notevolmente scesa. Con la fine di giugno erano partite le nonne con i bambini più piccoli. Ora arrivavano in massa i ragazzini per godersi le vacanze dopo la chiusura delle scuole. Ne incontravo sempre più spesso riuniti in gruppi che si muovevano sulla spiaggia o lungo i viali delle città come grandi meduse. C'era infatti sempre il più pigro che restava indietro e raggiungeva di corsa il branco che si era fermato ad aspettarlo; le ragazzine che si fermavano a guardare i negozi mentre i ragazzi protestavano venti metri più avanti; le coppiette che si stringevano dietro un albero causando il blocco della compagnia. Una volta riuniti avanzavano speditamente per un po' finché non erano costretti ad arrestarsi di nuovo. E così di seguito.

Quella mattina mi trovavo al Rimini Squash Inn al km sette della superstrada per San Marino condannato a sputare sangue e sudore contro la supremazia agonistica di Guglielmo. Giocavamo da appena dieci minuti. I muscoli delle gambe, pressati dagli scatti continui, avevano preso a tremare. Le spalle mi dolevano. A quindici minuti chiesi un break. Uscimmo dalla saletta insonorizzata e raggiungemmo la piccola tribuna in legno chiaro.

"Ti credevo più in forma," disse Guglielmo.

Mi passai l'asciugamano sul viso. "Lo credevo anch'io," dissi fra un respiro e l'altro.

Guglielmo era in perfetta forma. A dir la verità, con il fisico che si ritrovava, si sarebbe detto che non avesse fatto altro, in tutti i suoi vent'anni, che faticare nelle palestre o sguazzare nelle piscine. Quando prendemmo insieme la doccia, un'ora dopo, lo osservai con invidia. E non tanto per quel sentimento di esclusione che la presenza del suo corpo atletico, asciutto, dalle proporzioni perfette e dalla muscolatura flessuosa e ben visibile in ogni parte, inequivocabilmente mi suscitava: esclusione da certe performances fisiche, appunto, o forse anche erotiche; quanto piuttosto di quella particolarissima forma di invidia che è alla base di qualsiasi sentimento o situazione di complicità fra maschi. Una invidia che poi è tutt'uno con l'ammirazione e forse, anche, l'emulazione. Guglielmo mi piaceva; per quanto si possano piacere, tra loro, due uomini.

Avevo fissato un appuntamento con Susy al termine del match, alle undici esatte davanti al bar dello Squash Inn. Arrivò molto prima e si sedette a godersi lo spettacolo oltre la parete di cristallo. Quando uscii dal combattimento, me la trovai davanti.

"Divertita?" chiesi. Ero seccato. Non mi piaceva si assistesse alle mie sconfitte.

"Come no?" Si alzò in piedi e fece per raggiungerci. Aveva un paio di occhiali da sole, i capelli tirati all'indietro, una canottierina elastica aderente e scivolosa come la pelle di una lontra. Portava un paio di pantaloni di garza indiana, larghi e vaporosi stretti alle caviglie con cordoncini neri. Reggeva in mano uno straccetto di giacca nello stesso tessuto. Un completino del valore di un paio di stipendi.

"Ci vediamo dopo la doccia," dissi, svicolando dai saluti.

Mezz'ora dopo la raggiungemmo al bar. Guglielmo bevve il suo frullato di verdure e sparì. Doveva essere a Riccione, all'arena di Viale Lazio, per mezzogiorno. La sera si sarebbe svolto un torneo internazionale di boxe e doveva raccogliere le interviste durante la cerimonia della pesatura. Susy e io, invece, ci mettemmo in viaggio per la "spiaggia dei desideri". Tornammo in direzione di Rimini per qualche chilometro fino all'incrocio con la provinciale, deviammo a sinistra, in direzione nord-ovest e ci immettemmo nel traffico lento, ma scorrevole della grande strada. Destinazione: Lido di Classe.

Susy guidava con più grinta del solito. Il sole era accecante. L'asfalto grigio "mollava" come una pista di neve a primavera. I grumi fluidi di catrame luccicante sbucavano dalle fenditure del manto stradale come fiotti di sangue dalle ferite. Non potevamo vedere il mare. Fu un lungo, noioso viaggio attraverso la campagna, le coltivazioni di alberi da frutta, i pioppi. Bellaria, Cesenatico, Cervia e finalmente arrivammo. Susy uscì per prima dalla spider. Tirò una cordicella di canapa che portava in vita e i pantaloni caddero improvvisamente ai suoi piedi. Uscì prima con una e poi con l'altra gamba da quel soffice ammasso di stoffa. Quella che mi era sembrata una semplice canotta era in realtà un costume da bagno intero. Prese un cappello di paglia che stava dietro al sedile e se lo appoggiò sulla testa. "Forza, esci! Che fai ancora lì?"

Tolsi la camicia e la gettai in macchina. Rimasi con un paio di pantaloncini corti e le mie *Spring Court*. Avevo dimenticato gli occhiali da sole. Fu una seccatura.

Davanti a noi la strada in ghiaia finiva nella sabbia. Un muricciolo di cemento alto un metro e mezzo delimitava la zona di accesso alla cosiddetta "spiaggia dei desideri", un tratto di costa non appaltato agli stabilimenti balneari, in cui chiunque poteva fare campeggio libero. Lì risiedeva l'unica colonia naturista della riviera; e siccome nessuno arrivava per chiedere una lira, l'intero lido si era trasformato nel ricettacolo di un turismo squattrinato e fricchettone che nessuno avrebbe sospettato esistere standosene ad arrostire sotto le grandi e ombrose tende, su un lettino a losanghe, in un qualsiasi bagno di Riccione.

Pochi metri oltre l'ingresso iniziavano dune di sabbia costellate qua e là da ciuffi di canne rinsecchite. La rena era grossa, pesante e mischiata al calcare sbriciolato delle conchiglie e dei molluschi. Cartacce e lattine di birra ovunque. Cicche di sigarette. Una sportina di plastica rosa sventolava stracciata su un giunco come l'ultimo vessillo di un naufrago. Attraversammo le dune. Susy procedeva leggera tenendo in mano, sopra la spalla, i suoi sandali. Ogni tanto si voltava per controllare che la seguissi.

Oltre le dune si apriva la spiaggia libera. Avvistammo i primi turisti completamente nudi che prendevano il sole distesi su esili stuoie di paglia. Dal mare provenivano richiami e grida: un gruppo di ragazzi sguazzava verso la riva giocando a uno strano tipo di football acquatico: né pallanuoto, né calcio. Erano "naturalmente" nudi.

"Forse dovremmo toglierci il costume," propose Susy.

"Se vuoi." Non ne avevo la minima intenzione. Stavamo lavorando. Non era una gita di piacere. E io ero il suo capo.

"Non mi sembri molto convinto," fece lei.

"Lasciamo perdere."

Si fece maliziosa: "Hai forse qualcosa... che non va?"

"Perché? No, naturalmente... Devi fidarti sulla parola."

Il grosso dei turisti si ammassava in prossimità di una baracchina di legno con il tetto in lamiera. Davanti una scritta ormai cancellata dal sole diceva: RINFRESCHI.

"Andiamo là," disse Susy.

Raggiungemmo il capanno evitando di calpestare i corpi distesi al sole. Qualcuno ci squadrò come chi ha commesso un reato contro la pubblica decenza. I più, invece, non davano rilievo né attenzione alla nostra passeggiata vestita.

Gran parte dei bagnanti era giovane. Molti avevano i capelli lunghi, ma parecchi anche il cranio completamente rasato.

Un gruppo di punkettini prendeva il sole in circolo. Al centro un grosso stereo diffondeva del rock ossessivo e martellante. Piccole tende canadesi erano fissate oltre il capanno verso una linea di dune che si ergeva parallela alla linea del mare. Al di là era possibile notare le chiome rinsecchite di una sequenza di pini marittimi.

Ordinai qualcosa da bere al ragazzo del capanno. Era un tipo sui trentacinque, capelli stopposi lunghi fino all'ombelico, pelle grinzosa, anellino all'orecchio sinistro e fascia di cotone india-no, color lilla, avvolta sulla fronte. Fumava marijuana arrotolata in sigarilli che accendeva in continuazione, uno dopo l'altro, tre lunghe aspirate e via. Quando parlò mi accorsi che era quasi completamente senza denti. Gli dissi che eravamo giornalisti a caccia di notizie sulla fauna che frequentava la spiaggia libera. Il tipo guardò prima me e poi Susy. Poi ancora me. Poi il suo siga-rino e Susy. Sbuffò una zaffata di fumo azzurrognolo e dolcia-stro. Portò davanti al mio viso la mano destra: pollice e indice si sfregarono svelti a indicare una ricompensa. Allontanai con fastidio quella mano. "Andiamocene," dissi a Susy.

"Perché?"

"Andiamocene!"

"Io resto qui. Vediamoci fra mezz'ora. Fatti un giro e poi tor-na. Mi fermo a chiacchierare con Pedro."

"Non azzardarti a dargli una lira," sibilai.

"Fra mezz'ora qui." Non lasciava alternative.

Agguantai la mia lattina di birra e proseguii lungo la spiaggia. Un centinaio di metri più avanti, oltre la riva di un fiumiciattolo sporco, vidi un cartello issato su un giunco. Diceva ONLY GAY. Attraversai senza esitazione il rubicone ed entrai nella riserva.

Oltre il piccolo corso d'acqua, il paesaggio non differiva se non per il fatto che i corpi stesi al sole parevano essersi dile-guati. Eppure sentivo della musica e lì, stesi in riva al mare, sta-vano una decina di teli da bagno. Mi guardai intorno. Intravidi lontano il profilo di qualche figura isolata; qualcun altro pren-deva un bagno. Improvvisamente avvertii delle grida concitate

– come di una rissa – che provenivano dalle dune. Quando fui in grado di afferrarle – capirne decisamente la provenienza, l'entità, l'espressione, la forza – riconobbi la sua voce. Corsi là. Johnny stava difendendosi dall'assalto di un gruppo di uomini, alcuni in tanga, altri nudi, altri ancora con un pareo attorno ai fianchi. Gridavano insulti e tentavano di strappargli dal collo le due macchine fotografiche. Johnny riusciva a difendersi abbastanza bene, calciando e vibrando grosse manate che però non raggiungevano nessuno e funzionavano soltanto come fuoco di sbarramento. Avevo ormai raggiunto la sommità della duna. Corsi nella loro direzione gridando. Il gruppo esitò un attimo.

"Vieni via!" urlai a Johnny.

Ci fu un momento di sospensione durante il quale il gruppo, preso alla sprovvista, non seppe come muoversi. Johnny ne approfittò per indietreggiare raggiungermi. Ripresisi dal loro stupore, gli uomini tornarono a gridare. Uno di loro rincorse Johnny. Lo affrontai. Era un uomo sui quarant'anni, abbronzato, baffi e capelli corvini. Tinti. Aveva una catena d'oro al collo, un bracciale d'oro alla caviglia, una serie di anelli d'oro e avorio ai polsi.

"Non ti azzardare a pubblicare quelle foto," gridò.

"Fa il suo mestiere," dissi.

"Vaffanculo! Vaffanculo! Vaffanculo!"

"Calmati... Nessuno pubblicherà niente di niente."

Non parve rassicurato. Gli altri ci stavano raggiungendo. Johnny si teneva alle mie spalle. Era sudato, sporco di sabbia, perdeva sangue dal naso.

"Venite a fotografarci come allo zoo. Perché non ci lasciate in pace? Beccamorti. Strozzini... Ecco che razza di gente siete."

"Nessuno voleva infastidirvi," dissi calmo, guardandolo negli occhi.

"E quella palla di lardo cosa ci faceva dietro le canne?... Ehi, lardona! Ti sei goduta lo spettacolo?"

"Dacci un taglio," dissi. Gli altri ci avevano ormai raggiunto. C'era una sola cosa da fare. Allungai il braccio all'indietro e ordinai a Johnny di togliere i negativi.

"Ma come?" balbettò lui.

"Dammi i negativi, sbrigati!"

Parvero rassicurati. Fecero alcune smorfie e battute.

"L'hai capita, eh, pupa!" disse quello degli anelli.

"Non sono la pupa di nessuno," sputai gelido, "tantomeno tua."

Sentii il peso dei rullini nell'incavo della mano. "Tieni. E ficcateli in culo."

Il tipo prese i due rullini. Le checche sbottarono in grida acute di vittoria. Sembravano pellirossa. Avevano ottenuto i loro scalpi. Raggiunsi Johnny. Quando fummo abbastanza lontani per non essere sentiti gli sibilai: "Che diavolo ci facevi, lì?"

"Fotografie."

"Questo lo so, Cristo!" Mi voltai. I sioux danzavano sulla sommità passandosi attorno al collo la pellicola srotolata.

"Hai fatto buone foto?"

"Erano ottime. Ma per lo più impubblicabili."

"Perché?"

"Era un'orgia."

"Potremmo mascherarle," dissi.

"Ma io... Io gliele ho date indietro!"

Mi arrestai. Era troppo. "Cosa?"

"L'hai detto tu."

Imprecai. "Non avevi un qualche cazzo di rullino vergine addosso?"

Balbettò qualcosa. Chinò la testa dandosi un pugno alla mascella. "Le tasche piene ho! Piene!"

Non dissi nulla. Me ne andai per conto mio. Come avrei potuto dirgli che non aveva capito niente del nostro mestiere? Né lo avrebbe capito mai?

Raggiunsi Susy al capanno. Era circondata da una dozzina di persone che chiacchieravano sovrapponendo le loro voci e i loro gesti. L'impressione era che avessero fatto un tredici e si stessero spartendo il bottino. Susy, naturalmente, con il taccuino in mano, teneva i conti.

"Ah, sei qui," fece, non appena le fu possibile intravedermi nella piccola calca. "Dammi una mano."

La afferrai per il polso e la trascinai via. "Abbiamo materiale a sufficienza."

"Un rompiballe. Ecco chi sei Marco Bauer. Un grande, enorme, perfetto rompiballe."

"Non strillare," rimbeccai. "Non strillare anche tu come quelle fagiane arrostite là sopra!"

"Fagiane?" Sgranò gli occhi.

"Ora andiamocene via, vuoi? raggiungiamo la tua spider e voliamo via." Cercai di essere calmo. "Mi sto scottando e non intendo passare il resto dei miei giorni a spalmarmi di creme."

"Se tu avessi seguito i miei consigli, rubrica salute, Pagina dell'Adriatico, non saresti a questo punto, cocco."

"Vorrà dire che d'ora in avanti mi impalmerai tu, Susy." Cristo! L'avevo detto. Ed era troppo tardi per correggermi.

Mi guardò civettuola: "Impalmare?"

"Spalmerai. Ho detto spalmerai! Finiamola!" Sul suo viso si aprì un sorriso di vittoria.

Raggiungemmo la macchina. Era una fornace. Fui costretto a proteggermi la schiena con la camicia. Susy eseguì una perfetta retromarcia.

"Facciamo il lungomare," disse. "A quest'ora è libero. Si fila come su una macchia d'olio."

"Confortante."

"Sono tutti in pensione per pranzare. È l'ora migliore, sai, per andare alla spiaggia o prendere un bagno."

"Non mi bagnerei in quell'acqua per tutto l'oro del mondo."

"Prenditi un pattino e vai al largo. È pulita."

"Sarà." Non ne ero affatto convinto. Depuratori o non depuratori avevo sguazzato in ben altre acque. In tutti i sensi.

Raggiungemmo Lido Adriano. Non avevo mai visto niente di simile. Non era un villaggio turistico, era un enorme cantiere edile. Palazzine a più piani, ma soprattutto complessi residenziali e condomini a torre riempivano il paesaggio come avrebbero potuto riempirselo dei ragazzini giocando a Monopoli non su un tabellone, ma su una pianta della zona. Agenzie immobiliari erano ovunque. A ogni incrocio un grande cartellone dipinto mostrava un villaggio residenziale con piscine interne, il nome dell'impresa di costruzioni, dell'architetto, dell'ingegnere e sotto, a caratteri estesi, l'agenzia che curava la vendita. Ne contai una ventina e solo nell'attraversamento del centro. Forse fu per questo che tornando a Rimini, fermi a un semaforo, la mia attenzione si incentrò su uno di quei cartelloni. Era affisso al limitare di un cantiere edile appena all'inizio del territorio del comune di Rimini. Una gru arancione spostava grandi blocchi di mattoni. Sentii gli ordini del capomastro. Non so per quale motivo particolare mi impressi bene in mente il nome dell'impresa di costruzioni. Si chiamava Immobiliare Silthea.

L'articolo uscì due giorni dopo come servizio di apertura del nostro supplemento a firma di Susanna Borgosanti. La sequenza di fotografie era ordinata, come al solito, su quattro finestre: ragazze a seno nudo, primi piani e in fondo il cartello con scritto "only gay". Il titolo era invece organizzato su tre livelli: *A dieci chilometri da Ravenna* – UNA SPIAGGIA A LUCI ROSSE – *Cronaca di una vacanza diversa*.

Quello stesso pomeriggio, dopo la consueta riunione per decidere il lavoro, me ne andai verso le sei. Lasciai Guglielmo e Zanetti a trasmettere i pezzi. Susy – che non si era fatta vedere per tutta la giornata – cercava un cavaliere per un cocktail-party. Lo aveva chiesto a me e non me l'ero sentita di rifiutare. Si trattava della conferenza stampa della giuria di non so quale premio letterario. Susy avrebbe dovuto fare un salto per coprire l'avvenimento. Per quanto mi riguardava, non mi era mai fregato gran che di questi appuntamenti mondani. E se avevo accettato era solo per fare da spalla a una bella donna come

Susy. In questo, d'altra parte, ero allenatissimo. Con Katy, in tutti quei suoi insulsi ricevimenti di moda fra checche americane, grandi sventole di donne, pubblicitari, *buyers*, stilisti, avevo imparato l'arte del perfetto accompagnatore. Sorridevo, se ne avevo voglia, stringevo qualche mano sudaticcia olezzante di vetiver, non scambiavo che poche parole con chi mi veniva presentato e facevo di tutto per non venir presentato a nessuno. Katy, ogni tanto, mi abbandonava in compagnia di qualche direttore delle vendite o cose del genere. Parlavamo di vela o di sci nautico, se si era a luglio; altrimenti di sci alpino, se si era a gennaio. Possedevo un guardaroba adatto e una faccia buona per tutte le occasioni. Questo succedeva con Katy. Ma a un cenacolo letterario no, non ero mai andato. Con Susy tutto succedeva come in una estenuante partita a scacchi. Mossa dopo mossa, ora all'attacco, ora in difesa, cercavamo reciprocamente di stanarci. Nessuno dei due aveva ancora in tasca lo schema vincente. Per il momento ci studiavamo, ci guardavamo, ci annusavamo. Ognuno fermo e rigido sulle proprie posizioni.

Alle sette precise parcheggiai la mia Rover davanti all'ingresso del Gran Hotel Splendor di Riccione. Si trattava di una straordinaria costruzione di inizio secolo che sorgeva nel mezzo di un prato all'inglese, sul lungomare. L'edificio era strutturato in tre padiglioni. Il corpo centrale terminava con una torretta, gli altri due a cupole moresche. Dietro il pesante muro di cinta e le cancellate la facciata monumentale mi apparve un po' lugubre. In alto, sul pennone della torre sventolavano tre drappi: uno bianco e giallo con lo stemma del Grand Hotel, un secondo con i colori della municipalità di Riccione, il terzo con il tricolore nazionale.

Mi incamminai per i vialetti di ghiaia bianca. Un paio di giardinieri cercavano affannosamente di regolare un innaffiatore a pioggia situato a ridosso del muro di cinta. Lungo un viale passeggiavano tre signore. Portavano sulla testa cappellini il cui diametro e la cui foggia apparivano un insulto alle leggi dell'equilibrio. Avevano in mano qualche libro. Si fermarono per scambiarseli facendo un sacco di moine. I loro vestiti erano rosa corallo, verde acquamarina e giallo topazio con disegni color albicocca: tre caramelline sparse nel verde tenero del prato.

Entrai nell'atrio. Era un grande salone che si sviluppava su due livelli. Subito a lato della porta d'ingresso stavano la reception, qualche divano di cuoio scuro e invecchiato, uno stipo di legno che raccoglieva i quotidiani nazionali più una ampia rassegna di stampa estera. Il pavimento era costituito da un parquet sistemato a grandi scacchi in cui le venature del legno, a seconda della posizione, rendevano lucida o opaca la superficie. Superati tre scalini si apriva il salone vero e proprio che si affacciava sul mare attraverso una grande veranda. In alto scorreva tutto intorno una balconata. L'arredamento era moderno e quasi disinvolto. Grandi divani rivestiti di stoffa stampata a fiori bianchi e gialli, kenzie agli angoli, paralumi, moquette color ottone. Le porte-finestre che davano sul mare erano attraversate da una piccola folla di ospiti del Grand Hotel. Per quanto il viavai fra il salone e la terrazza fosse notevole, tutto si svolgeva in una atmosfera tranquilla, come ovattata. I fruscii delle vestaglie da bagno, delle tende, il tintinnio dei bicchieri di cristallo che i camerieri portavano su grandi vassoi di argento, gli stessi piccoli clangori dei monili, delle collane, dei bracciali che le donne indossavano, costituivano risonanze che riempivano l'ambiente, senza saturarlo. Anzi, erano proprio quei riverberi di chiacchiericci, quei "Cameriere!" pronunciati con decisione e mai volgarità, quel lieve zoccolare sul marmo della terrazza delle ragazze in costume da bagno, il tonfo sordo di una sacca che cadeva o il click prezioso di qualche accendino che scattava per fare fuoco, che costituivano l'ambiente stesso. Senza quei piccoli e insignificanti rumori di lusso quotidiano, il salone, la veranda, il terrazzo, il colore del mare, l'ondeggiare dei teli sulla spiaggia sarebbero banalmente e semplicemente stati se stessi: pallidi contenitori in cui una sacca cade e un accendino si accende. In quel viavai ovattato essi vibravano come la voce stessa dell'ambiente: essi esprimevano il fascino della situazione e delle persone, essi erano il Grand Hotel, il suo glamour, la sua inconfondibile musica.

Un cameriere percorse il salone facendo tintinnare un campanellino d'argento. Avvertiva che al piano superiore stava per iniziare la conferenza stampa del Premio Internazionale Riviera. Vidi un gruppo di persone avviarsi verso le scalinate. Li seguii. Mi arrestai un attimo, prima di salire nell'ascensore, per vedere se Susy era arrivata. Niente.

Entrai nella sala conferenze. Una grande scritta, sul fondo, diceva: XXVII Premio Internazionale Riviera. Al tavolo stavano alcune persone illuminate dai riflettori delle televisioni. Mi sedetti in ultima fila, estrassi il taccuino e guardai dalle vetrate, il mare, che iniziava proprio in quell'ora ad assorbire l'ultima gamma di fuochi della giornata.

"Come sta andando?" soffiò Susy, sedendosi nella poltroncina accanto alla mia.

Mi girai a guardarla, destandomi da quel torpore che mi aveva preso: le onde sui tralicci del piccolo molo dell'hotel, la schiuma del mare sulla sabbia, i camerieri che riponevano le poltroncine in giunco, una fila di lampadine gialle che aveva da poco preso a illuminare la passerella di legno gettata sul mare fino al gazebo in ferro lavorato come un merletto...

"Non dirmi niente. Non voglio sapere niente. Non mi interessano i motivi del tuo ritardo," dissi. "È mezz'ora che vanno avanti e ancora non hanno presentato i libri in concorso. Non fanno altro che omaggiarsi e ringraziarsi. Sono insopportabili."

"Per questo ho tardato un po'..."

Un angelo. Ecco chi era Susy in realtà. Nient'altro che un delizioso angioletto di cui avreste fatto volentieri a meno.

"Quello in fondo, l'ultimo a destra è Michel Costa. Hai letto il suo romanzo?"

"Sono un lettore da due soldi."

Stavamo bisbigliando come due scolaretti in presenza di un professore nemmeno tanto severo.

"La signora al suo fianco," proseguì Susy, "è Bianca Monterassi. La danno tutti favorita. Partecipa al Premio per la terza volta. Non ha mai vinto."

Guardai il personaggio in questione. "O vince quest'anno o mai più."

Susy ridacchiò. "Ha ottantadue anni. Alcuni dicono ottantacinque. Ha dichiarato di aver già terminato il suo prossimo romanzo."

"E quell'altro in blu?"

Susy emise un mugolio interrogativo.

"Vicino al microfono, laggiù," dissi a voce più alta. Fummo zittiti da un commesso che indossava la marsina dell'hotel. Girava avanti e indietro lungo il corridoio con le mani unite dietro la schiena come un poliziotto. Lo lasciammo allontanare.

"È Lupo Fazzini. Ma non vincerà. Ha scritto libri migliori nel dopoguerra. Tutti se lo tengono buono perché è lui che fa passare le recensioni dei libri in televisione."

"Cosa ha scritto?"

"*Tornerai amore mio.*"

"... È il titolo di una canzone di Sanremo?"

"Ha riscritto la storia d'amore fra Dante e Beatrice," fece con aria di rimprovero. "Dicono ci siano pagine molto disinvolte."

"Disinvolte?"

"... Osé. Piccanti."

Provai a immaginare cosa poteva esserci di pruriginoso in un argomento del genere. Leggevo solo gialli e nemmeno con continuità. Di fronte a quei ruderi, certo non potevo sentirmi in soggezione. "Tu l'hai letto?" chiesi. La faccenda un po' mi incuriosiva.

"Figurati. Io sono per l'outsider." Aveva l'aria di chi la sa molto lunga.

"Chi è?"

"Bruno May."

Ero davvero un disastro. Quattro in letteratura contemporanea. Sempre che volesse nominarsi tale una letteratura che indagava fra le lenzuola del Poeta. Meglio sarebbe stata "medioevale". Trovatori, tromboni e compagnia bella. Nemmeno "cavalleresca" sarebbe stato appropriato. C'era ben poco di cavalleresco. Come intellettuale, non valevo una cicca. Dissi a Susy che l'avrei aspettata al bar. Non cercò di trattenermi.

Mi sedetti su uno sgabello direttamente al bancone. Il bar era pressoché deserto. Due barman riponevano alcune ciotole con i resti dei salatini che avevano accompagnato l'ora dell'aperitivo. Erano ormai le otto e mezza. Avevo fame. Ordinai un Martini alla vodka. Avevo un solo desiderio, che di sopra finissero e dessero il via al party.

Un'ombra mi scivolò al fianco ordinando una bottiglia di birra e un bicchiere di gin. Si fece versare mezzo bicchiere di birra rossa. Aggiunse il gin, poi di nuovo la birra e sulla schiuma versò le ultime gocce di quel che rimaneva nel bicchierino. Guarnì tutto con una fettina di limone.

Il tipo era sui trenta. Aveva un paio di jeans, scarpe di tela, una giacca a quadrettoni blu e verdi, una camicia dal colore azzurro stinto. Aveva i capelli di un castano chiarissimo con riflessi biondi che evocavano un buon taglio eseguito almeno due mesi prima. Un ciuffo gli scendeva sull'occhio destro. Spesso, con un veloce gesto della mano, lo ricomponeva tirandolo dietro l'orecchio.

"Mette il gin dappertutto?" chiesi. Mi ispirava.

Si voltò verso di me. Aveva occhi tagliati come un orientale affusolati e profondi, di un verde intenso. "Anche nel dentifricio," disse. E scoppiò a ridere.

Accennai con le labbra a un sorriso di convenienza.

"Se vuole glielo insegno. Ho notato che assisteva alla preparazione," fece lui. Non attese nemmeno la mia risposta. "Allora: 3/4 di birra rossa, 1/4 di gin, una fetta di limone. Si ricordi: solo *pale ale* inglesi e rosse tedesche. Buone anche quelle di grano. Niente francesi. Criticabili quelle olandesi. Ho provato anche con la birra giapponese. Non è male, sa?"

"Come si chiama?"

"Il Lungo Addio..."

Non me la sentii di fare osservazioni.

"Vuole assaggiare?" chiese, avvicinando il bicchiere.

Ne bevvi un sorso. Non era male.

"Per il gin non ci sono problemi. Vanno bene tutti. In Spagna ho visto correggere la birra con il brandy. Ma io preferisco il mio Lungo Addio... È una bevanda così sentimentale. Non trova?"

Restituii il bicchiere. Mi rifeci la bocca con il Martini.

Il tipo aveva voglia di parlare. "Come sta andando di sopra?" disse.

"Perché lo chiede a me?"

"Via! Puzza di giornalista lontano un miglio."

"È forse proibito?" dissi secco.

"Oh, no, amico mio. Non se ne deve risentire." Diventò di colpo premuroso. Spinse addirittura un braccio attorno alle mie spalle. "Non era mia intenzione dire qualcosa di male. Vuole qualcos'altro?"

"Lasci perdere. Mi attende un party tra poco. E ne uscirò ubriaco fradicio."

"Tanto vale cominciare subito!" Era allegro. Ci guardammo negli occhi per qualche secondo. Aveva una smorfia disegnata sul viso, qualcosa di eternamente ironico, come se tutto gli procurasse un motivo per ridere. Qualcosa che si vede sulla faccia dei pazzi. Ma nel suo caso ispirava una sensazione di divertente complicità.

"Mi chiamo Marco Bauer," dissi tendendogli la mano.

"Molto piacere, amico mio. Molto piacere... Ma, se mi consente, non metta mai più vodka nei suoi Martini. Non c'è buona vodka in Italia. Meglio il gin."

"Ne prenderò uno americano, allora."

"Le faccio compagnia... Bauer."

Osservammo la preparazione dei cocktails fumando una sigaretta. Attraverso i cristalli della vetrata notai che la terrazza era ormai predisposta a ospitare il party. Grandi tavoli dalle tovaglie candide erano sistemati uno di fronte all'altro. Faceva ormai buio.

"Anche lei è qui per il Premio Riviera?" chiesi.

"Più o meno," disse con una smorfia.

"Sa cosa penso di lei?" azzardai. "Lei è uno di quei giovanotti che si intrufolano ai parties per riempirsi lo stomaco. Un mezzo artista, un mezzo critico, un curioso... Un gigolò."

"Ne avrei la stoffa?" domandò incuriosito.

"A prima vista direi di sì."

Ridacchiò e buttò giù il drink d'un fiato. "Ho l'aria più dello squattrinato o dell'arrampicatore sociale?"

Il gioco doveva piacergli parecchio, così rilanciai. "L'uno e l'altro. Ma certamente, un tempo, lei ha conosciuto il lusso." La sua risata fu talmente aperta e spontanea da trascinarmi completamente dalla sua parte. Notai che uno strano luccichio, un riflesso, proveniva dai suoi denti.

"Che ho detto di male?" dissi fra i singulti.

"Un giorno... Un giorno le racconterò qualcosa di me. Ma ora vada, amico mio. I suoi colleghi stanno assalendo i viveri." Fu invece lui ad andarsene per primo, veloce, con quella strana andatura curva, come di un vecchio. Notai la sua altezza. Qualcosa in più del metro e ottanta. Guglielmo l'avrebbe indovinata al millimetro con tutta la sua esperienza di palestre e campioni. Io non avrei potuto. Però sopra il metro e ottanta. Di questo ero sicuro. Un metro e ottanta ero alto io.

Chiesi il conto. Salatissimo. Vedendomi perplesso, il barman disse: "Sono comprese le consumazioni del suo amico."

"Il mio amico?"

"Si è fatto fuori – se mi permette – dieci bottiglie di birra e una mezza di gin."

Maledetto scroccone! Corsi nella hall. Scrociai dritto nelle braccia di Susy che, sotto le lampade dei reporters, sorrideva al braccio di Michel Costa.

"Oh, Marcoooooo," cinguettò, "posso presentarti il più grande scrittore esistente sulla faccia della terra?"

Il flash di un fotografo mi abbagliò.

7

Mi svegliai il giorno dopo alle sette con la testa pesante, lo stomaco in fiamme e una nausea violenta. La luce filtrava dalle tapparelle e macchiava le pareti e il soppalco. Seppi immediatamente che il tempo era nuvoloso.

Raggiunsi il bagno, pisciai, mi guardai allo specchio. Era stata una brutta sbronza. Ricordavo tutti i particolari, il Grand Hotel, Susy, Michel Costa, il presidente del Premio Riviera, l'aragosta e le ostriche e il riso ai frutti di mare. Ricordavo di aver vomitato come un disperato. Poi più nulla. Chi mi aveva portato a casa? Forse io stesso con la forza automatica dell'incoscienza?

Presi una bottiglia di minerale e ne bevvi mezza, d'un sorso. Avevo la bocca arsa dalla nicotina e la gola di sabbia. Chiamai il servizio ordinando un litro di caffè bollente. La testa continuava a girarmi. Non mi sarei rasato. Non sopportavo lo schifo della mia faccia gonfia.

Due ore dopo mi ero rimesso in sesto quel tanto per apparire decente agli occhi della redazione. Presi gli occhiali da sole e uscii.

I colleghi erano sul posto di lavoro, solerti e indaffarati. Salutai. Mi sedetti alla scrivania.

"Dove ti sei cacciato stanotte?" domandò Susy.

Grugnii. Doveva senz'altro aver assistito alla scena del rigetto e chissà quali altre stronzate mi erano uscite dalla bocca.

"Eri in gran forma, Bauer. Davvero splendido."

"Sul serio?" Non capivo fin dove volesse arrivare con la provocazione.

"La conversazione con Michel è stata superba. Gli sei piaciuto."

"Effetti dell'alcool," dissi sciattamente.

"Allora vedi di fare una buona provvista per stasera."

"... Perché?"

Susy mi raggiunse. Si sedette sul mio tavolo dopo aver spostato la macchina da scrivere. Accavallò le gambe. "Come perché? Ma se hai così insistito!"

"Oddio, Susy, ero..." Mi corressi. "Se ho insistito significa che volevo..."

"Allora: alle sette all'aeroporto per la conferenza stampa di Benjamin Handle. Party alle nove nella villa di Michel. Discoteca a mezzanotte. Night-club alle tre. Per me va benissimo."

"Ho accettato questo?" dissi a metà tra l'affermazione e la domanda.

"La tua proposta dello streap-tease è venuta come la ciliegina sulla torta..."

In quel momento il cielo tuonò. La luce del giorno si trasformò in un riverbero livido che appiattiva e distanziava le cose, i muri, i tetti delle case. Mi avvicinai alla finestra.

"È solo un temporale estivo," fece Susy. "Tra poco tornerà tutto come prima."

"Puoi controllare le previsioni del tempo?"

"Perché?"

"Non fare starnazzamenti inutili! Ti ho detto una cosa! Falla, perdio!"

"Vaff... Bauer!" strillò Susy e uscì. Andò a rifugiarsi nello studio di Zanetti.

"Guglielmo. Voglio sapere le previsioni meteorologiche per le prossime quarantott'ore. Sai come fare?"

"Credo di sì." Immediatamente compose un numero sulla tastiera del telefono.

"Se questo temporale va avanti per qualche giorno, non avremo più niente da scrivere," borbottai.

Cominciò a piovere. L'acqua batteva sui vetri spinta da un vento sferzante. In strada i passanti correvano, coprendosi con i teli da spiaggia.

"Ne avremo per qualche giorno," annunciò Guglielmo. "Si tratta di una perturbazione molto estesa."

"Quanti giorni?"

"Stanotte e domani, senza dubbio."

"... Cosa fa la gente a Rimini, a Cattolica, a Riccione quando piove?"

"Tante cose... Guarda la televisione, va al cinema."

"E poi?" Stavo pensando. Era una fatica terribile. La testa mi scoppiava.

"Giocano a carte nelle pensioni... I ragazzi stanno nelle sale giochi..."

"Mmmmm... È un buon argomento. *Video games.* Inventa qualcosa. Un campione di queste macchinette, intervistalo. Poi intervista i gestori. Voglio sapere quante sale giochi sono registrate in riviera, quanto presumibilmente incassano, come sono cambiate... Non ti sembra una buona idea?"

Piovve in continuazione per tutto il pomeriggio. Dopo il primo violento scroscio della mattinata il cielo s'era improvvisamente aperto in squarci di un azzurro ribaldo e tentatore. I villeggianti avevano raggiunto, pieni di speranza, le spiagge. Se un bagno era fuori discussione, almeno avrebbero potuto fissare l'abbronzatura esponendosi a quei raggi di sole che filtravano dalle nuvole come in una raffigurazione religiosa. La Riviera aveva un aspetto prodigioso. Verso il promontorio di Gabicce s'addensavano nuvoloni neri e gravidi di pioggia. A Rimini, invece, una luce spettrale e metallica illuminava tratti di spiaggia e di mare. Oltre, verso Cesenatico, altri nuvoloni, altri raggi di sole, altri squarci argentei. La linea del mare pareva un neon acceso. Una striscia di chiarore pallidissimo e freddo separava infatti la linea color mercurio delle acque da quella gonfia e sinuosa del cielo.

Verso le quindici il cielo si coprì di nuovo nella sua interezza fino ad abbassarsi coprendo i tetti delle case. E ora, pochi minuti prima delle sette, eravamo già al buio. E annegati di pioggia. La Rover procedeva sull'asfalto lucido della provinciale come una grande e lenta barca. Il peso della carrozzeria dava stabilità alla linea di guida per cui potevo, con sicurezza, spingermi in certi sorpassi che un'altra vettura avrebbe reso rischiosi. Susy m'era di fianco. Ancora pochi chilometri e avremmo raggiunto l'aeroporto di Miramare.

"Sei sicura che il charter atterrerà ugualmente?" domandai.

"Ho telefonato." Era ancora imbronciata dalla mattina. A volte, era davvero una ragazzina. In fondo non aveva più di ventitré anni.

"Dicevo per dire... Senti, Susy, finiamola. Ho agito come un gran cafone, me ne rendo perfettamente conto..."

"Puoi dirlo," mi interruppe.

Cambiai argomento. "Chi è questo americano che andiamo a ricevere?"

"Un concorrente del premio Riviera."

"Ah." Mi dimostrai interessatissimo. "E cosa ha scritto?"

"Ha venduto ottantamila copie. Se tu sei uno zotico di giornalista arrivista e arrogante e prepotente io non so cosa farci. Se tu, Bauer, sei quel gran figlio di puttana ignorante, incolto e gretto che sei non chiedere alla tua Susy di poter supplire ai tuoi baratri di inciviltà."

Accesi una sigaretta. "Se la pensi così."

"Certo che la penso così!"

Restammo in silenzio. Nell'abitacolo dell'auto solo il rumore dei tergicristalli ci teneva compagnia. E il battito della pioggia sulla capote. Raggiungemmo l'aeroporto. Parcheggiai l'auto. Susy schizzò via di corsa.

Nella stanza che fungeva da sala d'attesa una folla di opera-tori televisivi bivaccava accanto alle telecamere a spalla. Altre persone discutevano animatamente in un angolo. Riconobbi i giurati del premio Riviera. Susy li aveva raggiunti. Parlava con tutt'altre espressioni di quelle che le avevo visto sul viso poco prima. Era disinvolta, aveva parole per tutti, stringeva mani, scribacchiava sul taccuino brani di conversazione. Fingeva be-nissimo. Sapevo che era incazzata come una iena.

Notai con soddisfazione che mancava Michel Costa. Forse avrei potuto svicolare da quella serata senza dover ricorrere a scuse di sorta. Bastava che il francese fosse rimasto bloccato in casa per via dell'acquazzone. Dopotutto si doveva andare da lui. Avrei sempre potuto perdermi lungo la strada. Se non fosse arrivato, avevo mille concrete possibilità di riuscire a ficcarmi a letto per le nove.

L'altoparlante annunciò in quel momento l'arrivo di un volo. I fotografi e gli operatori si precipitarono verso l'uscita "Voli Internazionali" con le telecamere, i cavi, i registratori, i faretti e tutto il resto. Susy mi passò al fianco senza salutarmi. Un fun-zionario dell'aeroporto percorse il corridoio gridando: "Non è quello! Non è su quel volo!" Ma nessuno lo stava a sentire. I giurati del premio Riviera procedevano insieme tenendosi a braccetto e inchinandosi continuamente l'uno all'indirizzo dell'altro. Conversavano come vecchi compagni di università. O come baroni. Il funzionario si stancò di gridare. Si fermò e girò i tacchi. Gli chiesi che avesse. Rispose sgarbato: "Che fac-ciano quel che vogliono. Là sopra non c'è."

Pochi minuti dopo i passeggeri di un volo nazionale entraro-no nella hall correndo, bagnati fradici. Parlavano in tedesco. Erano pieni di sportine di plastica e di souvenir e macchine fotografiche. Una donna sui trentacinque anni si appartò in un angolo in attesa della riconsegna del bagaglio. Mentre tutti gli altri passeggeri si riunivano attorno alla guida, lei resisteva soli-taria e silenziosa. Aveva estratto da una borsa una spazzola e si stava lisciando i lunghi capelli bagnati. Non era una bellissima donna. Ma era interessante. Era vestita con molta cura. La si notava. Forse per il fatto che viaggiava sola e non aveva l'aria di chi fosse venuto in vacanza. Incontrai il suo sguardo. Lo ricambiò per un istante. Lo riabbassò. Tornò a occuparsi dei suoi capelli. In quel momento i fotografi, i colleghi, le autorità del comitato di accoglienza guadagnarono l'atrio. Delusi come avessero perso ai cavalli. Borbottavano tra loro, gesticolavano, fumavano rabbiosamente le sigarette.

"Non era su quel volo," disse Susy.

"Lo sapevo."

"E sai anche allora quando Handle atterrerà?" C'era sarcasmo nella sua voce. Mi intenerì.

"Ho una proposta da farti," dissi.

"Quale proposta? Un articolo? Una intervista?"

Le cinsi la vita con un braccio. La sentii morbida e flessuosa come un'arpa. "Vieni a dormire da me... Subito."

Fu sul punto di dire qualcosa, ma non sentii niente. Mi guardò. "Perché me lo chiedi?"

"Perché è quello che vogliamo tutti e due. Fin dall'inizio."

Fece sì con la testa. Accennò un sorriso: "E il pezzo?"

"Andrai domani al suo albergo."

Lasciammo l'aeroporto filandocela via come avessimo commesso un crimine. La pioggia scendeva senza tregua. Il cielo nero di tanto in tanto mostrava, in un bagliore, le sue nervature elettriche. Come avesse un corpo e un sangue fosforescenti che il rombo del tuono annunciava pronti a una fotografia siderale. Lo stridore di quei flash non ci abbandonò finché non raggiungemmo l'appartamento quarantuno.

Non appena l'aereo ebbe raggiunto quota, come liberata dalla tensione, Beatrix, improvvisamente, si addormentò. Erano esattamente quattro giorni che non riusciva a chiudere occhio. La fatica del viaggio s'era fatta sentire tutta d'un colpo. Dopo la telefonata alla signora Russo, Beatrix era uscita in giro per Roma incapace di prendere sonno. Aveva ormai deciso la partenza. Il personale dell'albergo le aveva prenotato un posto sul rapido "Peloritano" in partenza dalla stazione Termini il giorno successivo alle undici e quaranta. Sarebbe arrivata a Palermo la notte stessa attorno alla mezzanotte. Era invece arrivata alle cinque del mattino, stremata, in hotel. Aveva riposato qualche ora. Ma fu un sonno pieno di incubi, di treni che non partivano, di grida che non uscivano dalla bocca spalancata, di partenze sempre con la dolorosa sensazione di aver dimenticato qualcosa. Era riuscita a ottenere un appuntamento con la signora Russo per le quattro del pomeriggio. Si era presentata in anticipo alla porta di quel palazzone alto e squadrato senza nemmeno una strada asfaltata per poterlo raggiungere. La famiglia Russo abitava al pianterreno, in un appartamentino di tre stanze. La donna era vedova. Tre ragazzine piagnucolose giravano per casa strillando e prendendosi per i capelli. Beatrix rimase fino a mattino ad ascoltare le pene di quella donna ancor giovane e già completamente distrutta dalla vita, dalla perdita del marito, dalla fuga di un figlio tossicomane, mezzo delinquente, balordo al punto tale da inviarle una cartolina con i saluti da una località turistica. Come se quelle poveracce avessero bisogno di cartoline e fotografie e baci e abbracci e non invece, dell'indispensabile per vivere, per uscire da quella miseria, anche morale, che Beatrix aveva avvertito appena entrata in casa. I mobili erano accatastati in una unica stanza: tavoli, sedie, armadio, credenza. Nelle restanti erano solamente reti e materassi. Le pareti della camera di Giorgio erano decorate con ritagli di giornale e posters ingialliti di pop stars strappati da qualche rivista musicale. Nel piccolo ingresso il telefono era lucido e posto su un mobiletto laccato di giallo. Poggiava su un centrino di pizzo bianco.

Per tutta la notte la signora Russo raccontò alla strana signora tedesca la sua vita, quella del marito, quella del figlio. Superato il primo momento di diffidenza – Beatrix aveva dovuto parlare attraverso la porta di ingresso per una buona mezz'ora prima di poter essere accolta in casa – la signora Russo s'era gettata in una confessione disperata, sincera, appassionata. Non chiedendosi se quella donna straniera la potesse comprendere, non preoccupandosi di disturbare il sonno delle figliolette, non considerando il fatto che Beatrix avrebbe potuto anche essere agente di una qualche squadra narcotici, Interpol o cose del genere; parlò a ritmo continuo sostenendosi di tanto in tanto con un bicchierino di vino marsala che offriva all'ospite con rude gentilezza. Beatrix capì ben poco di quello sfogo se non che la donna faceva di professione l'inserviente in una scuola e anche il figlio Giorgio l'aveva fatto prima di rubare una certa somma e fuggirsene via. Il seguito era una accozzaglia di fughe, litigi, abbandoni, ritorni a casa, promesse non mantenute, dichiarazioni di buona condotta non rispettate, botte, ancora botte, sempre botte.

Fu nel cuore della notte, verso le due, che la donna, stremata, finalmente tacque. Beatrix chiese allora di poter vedere quella cartolina. La donna gliela mostrò. Beatrix tese la mano per prenderla e poterla così guardare da vicino. La donna ritirò con un gesto fulmineo il cartoncino e lo pose, stringendolo, sul petto. I suoi occhi erano grandi e rossi. Beatrix ebbe paura. Versò del marsala nel bicchiere e ne porse un sorso alla donna. Un'ora dopo, finalmente, la vide assopirsi. Beatrix studiò il modo per guardare quella cartolina, ma ben presto si accorse che non esisteva altro modo se non quello di portarsela via. Aspettò finché non ebbe la certezza che la donna si fosse addormentata profondamente. La chiamò per nome due o tre volte senza ricevere risposta. Si decise. Si alzò in piedi lentamente, come a rallentatore. Uno scricchiolio della poltrona le fece gelare il sangue. Spiò il labbro inferiore della donna che aveva preso a tremare. Un sibilo usciva ritmico con il respiro. Si avvicinò ancor di più, fino a pochi centimetri dall'orlo della cartolina che spuntava dal seno. Sudava. Le dita le tremavano. Fu sul punto di lasciare tutto e scapparsene via. In quel momento odiò la donna, capì che doveva odiarla per poterle rubare quella misera reliquia. Così misera e così, forse, importante per lei.

Sentì una bambina tossire, ma ormai era troppo tardi per ricomporsi sulla seggiola. Fu un gesto secco e deciso. Con l'indice e il medio della mano arrivò sul lembo della cartolina che sporgeva dai seni e la sfilò via. Uscì dalla stanza. Il cuore batteva. Aveva compiuto un gesto banale, in fondo, ma il fatto di averlo compiuto in un paese straniero, ai limiti di una città che non conosceva, in un'ora in cui il silenzio rende tutto più forte, più tragico, più irreale, la turbava e la confondeva. Ma ce l'aveva fatta. Sentì l'irrefrenabile impulso di ridere. Raggiunse il piccolo ingresso e fu terribile.

Incontrò due occhi spalancati, sorpresi, insonni. Una delle bambine, in piedi, scalza con i capelli neri, arruffati, la stava fissando impaurita. Beatrix non pensò a nulla, non volle pensare che quel mostriciattolo avrebbe cominciato a urlare e frignare in una lingua strana e violenta; che le sarebbero stati tutti addosso sbucando da quelle casematte di cemento ancora umido e polveroso, riversandosi in strada per prenderla. Non ebbe tempo. Era già fuori nella luce chiara del mattino. Fece di corsa una ventina di metri cercando di ricordare, in quell'intrigo di case e di viottoli in cui le fogne scorrevano allo scoperto, il percorso fatto con il taxi la sera prima. Si fermò esausta dopo un centinaio di metri. Si prese il viso tra le mani e strinse gli occhi. Il battito del cuore e il respiro decelerarono gradualmente. Non si sentiva, intorno, alcun rumore. Solo il cinguettio dei passeri, distante, annunciava il nuovo giorno.

Rientrò in albergo e si chiuse in camera con tre giri di chiave. Si gettò sul letto e guardò la cartolina. La calligrafia era assolutamente indecifrabile, un corsivo piatto e minuto che non le dava scampo. Solo la firma era leggibile. Proveniva da una località in riva al mare chiamata Bellaria. Bellaria... *Schöneluft*... Guardò la data del timbro postale.

L'undici giugno di quell'anno. Praticamente un mese prima. Aprì la sua guida d'Italia. Quando si accorse che avrebbe dovuto risalire l'Italia per raggiungere quella città gettò via con rabbia la cartolina. Chiamò la reception e chiese come poter raggiungere quel posto nel tempo più breve. Le consigliarono un volo per Bologna o per Pisa. E da lì avrebbe proseguito in auto. Ma erano voli settimanali. Avrebbe dovuto attendere qualche giorno.

Tutto invece accadde poi miracolosamente. Rimase chiusa nella sua stanza tutto il pomeriggio e tutta la notte. Guardò la televisione, telefonò a Hanna, a Berlino, cedette al sonno, ma sempre con un occhio solo. La presenza della signora Russo la inquietava, veniva a disturbarla continuamente. E se quel ragazzo era un tossicomane non poteva più farsi illusioni su come avrebbe trovato Claudia. Sempre che l'avesse trovata. Non appena sentiva dei passi lungo il corridoio, correva a chiudersi nel bagno. Poteva essere lei, la signora Russo: un fagotto nero e tetro pieno soltanto di risentimento e di rabbia.

Il giorno dopo scese per fare due fotocopie di quella cartolina che, in una busta, rispedì alla famiglia Russo. Una fotocopia la ripiegò nel portadocumenti, l'altra la spedì all'Art Nouveau. Non c'entravano presentimenti, né particolari fobie. Si trattava di una questione di precisione e di puntiglio. Stava seguendo una traccia. Ne avrebbe lasciata dietro di sé un'altra. Fu comunque nella hall dell'hotel che apprese la notizia. Un gruppo di turisti tedeschi era immerso nei preparativi per lasciare l'hotel. Era una comitiva di farmacisti che aveva affittato un volo charter col quale giravano il Mediterraneo. Le tappe del viaggio erano scandite da visite ai mosaici bizantini più importanti. Provenivano infatti da Istanbul ed erano diretti a Ravenna. Partivano alle cinque di quel pomeriggio dall'aeroporto civile di Punta Raisi. Beatrix rintracciò il capocomitiva e spiegò il suo problema. Non voleva restare a Palermo altri quattro giorni in attesa di un volo. Il treno e la nave erano fuori discussione. Il capocomitiva non fece problemi. Le avrebbero dato un "passaggio" all'aeroporto di Miramare di Rimini. Beatrix scoppiò dalla gioia. Salì in camera e preparò i bagagli. Non riusciva a crederci. Stava realmente partendo.

Un violento scossone la svegliò. Aprì e richiuse gli occhi ripetutamente come per accertarsi del luogo effettivo in cui si trovava. Era a bordo dell'aereo, un vecchio Caravelle rombante e tremolante nell'occhio di un temporale. La hostess girava fra i passeggeri accertandosi che le cinture di sicurezza fossero allacciate. Per poter procedere, era costretta a sostenersi agli schienali dei passeggeri e a uno scorrimano posto sul tettuccio della carlinga. L'aereo vibrava ruggendo alla furia del temporale. Più volte Beatrix avvertì i vuoti d'aria prenderle lo stomaco. Probabilmente il comandante stava cercando di prendere quota e superare l'ostacolo. Ma non era così semplice. Controllò l'ora. Mancavano quindici minuti alle sette.

L'aereo prese a scendere, poco dopo, preparandosi all'atterraggio. Il comandante rassicurò i viaggiatori sulla manovra. Gli anziani turisti non avevano l'aria di essere troppo spaventati. Si passavano pilloline e pasticche come si trattasse di caramelle. Degustavano e sorridevano. Quando finalmente poté scendere a terra, aveva le gambe completamente addormentate e stanche. Una pioggia battente spazzava la pista d'atterraggio. Le hostess e un paio di funzionari del piccolo aeroporto facevano la spola tra la scaletta dell'aereo e la sala arrivi con grandi ombrelli aperti. Ma non ci fu modo per nessuno di evitare l'acqua. Beatrix, abituata a camminare sotto la pioggia costante dell'inverno berlinese come tutti senza ombrello, prese il suo bagaglio a mano e attraversò l'atrio. Sostò in un angolo. Estrasse la spazzola e tentò di lisciare i capelli aggrovigliati. Era fradicia. Desiderò un bagno bollente. Una folla di fotografi stazionava nell'atrio. Fu un'immagine piacevole. Anche se sapeva che non erano venuti per lei.

"Spegni quelle luci, per favore," disse Susy.

Eravamo appena entrati nel mio appartamento. Sapevo che sarebbe finita così. L'unico guaio è che non sapevo da dove cominciare. Spensi le luci. I bagliori del temporale e l'illuminazione notturna del giardino schiarivan le stanze. Eravamo due ombre fradicie, due silhouettes annegate e con una gran voglia di fare l'amore. Raggiunsi il bagno. Presi un paio di "spugne" e ne passai una a Susy.

"Asciugati un po', se vuoi," dissi.

Afferrò al volo l'asciugamano e iniziò a frizionarsi la testa. Non si era ancora tolta l'impermeabile.

"C'è un caminetto, qui," disse.

"Sì. Ma è falso." La raggiunsi.

"È semplicemente un caminetto per cucinare alla griglia. Non è finto... Come si fa ad accenderlo?"

"Hai freddo?"

Susy non rispose. S'era chinata attorno alla presa elettrica. La afferrai, sollevandola. Aveva una bocca profumata, morbida. Sentii i piccoli denti serrati. Si allontanò decisa dalle mie braccia. In quel momento mancò la luce. I lampioni del giardino si spensero e così le braci di plastica rossastra che avevano cominciato a scaldarsi.

"Susy," chiamai, "Susy?"

Avvertii un rumore accanto alla porta d'ingresso. "Sei lì?... Rispondi! Che ti prende?"

La porta si spalancò e una spruzzata di acqua gelida entrò nella stanza. Feci quei cinque metri che mi separavano dall'ingresso chiamandola. Nessuna risposta. Pensai che se ne fosse andata. Corsi fuori. Immediatamente mi resi conto che non la avrei mai trovata, così al buio. Se voleva andarsene al diavolo l'avrei lasciata andare per i fattacci suoi. Mi avvicinai alla piscina. La pioggia cadeva sull'acqua che aveva ormai raggiunto il livello del terreno circostante. Probabilmente alcune foglie o alcuni arbusti portati dal vento avevano ostruito gli scarichi. Sentii delle voci che si avvicinavano. Vidi nel buio intrecciarsi i fari delle torce elettriche. Qualcuno mi illuminò.

"Che ci fa qui, signor Bauer!" disse un inserviente del residence. "Torni dentro. Lasci fare a noi."

Aveva una mantella di plastica e la sua barba gocciolava come il muschio di un ruscello.

"Ha visto una ragazza?"

"Ha voglia di scherzare? Qui si sta allagando tutto!"

Mi imbestialii. "Le ho chiesto se ha visto una ragazza! Con un impermeabile chiaro. Alta, capelli scuri."

"La signorina che è scesa dalla sua auto?"

"Sì, certo. Proprio lei."

"Non mi vorrà dire che l'ha persa al buio."

Avrei voluto bastonarlo e dargli la torcia sulla testa. "Sono fatti miei!"

Arrivarono altri inservienti gridando per riconoscersi al buio. Spingevano un carrello con su attorcigliato un grosso tubo di gomma.

"Per cortesia, signor Bauer, si tolga dai piedi. Dobbiamo lavorare."

"Ok, ok. Mi faccia accompagnare a casa," dissi. Cominciavo ad avere freddo. Un ragazzo del residence mi accompagnò fino alla porta. Era impossibile, senza torce elettriche, riconoscere l'entrata dei vari alloggi. Quando ero uscito, pochi minuti prima, l'acqua della piscina mi faceva da specchio riflettendo quel poco di luce che proveniva dal cielo. Ora invece l'avevo alle spalle.

"È qui, signor Bauer," disse il ragazzo illuminando il numero quarantuno.

Feci per aprire. Ricordai però di non averla affatto chiusa. Esitai con la mano sulla maniglia. Poi spinsi. Era chiusa a chiave. Dall'interno.

Il temporale non accennava a una tregua. Gli uomini lavoravano attorno alla piscina. Avevano avviato un motore a nafta. Sentivo il puzzo arrivare fino davanti all'ingresso della mia abitazione. Si scambiavano urla e comandi e sopra tutti martellava il rumore dei cilindri e del motore avviato a pieni giri. Corsi indietro orientandomi alle luci delle torce. Inciampai nel tubo di gomma. Caddi strusciando sull'erba del prato inglese ormai ridotta a un viscido pantano.

"Che diavolo fa ancora qui!" tuonò il capo inserviente. Mi stava accecando con la torcia elettrica puntata sugli occhi. "Si tolga, perdio!"

"Mi dia una pila!" gridai.

"Lei è pazzo. Vede l'acqua? Fra pochi minuti qui sarà tutto un lago!"

Il motore a nafta tossicchiò un paio di volte. Poi riprese con un rumore ancora più assordante. Un uomo gridò qualcosa in dialetto. Gli risposero prima in due, poi in tre, quattro. Tante voci. Ero stordito. Mi faceva male la gamba. Il ragazzo che mi aveva accompagnato poco prima mi si avvicinò: "Si sente male?"

"No, no... Ho bisogno della tua torcia."

"Non posso proprio, signor Bauer, mi dispiace."

Fui costretto a inventare una scusa plausibile. Dissi che avevo lasciato aperto il rubinetto del gas e dovevo assolutamente correre a chiuderlo. Si lasciò convincere. Quando sentii il pesante manico della pila nelle mie mani, mi sembrò di aver ricevuto un tesoro.

La gamba mi faceva ancora male. Non era stata una caduta grave, ma avevo beccato in pieno un sasso. Avvertivo il dolore serrato e localizzato del colpo. Raggiunsi l'appartamento. La finestra che guardava in direzione della piscina era chiusa. Usai il manico della torcia elettrica per rompere il vetro. Infilai una mano e la aprii. Non fu difficile. L'unico guaio era la gamba, ma a quel punto, non mi importava più niente.

"Susy!" gridai non appena fui dentro. "Che cazzo ti è saltato in mente?"

Nessuno rispose. Illuminai con la torcia il percorso davanti ai miei passi. Mi tolsi le scarpe fradicie e la camicia incollata alla pelle. Nella stanza faceva un caldo infernale. Presi a sudare. Improvvisamente cadde sotto il cono di luce un indumento. Era la camicetta di Susy. La chiamai. Niente. Ormai sapevo che era lì, vicina, sempre più vicina. Quasi ne sentivo il respiro. Mi spogliai completamente. Ripresi a illuminare il pavimento: una scarpa, un'altra, i suoi pantaloni. Guardai in bagno, niente. Illuminai il soppalco. Scesi verso la scala. Sul primo gradino, seminati come una traccia, stavano i suoi slip. Li raccolsi e li strofinai sul volto. Tutto mi stava eccitando da pazzi. Il suo odore, il suo respiro. Lo sentii nettissimo, largo. "Susy," sussurrai. Presi a salire le scale. La volevo e lei voleva me. E sapevo dove si era cacciata. Sussurrai il suo nome sempre più piano, più dolcemente, finché non raggiunsi il soppalco. Illuminai la parete e poi, finalmente il letto. Se ne stava lì come una belva braccata con gli occhi spalancati, nuda, completamente nuda, le labbra aperte in quel respiro affannoso. Le illuminai il volto. Continuai a chiamarla per nome. E lei continuava a fissare quella luce poiché sapeva che dietro di essa, al buio, si muoveva il suo desiderio. Scesi con la torcia sul collo e poi sul seno e sul ventre che palpitava e fremeva. Abbassai ancora la luce. Il cazzo mi faceva male tanto era gonfio e grosso. Illuminai le sue cosce, poi le gambe che si accarezzavano una sull'altra. Gettai la torcia in terra e le andai sopra. Mi afferrò il cazzo con forza e lo guidò decisa. Aveva la bocca spalancata nella mia, gemeva e sospirava contorcendosi. Il buio diventò di nuovo totale, il motore, nel prato, faceva un fracasso infernale. Mi mossi dentro di lei con accanimento e forza e desiderio. La nostra pelle sudata e bagnata sgusciava dai nostri abbracci. Cominciai a sentirla vibrare fin nelle viscere sotto i miei colpi. Alzò le gambe sopra i miei fianchi, puntai i piedi sul bordo del letto e mi tuffai dentro, sempre più dentro e lei era lì che mi stava divorando, inghiottendo, senza che nessuno dei due potesse nemmeno per un istante immaginare che tutto avrebbe conosciuto una fine. Le accarezzai un seno, lo accolsi fra le mie labbra, lo succhiai. Lei mi strusciò con la lingua sotto le ascelle. Strinse le mie natiche ficcandoci le dita e accompagnando i miei movimenti sinuosi, sempre più accavallati gli uni sugli altri, finché non fummo quell'unico movimento straziante che ci schizzò lontani fino a raggiungere il centro segreto di ogni uomo. Tutto poi, lentamente, si acquetò e si calmò decelerando. Riprendemmo a respirare, a odorarci, a strusciarci con la lingua. Intorno tutto taceva e c'era pace. Era buio, era caldo. C'era odore di terra. Poco dopo, gettando casualmente lo sguardo al di là della fi-

nestra e intravedendo le torce degli uomini che lavoravano mi
accorsi che la pompa meccanica non aveva mai smesso di funzionare. Nemmeno per un istante.

Quella notte avevano finito più tardi del solito. Il temporale aveva scaraventato nel night-club più gente di quanta se ne
fosse mai vista nello stesso periodo, prima dell'alta stagione.
Il numero di streap-tease era stato replicato tre volte e ancora
il pubblico non si decideva ad andarsene. Sembrava che tutti avessero la dannatissima voglia di imbarcare, quella notte.
Le entraîneuses del *Top In* erano stanche e ubriache per tutto
quello scadente champagne che avevano fatto ordinare ai loro
clienti solamente per farsi accarezzare una coscia o stringere
una tetta.
C'era stato un po' di brivido, poco dopo la mezzanotte, quando il padiglione di tessuto bianco e azzurro che congiungeva
l'ingresso del locale alla strada era crollato sotto il peso della
pioggia e le sferzate del vento. La direzione aveva proibito altri ingressi. Alberto aveva sperato di andarsene a dormire. E
invece tutto era continuato fino a mattino. I clienti vennero
fatti entrare dall'ingresso degli artisti. Con un supplemento sul
prezzo d'entrata. Sennò come avrebbero potuto accorgersi delle pance gonfie delle spogliarelliste? Delle bottiglie di whisky
che rotolavano ormai a secco sui loro tavolini da trucco? A un
certo momento della notte era entrata una comitiva poliglotta
e starnazzante di "ooohhhh!" e "aaahhhh!" con tutto un seguito di fotografi. Alberto aveva sbattuto la porta calciandola col
piede. Aveva preso il suo sax e si era messo a suonare. Anche la
birra, quella notte, faceva schifo.
Quando finalmente l'ultimo gruppo di avventori se ne andato, Alberto salutò gli amici dell'orchestra e si diresse verso
l'uscita. Sostò un paio di minuti, appena fuori, boccheggiando
muto con il viso rivolto verso l'alto, gli occhi stretti, le braccia
aperte e tese, le narici dilatate. Aveva smesso di piovere. I pini

marittimi gocciolavano, grandi pozzanghere si erano formate sui vialetti delle traverse, l'aria portava con sé forti odori: di mare, di terra, di ozono, di marcio, di sabbia bagnata, di legno verniciato, di asfalto, di resina. Alberto tornò nel suo camerino, aprì la custodia di pelle nera e imbracciò il sax.

Raggiunse il lungomare. Si sedette sul muricciolo e cominciò a suonare. Attaccò con una libera esecuzione del ritornello dell'Hit della stagione:

I'm Nobody! Who are you?
Are you – Nobody – too?
Then There's a pair of us!

Il testo – aveva letto – era stato scritto da una poetessa americana cent'anni prima, ma quello che veramente lo faceva impazzire era la musica. Anche perché sapeva arricchirla al momento giusto entrando in anticipo su certe battute. Passò poi a una versione sincopata di un pezzo di Joe Jackson che lo faceva rabbrividire per la bellezza finché non si accorse di stare eseguendo una musica completamente nuova e diversa, una musica sua che non aveva mai sentito prima ma che in quel momento seppe di avere sempre conosciuto. E questo fatto gli diede piacere e carica. Si alzò in piedi e iniziò a scendere i gradini che portavano alla spiaggia. Aumentò il fiato. Un discreto chiarore aveva ormai completamente dissolto il buio della notte. La sabbia era bagnata e pesante. Il mare si riversava sulla costa sabbiosa con grandi onde color della terra bruciata. La risacca lambiva la prima fila di ombrelloni. Alberto suonò con tutto il fiato che aveva nei polmoni, muovendosi sulle gambe e abbassandosi fino a chinarsi quasi e toccare l'acqua del mare. Il ritmo lo aveva ormai preso, non conosceva più la stanchezza e il tedio e il dolore di quella alba bagnata e fredda, di quel momento umido che gli aveva intorpidito il sangue e da cui solo suonando si sarebbe purificato.

Suonò con foga, passione, con rabbia, con amore e il suo canto rauco si aprì attorno a lui e dai suoi polmoni, dal suo cuore, dal suo vecchio sax si allargò alla spiaggia, superò la linea colorata delle cabine, si distese sul viale del lungomare, raggiunse il molo del porto dove le onde della burrasca si infrangevano con spumeggiante violenza; raggiunse i viali alberati, le insegne spente degli hotel, i parcheggi delle vetture, le cime dei pini frustate dal vento, le barche attraccate nei porti che mordevano gli ormeggi come cavalli selvaggi desiderosi di libertà; andò sull'insegna del *Top In*, su quella della sua pensione, sui viali di circonvallazione e finalmente si aprì fino ad abbracciare tutta la riviera. Andò sui volti tirati dei camerieri e delle ragazze di servizio che fra poco avrebbero dovuto alzarsi per raggiungere le cucine unte e bollenti e sature di vapori; andò sui posteggiatori di taxi che sonnecchiavano con il capo reclinato sui vetri dei finestrini, una rivista aperta in grembo; andò sulle cabine telefoniche, sui binari viscidi e luccicanti delle stazioni, sugli strass delle puttane e dei travestiti che raggiungevano le loro stamberghe di lusso, andò sui corpi molli degli amanti addormentati e finalmente placati dopo una notte d'amore, andò sui visi dei portieri di notte accucciati nelle loro sdraie pieghevoli, andò nelle camerate delle colonie per bambini, in quelle per vecchi, raggiunse finalmente quella porta, di fronte alla sua stanza, in cui – ormai lo sapeva – stava sognando una donna, una donna che ancora non aveva osato mostrarsi durante quei suoi ritorni all'alba ma che ogni notte lo attendeva. E il suono del suo sax, la sua musica, fu come il rauco grido di dolore delle cose e degli uomini colti in quel momento bagnato, all'alba, dopo il diluvio.

PENSIONE KELLY

*Hanno sempre detto che sono nato proprio nel momento in cui
la polizia stava facendo irruzione al Grand Hotel, qui a Rimini,
per sequestrare tutte le partecipanti al concorso di Miss Italia e
controllarne i documenti. C'era una vera e propria crociata mossa
da un senatore abruzzese con tutto il contorno di istituti religiosi
e pie donne e dame della San Vincenzo che non potevano sopportare che quelle fanciulle divenissero prede del mondo del peccato
e si mostrassero così, mezze nude, a mezzo mondo facendo quelle
foto sulla spiaggia e sul corso e poi le passerelle alla sera per le
votazioni; soprattutto a quegli uomini che le misuravano con il
metro della sarta e a quegli altri che, dai primi tavoli, col sigaro
acceso, in frac, seguivano le loro curve come fossero la pista di un
autodromo. Loro pensavano fosse una cosa immorale e un traffico di minori e allora la polizia dovette intervenire, tutti fermi,
mani in alto e cose del genere.*

*Il babbo era andato al Grand Hotel insieme ad alcuni amici.
Non aveva comprato i biglietti per entrare nel salone, perché costavano cari e poi non gli piaceva di farsi vedere in mezzo a tutti
quei camerieri e tappeti e specchiere e poltrone di velluto e fotografi e mamme intrepide che ne combinavano di tutti i colori per
mostrare i pregi delle loro bambine. Aveva preferito, come quasi
tutti quelli come lui, i curiosi, i lavoratori, diceva, starsene là fuo-*

ri e vedere sfilare le finaliste tra due ali di folla e sotto i flash dei fotografi e i fari dei riflettori del cinegiornale. Poi ci fu la storia della polizia, e io stavo nascendo.

La nonna mandò l'altra sua figlia, mia zia Adele, a cercare il babbo in paese perché non sapeva dove fosse nonostante io da un paio di ore mi davo da fare a tirar calci per venire al mondo. Mia zia era una ragazza di diciannove anni allora, e molto frizzante e allegra e spiritosa, girava tutto il giorno per la spiaggia e andava a ballare con le amiche e conosceva dei bei ragazzi di Milano e Torino e di Arezzo e insomma non aveva molta voglia di lavorare lì in pensione. Era sempre vestita molto bene e aveva dei bei capelli biondi e il suo culetto era davvero una mela, come diceva lei, e allora va fuori, al caffè e chiede del babbo e quando sa che è al Grand Hotel si precipita con il bel risultato di farsi mettere dentro anche lei dalla polizia perché non aveva i documenti e stava lì a sfarfallare in quel casino. Poi però il babbo l'hanno trovato e gli hanno detto che era nato il suo Renato e lui allora è corso in pensione a vedermi e mi ha trovato tutto paonazzo e cianotico che stavo soffocando per via del cordone ombelicale e la levatrice per fortuna fu molto pronta e svelta e salvò la situazione. Mamma ha sempre detto che mi beccai tante botte per cominciare a respirare e finalmente vivere. Poi tornò anche la zia Adele in lacrime accompagnata da un carabiniere. Be', se devo cominciare proprio dall'inizio questa è stata la prima notte della mia vita.

La nostra pensione si chiamava Pensione Kelly perché la proprietaria, una signora di Bologna, molto ricca, amava molto Grace Kelly. Il babbo l'aveva presa in affitto due anni prima, nel 1953 e noi vivevamo lì anche d'inverno, al primo piano. C'erano diciotto stanze e cinque persone di servizio: due cameriere ai piani che facevano le camere e le pulizie; due di sala che servivano ai tavoli e si occupavano anche della cucina e una capocuoca che si chiamava Irene ed era un donnone di più di cinquant'anni, con un grosso paio di occhiali e grosse braccia bollite e un collo che sembrava quello di certe negre che hanno su tutti quei cerchi di ferro, ma l'Irene li aveva poi di carne. Era dispotica e molto energica e spesso aveva da dire con la nonna Afra che, in quanto a stazza, non era da meno. Mamma si occupava della cucina e soprattutto della spesa al mercato e delle provviste. Il babbo invece teneva i registri degli ospiti e stava alla reception e sorvegliava un po' tutto.

Avevano sempre da fare e così io e mia sorella Mariella che aveva cinque anni più di me eravamo sballottati sempre in braccio ai clienti. Se penso a quegli anni non ricordo niente per esempio degli inverni in pensione, solo qualche ricordo di scuola, la bidella che veniva a versare inchiostro nei calamai, un maestro terrone che bacchettava sulle nocche delle mani appena facevamo una macchia sul quaderno di bella calligrafia, il direttore che dal suo ufficio comunicava a tutte le classi per via di un altoparlante appeso sopra al crocefisso e ogni tanto mi sembra ancora di sentire quella voce che gracchiava: "A tutte le classi – Attenzione – A tutte le classi." No, se penso a quegli anni mi vedo soltanto in braccio ai signori Marcello di Perugia che venivano in pensione in carrozzella dalla stazione dei treni. O a giocare sotto l'ombrellone delle signorine "vu". Le chiamavano tutti così le signorine perché non si erano sposate ed erano già donne mature: Vanda, Vally, Vulmerina e Vera. Erano donne bellissime e mia sorella e io ci divertivamo con loro perché ci portavano a spasso ed erano tutte uguali, magre e secche e alte perché erano gemelle, e ci compravano i bomboli e le focacce e alle volte anche l'uva caramellata infilzata negli spiedini ed era di tre colori: bianca, rossa e nera.

Mamma si alzava ogni mattina alle cinque. Doveva stare dietro a me e nello stesso tempo alla pensione. Mamma aveva ventotto anni quando io nacqui ed era il perno di tutta la pensione. Era alta, alta e bionda come un colonnello tedesco e infatti il babbo la chiamava gestapo. Me la ricordo sempre molto nervosa e tesa e stanca per il lavoro. Il babbo si alzava invece più tardi, alle sette, quando le donne erano ormai tutte in cucina a lavorare per preparare le colazioni che si servivano dalle sette e mezza fino alle dieci. Poi c'era il pranzo all'una e la cena alle otto. Il pesce al venerdì, il pollo al giovedì, le paste o i dolci la domenica. A fer-

135

ragosto grandi cocomerate. Il babbo univa tutti i tavoli della sala da pranzo e per quell'unico giorno i clienti mangiavano insieme come a una festa di nozze e anche il babbo e la mamma sedevano lì. Noi piccoli ci mettevano da una parte, praticamente fuori dalla sala, davanti al bancone della reception. Tutti i bambini della pensione insieme. L'Irene ci serviva le pietanze. Poi finiva sempre a guerra con le scorze delle angurie.

D'inverno i miei genitori passavano i mesi a risistemare la pensione, riverniciare gli infissi, fare miglioramenti alle camere, riadattare le tubature dell'acqua, cambiare i sanitari. Andavano anche via per qualche giorno sulla loro auto, una Appia grigia con il tetto bianco. Si recavano in certe cittadine della campagna e dell'Appennino come Cagli, Acqualagna, Gualdo Tadino, Fossombrone per reclutare del personale stagionale da mettere agli ordini dell'Irene. Molto spesso, in quei mesi invernali si parlava di soldi, di conti, di guadagno, di perdite, di prestiti. Il babbo voleva rilevare la pensione. Diceva: "Se continuiamo così fra un paio di anni diverrà nostra e la trasformeremo in un bell'hotel." La mamma era invece più lungimirante. "Guarda che cosa hanno fatto gli altri. Un prestito in banca e via, un hotel nuovo di pacca. Voglio andarmene da questa casa. Spenderemo di più a rimetterla a nuovo che a farne una di sana pianta."

Fu così che sul finire degli anni cinquanta i miei genitori contrassero con una banca locale un grosso prestito. Il comune concedeva molto facilmente licenze edilizie, assisteva allo sviluppo assecondando gli imprenditori turistici. Non c'erano problemi allora. Stava per scoppiare il boom e gli istituti di credito, le banche, badavano a fare buoni affari senza preoccuparsi tanto di prevedere o programmare. Tu chiedevi i soldi e loro te li davano. Erano lì per questo. La mano d'opera non era un problema. C'era come un patto non scritto, ma rispettato sia dai sindacati che dagli imprenditori che più o meno funzionava così: per ogni assunzione in regola quattro in nero. In fondo tutti avevano bisogno di lavorare. La costa stava esplodendo, diventando un ottimo affare, sia per chi lavorava tre mesi sia per chi rischiava con debiti

e prestiti. Fu così che nel 1961 iniziarono i lavori del nostro nuo-
vo hotel. E fu in quegli ultimi anni in pensione che accadde quel
fatto. Avevamo ospiti un gruppo di ragazzi inglesi, occupavano
quattro stanze all'ultimo piano. Ogni notte tornavano pieni di
birra svegliando tutta la pensione. Avevano i capelli corti e la se-
ra mettevano giubbotti di pelle nera anche se faceva caldo. Erano
arrivati a Rimini in moto. Quando pioveva stavano ore e ore in
garage a lucidare quelle moto enormi. Io ero piccolo e alle volte
stavo con loro, anche se la mamma non voleva. Diceva che ta-
gliuzzavano la biancheria, gettavano stracci nel gabinetto del pia-
no di sotto apposta per intopparlo, che erano ubriaconi e rissosi
e sulla spiaggia avevano fatto una guerra con i coltelli e le chiavi
inglesi tanto che era dovuta intervenire la polizia a dividerli. Da
loro avevo imparato a fare un gesto che io adoperavo continua-
mente e più i miei dicevano che era un gesto sporco, più io lo
facevo. Con l'Irene, la nonna Afra, con la zia Adele che intanto
si era sposata e aveva preso con suo marito una pensione davanti
a una balera, a Bellaria, che sarebbe poi diventata lo Chez Vous
e lì fui preso in braccio da Shel Shapiro e baciato e fotografato che
andai su tutti i giornali, perché i Rocks mi piacevano da ragazzo
e anche a mia sorella Mariella e siccome non potevo entrare per
via dell'età mi intrufolai fra le canne di bambù che formavano il
recinto e quando mi videro mi misi a piangere, ma poi mi pre-
sero in braccio e stetti lì fino alla fine. Insomma quel gesto lo
facevo con tutti e continuamente. Si trattava semplicemente di
chiudere il pugno e alzare il dito medio e poi spingere in su la
mano e dire "Facoff" che per me equivaleva a "Pugacioff" o cose
del genere, come un gesto di battaglia. Proprio non avevo idea di
quel "Fuck-off", Cristo! Allora successe che una notte, ero molto
piccolo, sei anni, cinque, sentii dei rumori e mi svegliai e salii
al piano degli inglesi e vidi che una camera era aperta e allora
mi avvicinai e quello che scoprii... Insomma non mi resi conto,
facevano alla lotta in tre sopra a una delle cameriere. E ridevano
e si divertivano e allora, quando io entrai, uno di loro mi guardò
storto e saltò giù dal letto tutto nudo. Aveva quel coso enorme

e rosso fra le gambe e la faccia cattiva e si avvicinò con gli occhi di fuoco e allora spaventato io gli feci il saluto che mi avevano insegnato loro e balbettai "Fa-cc-off" sicuro che mi avrebbe riconosciuto come amico, ma lui disse rifallo e io lo rifeci e diventava sempre più cattivo e alla fine mi prese per i capelli e mi sollevò di tanto così da terra e sentii quella cosa lucida e pungente alla gola, qua, e quello scatto metallico e quelle parole in inglese che non capii. Mi disse che non dovevo piangere sennò mi tagliava la gola e io sentii il coltello che pungeva come uno spillo. Poi Stella, la cameriera disse di lasciarmi stare e si coprì con un lenzuolo e mi accompagnò fino davanti alla mia camera dicendomi: "È un sogno. Tu stai sognando, Renatino. Non dirlo a nessuno perché tanto poi domani non ricordi più niente." Così mi addormentai e il giorno dopo capii che era veramente un sogno, perché quando incontrai l'inglese che mi aveva tenuto fermo con il coltello, vidi che sotto il costume da bagno non poteva avere quel coso così grande e anche Stella mi baciò e mi sorrise ed era un'altra ragazza da quella che io avevo sognato. Sì, per anni fui convinto che si trattasse di un sogno finché non vidi dei giornaletti che alcuni svedesi avevano lasciato in una camera e mi sembrò di capire anche toccandomi... Poi miracolosamente tornava la buona stagione, l'inverno finiva ed io avevo voglia di rivedere la pensione piena di gente, giocare con le signorine "vu", andare in stazione a prendere i signori Marcello e farmi portare a casa in carrozzella. Cambiava il personale della pensione e l'Irene stava invece sempre lì. Finché nella primavera del 1963 non ci trasferimmo all'Hotel Kelly. Nel frattempo mi era nata un'altra sorellina che chiamammo Adriana... Sai? Qui dentro è proprio come nei film. Anche le sbarre.

PARTE SECONDA

RIMINI

1

Scesi di corsa dalla Rover e raggiunsi un gruppo di guardie municipali schierate a proteggere l'entrata alla spiaggia. Estrassi il tesserino rosso. Si fece avanti un vigile piuttosto alto, sui quarant'anni. Aveva tre stelle sulle spalline. "Che c'è?" disse portandosi la mano tesa sulla fronte.

Spiegai chi ero e cosa ero venuto a fare. Cercai di guardare quello che stava accadendo dietro le sue spalle: un viavai abbastanza tranquillo di infermieri, poliziotti, uomini in borghese, giornalisti. Riconobbi la sagoma di Zanetti. Era lui che mi aveva telefonato.

Faceva caldo. Il cielo, dopo i temporali dei giorni scorsi, si era messo decisamente al bello. La sabbia, in superficie era asciutta. Il mare invece ancora agitato: le bandierine alzate sui pennoni per tutta la lunghezza della costa segnalavano il rosso: pericolo e divieto ai mosconi di scendere in acqua.

Oltrepassai il cordone di guardie municipali e scesi in spiaggia. Zanetti mi corse incontro: "Non l'hanno ancora recuperato." Era eccitato, completamente bagnato di sudore. "Vedi l'acqua come si è fatta pulita? È tutto a riva. Pesci morti, alghe, barattoli, sacchetti di plastica. Arriva tutto a destinazione, quando c'è una grossa mareggiata... Anche sorprese come quella."

Raggiungemmo insieme il luogo delle operazioni. Sulla spiaggia era stata predisposta una base. Quello che avveniva di importante era a un centinaio di metri davanti a noi, oltre la scogliera di grandi massi di cemento armato gettati per proteggere la spiaggia dall'erosione dell'acqua. Tre giovani infermieri sostavano accanto a una lettiga in attesa di trasportare il cadavere all'obitorio. Erano seduti su seggiolini pieghevoli, cercavano di ripararsi dal sole con cappellini fatti con la carta di giornale. Più avanti un gruppo di poliziotti teneva sotto controllo lo svolgimento delle operazioni sugli scogli. Avevano binocoli e un walkie-talkie gracchiante.

"Ci siamo," sentii dire da uno di loro.

Un gommone nero con le insegne della polizia sbucò dalla barriera degli scogli dirigendosi verso la spiaggia. Era seguito da un paio di motoscafi che presto però puntarono al largo per attraccare al porto più vicino. Sul gommone stavano tre sommozzatori e un uomo in borghese. Il cadavere era avvolto in un telo bianco bagnato e sporco di alghe, di fango e di sabbia. Fu portato a riva e deposto sulla portantina. Fummo allontanati e ci fu proibito di scattare fotografie. Insieme ai colleghi corremmo dal commissario. *"Come è successo? Chi l'ha trovato? Avete idea di chi si tratti? È un uomo o una donna? Chi ha fatto la segnalazione? Quanti anni ha? Perché stava sugli scogli? Quanto avete impiegato a tirarlo su? È stato ammazzato? Suicidio? È italiano o straniero? Il cadavere è integro?"*

"Calma, calma," disse il commissario, "saprete tutto. Non abbiamo, al momento, nessun elemento per poter fare dichiarazioni. Cercate di capire. Dobbiamo lavorare."

"Ha fatto un primo esame del corpo?" chiese un collega.

"Non posso rispondere."

"Non era il motoscafo del questore quello che si è allontanato così in fretta? Ci è sembrato di riconoscere il prefetto... Può confermare?"

"No comment. Convocheremo una conferenza stampa nel pomeriggio."

Il commissario cercò di farsi largo dirigendosi verso la strada. Gli agenti lo proteggevano dal nostro assalto, ma non era facile, per loro. Eravamo come api attorno al miele.

"A che ora la conferenza stampa?"

"Permesso!... Non appena il medico legale ci avrà dato qualche elemento utile. Permesso, signori!"

"Signor commissario! Ancora una domanda!..."

Fu inutile. Si ficcò nella sua auto e partì facendo fischiare le gomme. Due alfette lo seguirono rombando. L'autolettiga si avviò lenta scortata dalle auto delle guardie municipali. Diedi appuntamento a Zanetti in questura.

Aspettammo tutto il pomeriggio. Man mano che il tempo trascorso negli uffici della mobile cresceva le ipotesi sull'identità del cadavere si accavallavano, si contraddicevano, si confermavano. Una voce prese a circolare verso le quattro. Informava che si trattava di un uomo politico molto in vista. Come sempre succede in casi del genere, era impossibile verificarne l'autenticità e nemmeno la provenienza. Poteva averla messa benissimo in giro l'uomo delle pulizie. Ma due ore più tardi era sulla bocca di tutti e gli inquirenti, pressati dalle nostre richieste, non confermavano né smentivano e quindi lasciavano capire che qualcosa di grosso era nell'aria. Fu possibile invece appurare con sicurezza che il prefetto in persona era su uno dei motoscafi. L'attesa divenne angosciosa. Mi tenevo in contatto sia con Susy alla redazione che con Milano. Curiosamente una prima conferma venne proprio da Milano. Il nostro notista politico, a Roma, aveva saputo qualcosa. Era sulla bocca di tutti negli ambienti parlamentari. E a Rimini invece nessuno diceva niente. Operammo con Zanetti alcuni collegamenti esaminando tutti i parlamentari residenti nella zona. Ma era una faticaccia. Nonostante questo Susy, in archivio, stava preparando il materiale insieme a Guglielmo.

La notizia, in via ufficiosa, venne data alle sei e quaranta. E il nome prese a circolare freneticamente fra i telefoni, i taccuini, le chiacchiere. In quanto alle cause della morte si parlò vagamente – anche alle sette e mezzo, ora in cui fu convocata la conferenza stampa – di morte per cause dovute ad annegamento. L'identità del cadavere era ormai il segreto di Pulcinella. In tutte le redazioni di Italia, da una buona mezz'ora, si rivoltavano gli archivi per stendere i "coccodrilli" sulla immatura scomparsa del senatore Attilio Lughi.

Coprimmo l'avvenimento con un articolo di Zanetti in cronaca nazionale e tre nella Pagina dell'Adriatico. Susy abbandonò i suoi articoli di moda per ricordare, nostalgicamente, una sua festa di compleanno in braccio al senatore. Guglielmo stese un articolo sugli aspetti medico-legali della faccenda e io scrissi la cronaca spicciola. Fu un buon lavoro. Il giorno seguente Arnaldi, il vicedirettore, mi telefonò.

"Voglio le tue corrispondenze in cronaca nazionale," esordì. Gli feci presente la posizione di Zanetti. E il fatto che dovevo pur sempre mandare avanti il supplemento.

"Arrangiati. Voglio un pezzo che metta in chiaro luci ed ombre e dubbi sulla morte del senatore. Aggressivo, documentato. Niente sbrodate, è chiaro?"

"Non c'è molto da dire oltre la versione ufficiale..."

"Ci si può buttare in acqua e si può essere buttati. Questo vorrei sapere, Bauer."

"Non sono un detective," ridacchiai.

"Certamente. Per questo non voglio che tu mi provi l'una o l'altra delle versioni. Voglio solo che me le racconti."

Mugugnai qualcosa e riattaccai. Presi il notes e raggiunsi Zanetti. C'era una copia del giornale sulla sua scrivania. La aprii e trovai la biografia di Attilio Lughi.

"Ora, Zanetti," dissi, "voglio che tu, data per data, mi racconti tutto quello che sai. Quello che si dice in giro, nei caffè, sotto i portici di Rimini. Cosa pensa la gente di questa storia e cosa ne pensi tu. Senza problemi. Sarà facilissimo, devi solo buttar fuori tutto. Cominciamo dal dodici aprile 1923."

Romolo Zanetti mi guardò con aria di sfida. Aveva già capito il perché gli stavo facendo quelle domande. Sapeva che andava così. E non stette a pensarci sopra troppo.

"Era nato in una villa di campagna, a Sant'Arcangelo. La sua famiglia era una famiglia di proprietari terrieri da generazioni. Qui la terra..."

"Non perdiamoci. Dove abitava?"

"A Sant'Arcangelo. C'è la villa padronale e nel borgo una casa che aveva sistemato come studio. Ultimamente viveva lì."

"Solo?"

"Ho già scritto queste cose."

"Solo?"

"Una anziana domestica. Una contadina di ottantacinque anni. Fu la sua balia. Attilio spesso diceva: mi ha fatto nascere e mi seppellirà."

"Perché diceva così? Si sentiva minacciato? Era malato?"

"Forse solamente perché l'Argia era più arzilla di lui."

"Leggo qui che è stato decorato per la sua partecipazione alla Resistenza..."

"Lughi ha sempre detto che si è trovato coinvolto, all'inizio, senza quasi rendersene conto. Tieni presente che era cattolico. Aveva studiato dai gesuiti a Ravenna e poi si era iscritto alla Università di Bologna. Durante il fascismo, e soprattutto dopo l'entrata in guerra, i cattolici cercavano di tenersi fuori dalla mischia. Sono contro la violenza e l'ipotesi di una guerra civile certamente non è nei loro progetti. Come gli altri partiti, anche il Partito Popolare è stato sciolto. I cattolici hanno però i loro circoli studenteschi come la FUCI, c'è l'Azione Cattolica, ci sono le parrocchie e proprio molti di questi preti svolgeranno un ruolo attivo nella lotta di resistenza; quasi mai imbracciando le armi, ma nascondendo soldati, collegando gruppi di partigiani, offrendosi spesso come ostaggi alle SS. In questi circoli discutono, tengono conferenze, si organizzano, ma sempre mantenendo le distanze dal partito comunista, da quello socialista e dai gruppi di Giustizia e Libertà che sono invece i primi a unirsi nel CLN. Questa è la situazione. E Attilio Lughi poco più che diciottenne sta, per il momento, a guardare. La situazione precipita il dieci novembre del 1943 quando il maresciallo Graziani, ministro della difesa della Repubblica Fascista, emana l'ordine di chiamata alle armi delle classi '23, '24, '25. Chi non si presenta è automaticamente un disertore e viene passato per le armi. Lughi è a Bologna. Con altri studenti fugge verso la collina, sa che si stanno costituendo gruppi di partigiani pronti a inquadrare sbandati come lui. Si rifugiano in una chiesa. Il parroco altri non è che il tenente cappellano della 9a Brigata 'Santa Justa' costituitasi da poco in quella zona. Ora Lughi c'è in mezzo. Maturerà in quei due anni di montagna, fra il '43 e il '45, le sue convinzioni politiche. È la prova del fuoco. In tutti i sensi. Partecipa all'assalto al Distretto Militare di Bologna in cui vengono distrutti i fogli matricolari della leva. È fatto 'commissario di compagnia' dal comandante. Organizza inoltre azioni di sabotaggio della linea ferroviaria della Porrettana. Nel giugno del '44, benché giovanissimo rispetto alle leggendarie figure dei capi della resistenza fa parte del CUMER, il Comando Unico Militare dell'Emilia Romagna. E continua a combattere nella sua brigata. Sì, la sua vocazione politica si forma in quei due anni."

"E a Roma?"

"Dopo la liberazione va subito a Roma. Però lo tengono a studiare. Fa parte del gruppo dei cosiddetti 'professorini', i cattolici di sinistra. Partecipa alle loro riunioni, vive i loro drammi, gli scontri di politica estera con De Gasperi, quelli di politica interna ed economica. Ma sempre un po' dal di fuori. Studia infatti per laurearsi. E ci riesce. La esperienza del cattolicesimo populista si sfalda agli inizi degli anni cinquanta. Nel '51, dopo il congresso di Venezia del '49, i capi carismatici si ritirano dalla vita politica. Tra il '54 e il '58 Fanfani diventa capo del consiglio come erede di quella linea di 'Iniziativa Democratica', ma ormai di quegli ideali è rimasto ben poco. Lughi però non si ritira come gli altri. Finora è stato fermo a studiare, a osservare, a scrutare e imparare. Ha fiuto politico, è ambizioso, conosce i giochi della democrazia parlamentare. È alla Camera nel '63 proprio nel momento in cui nasce l'immobilismo politico del centro sinistra. Nei quattro anni precedenti, il Governo Moro ha dato il via ad alcune grandi riforme: nazionalizzazione dell'industria elettrica, riforma della scuola media, eccetera. Nel '64 invece tutto si blocca fino ad arrivare alla crisi delle elezioni del 1968. Lughi vive questi anni in continua tensione. Probabilmente, in cuor suo, dà ragione ai vecchi 'professorini': i giochi del partito, delle alleanze, gli interessi corporativi, le pressioni internazionali sviliscono qualsiasi tensione ideale e qualsiasi progetto. È eletto senatore nel '68, proprio in quelle elezioni da cui i socialisti – vecchi alleati – escono massacrati e nuovamente divisi. È tutto molto confuso. Lui stesso è eletto come indipendente. Vuole continuare a lavorare nella politica perché è consapevole del proprio talento, ma la sua particolare e isolata posizione non gli permette di ricoprire incarichi di governo. Non sa rassegnarsi alle regole del gioco. È sempre più sfiduciato. Tutto confuso. Lui aveva creduto di resistere, un testardo romagnolo coi piedi ben affondati nella terra. Ma a quel punto qualcosa si è definitivamente incrinato."

"Il flirt con la contessa Baldini risale a questo periodo, no?"

"Sì. È di questi anni."

"E prima? Non aveva avuto donne, prima?"

"Che si sappia no. Era uno scapolo di ferro. Un cattolico duro di quelli *'poiché non sei né caldo né freddo ti vomiterò dalla mia bocca'*."

Lo guardai. "E che vuol dire?"

"Che certamente ogni notte non andava a spassarsela con qualche bella collega."

C'era risentimento in quella battuta. Il risentimento provocato dal fatto che, passando i tempi, nulla veniva più riconosciuto uguale. Soprattutto in campo morale. Zanetti mi vedeva come un giovane rompiscatole senza tatto, incapace addirittura di pensare che un uomo arrivasse ai quarant'anni senza aver mai toccato una donna.

"Era un uomo integro, caro Bauer," riprese. "Il resto te lo lascio immaginare."

"Siamo rimasti al '68, a Palazzo Madama. Il senatore inizia a covare una crisi personale così grande che lo farà dimettere dalla sua carica. Tra l'altro entra, per la prima volta, in ballo una donna."

"Non è solo questo. La crisi era già avviata nel momento in cui aveva scelto di entrare nel gruppo misto del Senato e non più in quello del suo partito. E c'è anche un'altra versione dei fatti. Che avesse stretto troppi legami con i giovani della sinistra extraparlamentare."

"Piano, piano. Restiamo alla signora contessa. Che donna era?"

"Una signora della sua età, separata dal marito, di origine siciliana."

"Non c'è una sua fotografia?"

"Non credo. Da queste parti nessuno l'ha mai vista. E, come ti ripeto, non era una relazione ufficiale. Lei era ancora sposata e quindi non avrebbe potuto contrarre un secondo matrimonio. Li avevano beccati un paio di volte insieme in un ristorante, e qualche altra volta nel medesimo salotto. Tutto qui."

"Il senatore si innamora, rifugge nelle braccia di una matura nobildonna e dimentica i suoi guai con la politica. È giusto?"

"Non ha mai avuto guai con la politica. Solo guai personali. Si torturava da solo. Come gli eremiti. Nello stesso identico modo."

"Dov'è questa contessa Baldini?"

"È morta nel 1971."

"... E l'altra pista?"

"I gruppuscoli?"

"Sì."

"Se vuoi sapere come la penso, è stata una montatura. Insegnava all'Università Statale. Erano suoi allievi. Politicamente li teneva distanti, ma non avrebbe mai potuto disprezzarli."

"Perché?"

"Perché erano gli unici, in quel momento, ad avere le stesse sue idee. In loro sentiva gli entusiasmi della vita in montagna durante la Resistenza. Sentiva qualcosa di nuovo. Non avevano gli stessi metodi, questo no. Ma molte idee in comune, sì."

"Ho capito... I suoi, chiamiamoli amici, ne hanno approfittato per rendergli la vita ancor più difficile e toglierselo dai piedi."

"Può essere andata anche così... Attilio dichiarò sempre che si era trattato di una crisi personale, che avrebbe scritto in una pubblicazione i motivi di questa scelta, che non si trattava di fallimento, ma solo di riflessione, di una pausa di riflessione."

"Con la contessa, magari."

Zanetti mi guardò storto: "C'è forse qualcosa di male?"

"Ti era molto amico Lughi, vero? L'hai chiamato per nome."

Si asciugò il sudore dalla fronte, faticò a rispondermi. "Credo che per tutti noi, venuti dopo, abbia rappresentato qualcosa di grande. Anche per il semplice fatto di avere raggiunto Roma. E a diciott'anni c'è sempre bisogno di un punto di riferimento."

"Zanetti," borbottai, "vuoi farmi credere che avevi la vocazione del politico?"

"Non hai classe, Bauer. Sarà la tua fine," sputò.

"Per ora pensiamo a quella di Lughi," dissi tranquillo. "Il nostro amico lascia dunque Roma nel '69 e torna qui a Rimini."

"A Sant'Arcangelo."

"Certo. A Sant'Arcangelo. Avendo deciso di non fare più politica."

"Stai attento, Bauer. Era solo una 'pausa di riflessione'. Infatti tre anni dopo sarebbe tornato in politica."

"Già. Leggo qui: *riprende i contatti politici a livello regionale e comunale. Nel 1975 si parla addirittura di una sua candidatura come sindaco nel quadro della politica del compromesso storico. I comunisti lo vogliono in qualità di cattolico o come indipendente sopra le parti?*"

"Loro vogliono averlo. Punto e basta."

"Ma Lughi non accetta. Perché?"

"Preferisce il semplice ruolo di consigliere comunale. Non ha problemi che scottano da sbrigare e si mantiene in quel liquido vitale della politica in cui è sempre vissuto. Poi nel '78 accetta di entrare in giunta."

"Un anno prima di lasciare ancora una volta la politica, no?"

"Lascia tutto, definitivamente, nel 1979. L'aria non è buona. Sei mesi dopo, infatti, la giunta salta, ne viene costituita un'altra con l'ingresso dei partiti laici. Ha scelto un buon momento per chiudere. Dopo non sarebbe più servito a nulla e nessuno."

"A quel punto sono tutti 'indipendenti'."

Zanetti ridacchiò apertamente a questa mia battuta. Ne fui sorpreso. Non avevo ancora capito da che parte piegasse. O forse, non piegava da nessuna parte. Un cinico anarchico, come molti della sua terra. Uno gnostico contemporaneo? Se così era, lo sentii simpatico per la prima volta.

"Da allora alla data della sua morte trascorrono all'incirca quattro anni. Che ha fatto?"

Zanetti si era ricomposto, ma come ringalluzzito. Si dondolò nella sua sedia girevole. Parlò più lentamente gustandosi le frasi. Non sudò più. Sapeva di aver fatto colpo su di me.

"Abitava a Sant'Arcangelo... Veniva a Rimini in piazza per il caffè, leggeva il giornale, se ne tornava via. Stava lavorando ai suoi diari."

"Guidava l'auto?"

"Aveva un autista."

"Chi è?"

"Il nipote dell'ex balia."

"E dove vive?"

"Qui a Rimini. Sulla circonvallazione. È un buon ragazzo. Un po' tocco, ma un buon figliolo."

"Come, tocco?"

"Ritardato mentale, come si dice? È stato recuperato in pieno. Guida la macchina."

"Che macchina è?"

"Una automatica."

"La mia Rover TC2000 non gliela farei guidare."

"Con il tuo stipendio non potresti permetterti un autista. Nemmeno ritardato."

Incassai senza battere ciglio. "Poi che faceva?"

"Controllava l'amministrazione della sua proprietà. A settembre e ottobre curava la produzione del suo vino. Scriveva su riviste, teneva i contatti con il suo vecchio gruppo."

"E dov'è questo vecchio gruppo?"

"In un monastero. A Badia Tedalda. Sull'Appennino, nel cuore del Montefeltro... Andava là anche per lunghi periodi. La prima volta fu durante i tre anni che separano la sua fuga da Roma e l'approdo al consiglio comunale di Rimini, dal '69 al '71. La seconda dopo il '79."

"Ogni volta che lasciava un incarico andava a farsi prete?"

"Se la vuoi abbordare da questo punto di vista..."

"Dimmene un altro allora."

"È sempre lo stesso. È un cattolico, l'unica donna che ha trovato sulla sua strada non ha potuto sposarla ed è morta. Forse pensa che la verità della sua vita sia proprio la vita monastica. Altri lo hanno fatto."

"Non mi sembra credibile..."

"Pensa a Bisanzio. Un imperatore su due quando non è scannato, finisce in monastero la sua vita, pregando e riflettendo sulla miseria umana. Sulla solitudine e sulla *vanitas vanitatum*."

"Poi torna a valle..."

Zanetti fece di sì con la testa.

"Ultimamente?"

"Non saprei. Poteva andarci quando voleva. Ma certo non per periodi lunghi. L'avremmo saputo."

"Da chi?"

"Non lo avremmo visto al suo tavolino per il caffè e la lettura del giornale."

"Ah," feci. "Per ora mi basterà."

"Non puoi scriverci niente. Sono cose risapute e stradette." Era un rimprovero al vicedirettore di Milano. Lo sapevo. Mi alzai e feci per uscire. "Un'ultima domanda, Zanetti. Il senatore era un uomo ricco?"

"Non abbastanza da ammazzarlo," fu la sua risposta.

Il giorno dopo, di buon mattino, decisi di fare un salto nell'abitazione del senatore. Presi con me una cartina stradale e imboccai la provinciale verso Sant'Arcangelo. Zanetti aveva ragione. Tutto quello che mi aveva detto, i giornali l'avevano già scritto. In un modo o in un altro. Le crisi di coscienza, l'amore senile, il ritiro, la ricomparsa in pubblico. Se volevo scrivere qualcosa di nuovo, avrei dovuto darmi da fare. Dal commissariato ancora non si era avuta una chiara risposta. Annegato, questo sì. Ma omicidio o suicidio? E, nel caso si fosse suicidato, come avrebbe potuto raggiungere gli scogli in giacca, cravatta e scarpe ai piedi? E con quale imbarcazione? Avrebbero dovuto trovarla da qualche parte, e invece niente. Era una grana. Da un punto di vista strettamente giornalistico, non prometteva niente di accattivante. La gente si scanna per sapere tutto sull'assassinio di una fotomodella, ma certo non gli frega un cazzo di un vecchio senatore trovato coi polmoni pieni di acqua. Sembra routine.

Correvo sulla mia Rover e mi chiedevo perché a Milano se la prendessero così a cuore. Speravano veramente che io, da solo, avrei portato un contributo alle indagini? Bene, se così era si sbagliavano di grosso. Mi ero fatta una opinione, la più plausibile. A forza di entrare e uscire da seggi politici e monasteri e alcove titolate, quel vecchio aveva strippato di brutto. S'era preso un canotto, aveva raggiunto il largo, aveva bucato la plastica e si era inabissato. Amen. Questa era la mia idea. Chi avrebbe avuto interesse a farlo fuori? Non i compagni di partito, poiché non aveva mai ricoperto incarichi di governo, data la sua particolare posizione politica, e quindi non era potuto venire a conoscenza di affari riservati o chissà quali imbrogli. Non potevano essere stati i parenti della nobildonna – siciliani, delitto d'onore – perché Lughi non l'aveva né sposata né impalmata. Anzi, lei si era tolta di mezzo con una malattia veloce e fulminante. Allora? Restavano soltanto quei due maledetti buchi nella sua vita: il primo dopo l'uscita dalla politica romana; il secondo dopo l'uscita da quella locale. Solo indagando in questi buchi forse sarebbe venuta a galla la verità. Bisognava quindi andare a Badia Tedalda e a Sant'Arcangelo. Erano le sole tracce.

Appena uscito da Rimini attraversai l'autostrada del sole e imboccai la statale. Sant'Arcangelo si trovava subito lì: un borgo medioevale ai piedi del quale si era sviluppata una cittadina uguale a tante altre con villette, viali alberati, zona industriale e artigianale. La parte antica era dominata da un castello e dalla torre di guardia da cui, nei giorni buoni – dicevano – si arrivava con lo sguardo fino al mare e a dominare le valli del Marecchia e del Savio. La casa del senatore stava in una piazza a forma di ventaglio, ripidissima. Era una casa a tre piani attaccata ad altre costruzioni simili, con una piccola porta di legno incassata in un portale di tufo scolpito. Nella piazzetta stavano una latteria, un piccolo bar con i tavoli esposti all'aperto e un castagno secolare ficcato nel mezzo di una piccola aiuola. Avevo lasciato la Rover un centinaio di metri più in basso poiché era impossibile entrare nel borgo se non a dorso di mulo o a piedi. Attraversai la piazza e subito dal bar sbucarono alcune persone. Non si avvicinarono più di tanto. Stavano in piedi a osservarmi.

Suonai più volte il campanello. Non ebbi risposta. Mi voltai verso gli uomini chiedendo se sapessero ci fosse qualcuno in casa.

"L'Argia è da suo nipote," disse uno.

"Dove li posso trovare?"

"Giù in pianura, verso Rimini. A Santa Giustina," rispose un altro. Parlavamo tenendoci alla distanza di una decina di metri. Mi avevano detto che i romagnoli erano gente aperta e simpatica e ospitale. Con me furono quanto meno diffidenti. Mi avvicinai ugualmente. "Conoscevate il senatore Lughi?"

"Stava là," disse uno.

"Che uomo era?"

Mi risposero le solite cose che si dicono dei morti. Tutta brava gente, tutti onesti, tutti santi. A Milano, mi era capitato di fare un bel po' di questi servizi del "giorno dopo", andare dalle portiere, dalle donne delle pulizie, dai coinquilini, dagli amministratori dei condominii, dal vicino di porta. Poteva trattarsi di un delinquente con una fedina penale più nera dell'inferno e quelli dicevano sempre: "Che brava persona, così onesto!" Una volta mi capitò una squillo accoltellata nella sua abitazione e fatta a pezzi. Non trovai nessuno disposto a dire che se n'era accorto, come se una squillo fosse nelle apparenze dimessa come una lavandaia. Nessuno che nell'ascensore avesse annusato un profumo un po' troppo forte, l'avesse vista al mattino rincasare tutta truccata e abbigliata come fosse andata al cenone di San Silvestro. Niente. Non se ne accorgevano. Erano tutte brave persone, lavoratrici tranquille e cose del genere. Così dopo una decina di minuti di avemarie sul senatore me ne andai. Tolsi il biglietto da visita dalla giacca e vi scarabocchiai sopra un messaggio per Argia e suo nipote. Firmai e imbucai nella fessura di fianco al campanello.

Raggiunsi la Rover. Era ancora presto. Guardai la cartina e decisi di raggiungere Badia Tedalda. Dovevano essere, così a occhio e croce, solo una cinquantina di chilometri, anche se di strade di montagna. Avrei proseguito da Sant'Arcangelo per una decina di chilometri fino a immettermi sulla statale numero 258 nei pressi di Verucchio. Avrei risalito il corso del Marecchia, attraversato il Montefeltro fino al confine con la Toscana. In novanta minuti avrei dovuto farcela. Forse sarei arrivato addirittura in tempo per scroccare un pasto ai monaci. Sempre che di monaci si fosse trattato.

La Rover entrò in riserva a pochi chilometri da Novafeltria, più o meno a metà strada dalla mia meta. Feci il pieno a un distributore vicino al palazzo comunale, un edificio suggestivo del XVII secolo. Chiesi quanto mancasse a Badia. L'uomo seppe solamente dirmi: "Dritto. Vada sempre dritto." Arrivai comunque a destinazione verso la mezza, dopo aver attraversato un paesaggio assolutamente fantastico, in cui borghi medioevali si inerpicavano sulle alture per poi essere inghiottiti dai boschi di querce e castagni e dalla macchia appenninica. Il fiume Marecchia mi accompagnava. L'aria era fresca ed eccitante. Avevo fame. E da queste parti dovevano avere anche del buon vino.

Mi venne ad aprire un ragazzo dall'aria francescana. Aveva un paio di jeans larghissimi, sandali ai piedi e una camicia a scacchi rossi e neri aperta fino a metà del torace. Al collo portava un rosario di legno.

"Vorrei parlare con Padre Michele," dissi.

Il ragazzo sorrise, ma non mi lasciò entrare. "Vado a vedere. Riceviamo i visitatori solo su appuntamento, una volta ogni quindici giorni. Non so se potrà fare eccezioni... Il motivo della visita?"

"È per l'affare Lughi. Dica semplicemente così. C'è un giornalista che ritiene stiano dicendo un sacco di fesserie sul conto del senatore. Ed è qui per sapere la verità. Dica questo. Nient'altro."

"Il suo nome?"

"Bauer. Marco Bauer."

Ringraziò e chiuse la porta abbassando gli occhi. Non mi restò che aspettare.

Il monastero era un edificio tozzo del XVI secolo. Era situato nel mezzo di un castagneto secolare raggiungibile da Badia Tedalda attraverso una stradina ghiaiosa e stretta, lunga un paio di chilometri. C'era un corpo centrale che aveva l'aspetto di una vera e propria muraglia difensiva. Accanto una costruzione di epoca più recente che assomigliava a una cascina. Dall'altro lato, una chiesa con una torre campanaria di origine romanica. Attorno allo spiazzo ghiaioso cresceva una vegetazione rigogliosa e profumata. La campana suonò l'una.

Attesi ancora qualche minuto e finalmente il portone si riaprì. Ma non apparve il ragazzo di prima. Quella che vidi fu una faccia che per qualche minuto mi era stata amica. Un viso indimenticabile, almeno per quello che mi era costato averlo incontrato. Nel suo sorriso, come quella sera, brillava qualcosa che ora seppi riconoscere: un minuscolo diamante incastonato nel secondo incisivo destro.

"Avanti, entra," disse lui, notando il mio stupore. "Non avere quell'espressione da bambola."

"L'ultima volta che ci siamo visti, se non sbaglio, era in un posto per niente simile a questo," dissi. Non mi decidevo ad entrare.

"Trovi che esista qualche differenza fra il bar di un Grand Hotel e un monastero?"

"La gente direbbe che sì, c'è qualche differenza."

Mi afferrò deciso il braccio e mi trascinò dentro. "Si sbaglia," disse serio, "sono entrambi luoghi mistici e assoluti." Ridacchiò.

"Mi devi una sbronza salatissima," insinuai.

"Impossibile. Sono completamente al verde. Da tempo, ormai... Ti ho visto dalla finestra dello studio di Padre Michele. Ti sta aspettando. Ho insistito non poco per farti ricevere."

"Vuoi sdebitarti?"

"Per niente! Vorrei solo che quando hai finito tu mi dia un passaggio a Rimini. Sono venuto in stop... Vai là, no?"

"Cosa ti fa pensare che accetterò?"

"Mi va di pensarla così."

Attraversammo un lungo salone con il soffitto a travi scoperte e qualche panca di legno bucherellato appoggiata ai muri. Senza incontrare anima viva, percorremmo il chiostro fino a una porta da cui s'innalzava una scala di pietra.

"Ecco. Sali pure," invitò con un gesto.

Feci qualche passo. Mi voltai. "Posso sapere il tuo nome?"

"Bruno May. Credevo lo sapessi."

In effetti mi diceva qualcosa, ma non sapevo chi potesse avermi parlato di lui e in quale occasione. Cercai di sforzarmi, sapevo di essere molto vicino alla soluzione.

"Ti sta aspettando," fece Bruno. "Verrò io, poi, a riprenderti."

"La ringrazio di aver accettato questo incontro," dissi non appena fui entrato nello studio. Padre Michele, al secolo Giovanni Maria Miniati, mi attendeva in piedi a lato della finestra. Lo studio aveva un aspetto carismatico. Mi sarei aspettato pareti spoglie, un inginocchiatoio e un crocifisso. Trovai invece una parete ricolma di libri, un lungo tavolo in legno di noce ingombro di carte, una poltrona di cuoio scuro. Pareva lo studio di uno psicoanalista. O di un rettore universitario. Qui c'era però anche una grande croce secentesca. E una icona scura grande più o meno come la pagina di un quotidiano.

"È amico di Bruno," fece lui. Ma non aveva l'aria di chiederlo. Semplicemente di constatarlo.

"Lo conosco da appena qualche giorno, se devo essere sincero." Sorrise. "Apprezzo la sincerità."

Parlammo per qualche minuto del mio lavoro. Era lui che faceva le domande. Quando gli spiegai perché ero venuto, si fece pensoso senza tuttavia perdere quell'aria di profonda calma, di lentezza quasi, del suo volto e del suo modo di parlare.

Era un uomo abbondantemente sopra i settant'anni. Magrissimo, alto quanto me, canuto, con un profilo aguzzo, grandi orecchie che conferivano sacralità al suo volto, come a un Buddha. Aveva mani nodose e curate che muoveva con gesti eleganti e ariosi. Restò in piedi per tutto il tempo del nostro colloquio. Mi offrì un liquore che distillavano nel monastero e un sigaro Avana che rifiutai. Non volevo impestare l'aria fresca e profumata di carta antica che regnava nella stanza.

"Sono mie vecchie amiche," disse, come per scusarsi di quella civetteria. "Ero un gran fumatore, da giovane. E loro ogni tanto se ne ricordano. Peccato che così vadano sprecati."

"Quando ha visto l'ultima volta il senatore Lughi?" dissi bruscamente.

"Qualche tempo fa. Non posso essere preciso. La dimensione del tempo qui è molto diversa da quella del mondo normale." Pronunciò la parola "normale" quasi con aria di scusa. "Esiste una particolare legge della relatività nei monasteri, lo sapeva?"

Abbozzai un sorriso. Lui continuò: "Ricordo comunque che quando veniva quassù si trattava sempre di momenti assai delicati per lui. Credo abbia rimpianto per tutta la vita la scelta religiosa. Ma uomini come lui sono più utili alla società. E questo Attilio lo sapeva molto bene. In lui c'era continuamente questa sofferenza, come di un assoluto non risolvibile."

"Onestamente, padre. Che impressione si è fatto della sua morte?"

"Dal mio punto di vista, non ha alcuna importanza come sia morto... Lei mi capisce?"

"Non troppo," ammisi. Il mio taccuino restava disperatamente vuoto. Cominciai a credere che non avrei cavato un ragno dal buco. Tentai un'altra strada. "A quanto sa, il senatore aveva problemi economici?"

"Se ne aveva, non ne ha mai parlato con me. Per delicatezza."

Avvertii la stoccata vibrarmi nel petto. Dovevo tener duro. Questo era un bonzo inattaccabile. Ma qualcosa, ora lo sentivo, gli avrei cavato fuori.

"Lei conosceva la contessa Baldini?"

"La conobbi quassù. Con Attilio. Si fermarono qualche giorno. A Pasqua. Forse potrei ricordarmi anche l'anno."

"Fra il Sessantotto e il Settantuno," dissi.

"Forse è come dice lei."

"Potete ospitare delle donne qui?"

"Questa è una comunità. Può restare chiunque. Ci sono ex tossicomani che lavorano qui, ci sono ragazzi che hanno bisogno di silenzio e di preghiera, ci sono donne. Non siamo un ordine religioso. Abbiamo soltanto alcune regole di 'convivenza', mi capisce?"

Feci un cenno affermativo. Perché non avrei dovuto capire?

"Erano innamorati?"

"Credo di sì."

"Perché si lasciarono?"

"Non credo si siano lasciati. Lei morì di cancro." Il mio piccolo tranello non aveva funzionato. Certo che lo sapevo che non si erano lasciati. Così diceva la versione ufficiale. Ma poteva anche esserci dell'altro. Non c'era. Giocai sul duro. "Il senatore le aveva mai manifestato l'intenzione di togliersi la vita?"

Mi guardò a lungo, poi abbassò gli occhi. "Sì, me lo aveva detto. Era molto solo, ultimamente."

"Quando ultimamente?"

"Gliel'ho detto... Non ricordo. Aspetti. Deve essere stata la metà di giugno. Gli consegnai gli avvisi di pagamento per la manutenzione del monastero. Si era offerto di liquidarli."

"Quindi non era povero."

"Non credo fosse però ricco."

"Perché proprio a giugno manifestò, secondo lei, quell'idea?"

"Non saprei. Disse solamente che continuare era per lui molto difficile. Disse solo questo. Sono costretto a continuare, ma mi chiedo se valga ancora la pena."

"Come ha interpretato quelle parole?"

"Come quelle di un uomo stanco di lottare per la propria sopravvivenza."

"Non poteva esserci dell'altro?"

"In che senso?"

Scossi la testa. Non lo sapevo. "Forse," tentai, "aveva in gioco qualche azione che lo stava stremando."

"Si era tolto dalla politica da un pezzo."

"Ritiene però che possa essersi ugualmente cacciato in un qualche pasticcio?"

Padre Michele attardò qualche secondo a rispondere. Fece una lunga inspirazione. Poi aggrottò la fronte. Le sue sopracciglia grigie si congiunsero al centro della fronte solcata da rughe come le due estremità della grande faglia del Pacifico. Ne sentii lo stridore. E molto di più. Per un istante prese sopravvento in lui il grande oratore, il politico, il teorico che era stato fino all'età di quasi cinquant'anni. E fu la sua orazione funebre, il compianto sull'amico morto.

"Ho smesso di occuparmi di politica quando mi sono accorto che avrei potuto cacciarmi solo nei pasticci," disse con una voce robusta, tuonante. "Il pregio di Attilio, come uomo politico, differentemente da noi, era il possesso quasi genetico di una concretezza che gli riconduceva, nella prassi, sempre il senso esatto delle cose, la proporzione delle situazioni. E nel medesimo tempo quella stessa concretezza, la condizione del suo pensiero e della sua azione, gli facevano istintivamente alzare la guardia di fronte ai tranelli."

"Vuol dire allora che è impossibile?" Finsi di scrivere qualcosa. Il vecchio parlava con il linguaggio arrovellato dei politici. Fu un effetto strano vedere un monaco attorcigliare le frasi fin quasi a storpiarle.

"Lo escluderei," rispose distendendosi. "Se ha combinato qualcosa, può essere successo solo a Roma. Ma sono passati tanti anni, ormai."

"Ho una mia idea, padre," dissi. "Che il senatore venisse quassù ogniqualvolta sentisse, in coscienza, di dover espiare qualcosa di male che aveva fatto. L'essersi accompagnato con una donna, per esempio, senza averla mai sposata."

Ci fu un accenno di sorriso sulle sue labbra. "Non credo sia così semplice. Tutto è sempre molto più complicato. Bisogna diffidare della banalità e della semplicità. Lei crede che qui tutto sia più semplice solo perché più austero? Si sbaglia. Qui arrivano gli animi più tormentati..."

"Come Bruno?" mi venne istintivo dire.

Mi guardò con apprensione. "Bruno è diverso. Bruno sa godere del mondo... Per questo non si dà pace."

"Lo conosce bene?"

"Solo da qualche tempo. Me l'ha portato un vecchio amico francese, Padre Anselme, perché lo tenessi qui... Se ne andò dopo un paio di giorni. Se ne va e poi torna, una, due volte l'anno... Perché vuole sapere queste cose? Le interessa Bruno, le interessa la personalità del povero Attilio o forse le interesso io?"

"Niente di così complicato, padre. Quel ragazzo mi deve qualcosa. Tutto qui."

"Potrei sapere che genere di cosa?"

"Ha giocato con me, una sera. Pochi giorni fa."

"E ha perso?"

"No. Io ho perso."

Mi guardò con un sorriso di complicità. Mi accompagnò alla porta. "Non si preoccupi, Bauer. Tutti abbiamo perso, con lui."

Lasciammo Badia Tedalda verso le quattro del pomeriggio. Non era stata una giornata fruttuosa, a vederla dal mio punto di vista. Mi ero massacrato di chilometri e di montagna per ritrovarmi il taccuino vuoto e quel pazzoide al fianco. Sarei dovuto correre in redazione, buttar giù un paio di cartelle turistiche nell'impossibilità di raccontare una qualche briciola di notizia inedita riguardo alla vita privata del senatore. A Milano non sarebbero stati affatto contenti.

Bruno si appisolò pochi chilometri dopo una cittadina chiamata Pennabilli e dormì fino a Villa Nuova. Quando si svegliò, mi guardò con un'aria stranita e diffidente, come fossi un semplice autista. "Quando arriveremo?" chiese.

"Ancora mezz'ora."

Bofonchiò qualcosa. Ebbi un'idea. "Perché non prendi un paio di quei fogli che stanno là dietro e scrivi quello che ti dico?"

"Se ti fa piacere..."

"Mi farà guadagnare tempo."

Prese i fogli e una penna. Incominciai a dettargli il pezzo su Lughi. Scriveva senza fare osservazioni, chiedendo solamente di rallentare quando il mio dettato era troppo veloce. A quel punto ricordai chi mi aveva parlato di lui. Era stata Susy, al Grand Hotel nel corso di quella noiosa conferenza stampa sul premio Riviera. E lui, Bruno May, era quello che lei aveva chiamato l'*outsider*. Fui bene attento a non dirglielo. Lo guardai con un'aria nuova.

"Basta così," dissi a un certo punto. "Il resto lo scriverò in redazione."

"La calligrafia è chiara?" Mostrò i fogli.

"Sono abituato a leggere di peggio."

"Non dirlo a me," disse ridendo.

Avevamo raggiunto la periferia di Rimini. Gli chiesi dove volesse essere accompagnato. Mi indicò la strada per la sua abitazione. Stava nel tratto di costa fra Rimini e Viserba. Era una villa squadrata, a due piani, in cemento a vista. Una lunga e stretta bow-window di vetri smerigliati la percorreva dall'alto in basso, a sinistra. La parte opposta era occupata da una finestra circolare, di un paio di metri di diametro, che ricordava un oblò. Il tetto era piatto e occupato da una terrazza di cui si intravedevano le aste di ferro per le tende. Era circondata da un giardino di pini marittimi e ippocastani. Cespugli selvatici debordavano in strada affacciandosi dal muro di cinta che si alzava sopra l'ingresso formando una sorta di tettoia.

Uscì dall'auto e mi salutò. "Ti posso chiamare, una di queste sere?"

"Mi puoi trovare al giornale."

"Anche di notte?"

Gli dissi dell'appartamento quarantuno.

"Allora una di queste sere ci vedremo, spero."

Feci retromarcia. Poi, prima di andarmene, lessi il nome sul campanello d'ingresso. Non era un nome molto facile da ricordare, così lo trascrissi: "O. Welebansky."

Chiamò quella stessa notte alle due. La cicala del telefono insisteva da un po'. Sperai si fermasse. Invece continuò a gracchiare come una indemoniata.

"Pronto!" urlai nella cornetta.

"Non stavi dormendo, vero?"

Riconobbi la sua voce. Mi sembrò più morbida, più dolce di quello stesso pomeriggio.

"No... non stavo dormendo. Che ti succede?"

"Devi assolutamente vedere un posto."

Stava telefonando da una cabina. Sentivo il sottofondo di rumori del traffico. "È un'ora strana per fare un giro, non ti sembra?" Ormai ero completamente sveglio. "Facciamo domani?"

"Ti sto telefonando ora. Devi vederlo ora. È importante."

"Dove sei?"

"A Cervia."

Sbuffai. Il gioco doveva piacergli parecchio. "E hai bisogno di qualcuno che ti riporti a casa?"

"... Più o meno."

È completamente pazzo, pensai. "E perché chiami me?"

"Finiamola, Bauer! Chiamo te perché mi piaci. Ti aspetto davanti all'Hotel Milord, sul lungomare. Con la strada libera puoi farcela in breve." Riattaccò.

Rimasi indeciso per qualche minuto. Mi chiesi cosa mai uno scrittore potesse trovare eccitante in un rozzo cronista come me. Cercai di tornare a dormire, ma ormai ero eccitato. Mi vestii e presi l'auto.

Bruno aveva ragione. La strada era sgombra e si filava comodamente oltre i cento orari. In cielo splendeva una luna luminosa. Raggiunsi l'hotel che mi aveva detto. Bruno stava in piedi appoggiato al tronco di un albero. Quando mi scorse, si avvicinò di corsa. Balzò in macchina. "Sei in ritardo!"

Mi venne da ridere. Mi aveva tirato giù dal letto ed era ancora capace di farmi la predica. Non dissi niente. Era davvero un bel tipo. Mi offrì una fiaschetta di argento ripiena di whisky. Bevvi un sorso e mi bruciai la gola.

"Allora," domandai, "dove vuoi andare?"

Mi indicò la strada. Incominciò a parlare. La sua voce aveva ripreso quella dolcezza che ormai mi era diventata abituale, un modo di pronunciare le parole come fossero musica, con inflessioni di accenti toscani e napoletani che le impreziosivano non sullo sterile versante dell'affettazione e della ricercatezza, ma su quello ben più vitale dell'emozione e del sentimento della gente. Ogni tanto mi guardava con i suoi occhi lucidi. E sorrideva. Come se solo lui conoscesse la storia.

"Svolta di qua," disse a un certo punto.

Raggiungemmo un tratto di mare dominato da palazzi in costruzione, cantieri edili, edifici non terminati e non finiti dalle finestre come occhi neri spalancati nel buio della notte. Una città fantasma che lambiva il mare. Mi sentii strano. La luna, alta nel cielo, rendeva tutto più gelido, più cupo.

"Perché mi hai portato qui?" chiesi scendendo dall'auto.

Raggiungemmo la spiaggia.

"Guarda là in fondo," disse alzando il braccio.

Sulla sinistra avanzavano le luci galattiche della raffineria di Ravenna lanciate sul mare come a indicare il percorso di una astro-pista spaziale. Verso l'orizzonte, sul mare, altre luci gialle e rosse, indicavano i giacimenti di gas combustibile: piattaforme minacciose come provenienti da un'altra civiltà, da un altro mondo.

Passeggiammo, fianco a fianco, sulla spiaggia. "Ecco perché ti ho portato qui." Alzò il viso verso il cielo stellato. Restò in silenzio. La sua voce poi divenne un tremolio: "Siamo ormai troppo lontani, amico mio. Siamo nel cielo. Mille miglia lontani nel buio della notte. Senza nostalgia della nostra casa."

Sul suo viso splendeva un po' folle la luce della luna. Il piccolo diamante incastonato nel dente rifletteva segnali intermittenti alla volta del cielo come messaggi laser. Mi toccò il braccio. Strinse la mia mano. Eravamo uno a fianco dell'altro rivolti al mare come se aspettassimo l'arrivo di qualcosa.

"Chi è O. Welebansky?" chiesi con la voce contratta.

"Il mio agente... Un amico."

"Quello che ti toglie dai guai?"

"Oliviero, qualche volta, mi ha tolto dai guai."

Continuava a tenermi il braccio e la mano.

"Non sono il tuo tipo, Bruno," dissi. La tensione mi prendeva la gola. Lui mi guardò con aria di sfida. Mollò la presa: "Questo, proprio, non sta a te dirlo, amico mio."

Sulla via del ritorno passammo davanti a un grande cartello di una impresa edile che riconobbi. Il temporale l'aveva divelto e ancora non era stato sistemato. Pendeva verso la strada. Uno strappo abbastanza ampio s'era aperto sul nome della Immobiliare che così sembrava semplicemente THEA. Dall'ultima volta che l'avevo visto erano cadute, dunque, le prime tre lettere.

2

L'*Operazione Briciole*, come ironicamente e con una vena di disprezzo la chiamava Robby, consisteva nel raggranellare una somma di circa trecento milioni di lire con cui dare avvio a una coproduzione cinematografica. Tony aveva fissato quella cifra considerandola un ottimo budget per ottenere credibilità presso un distributore o qualche finanziatore e poter così costituire la cordata per la produzione del film. Il costo dell'opera si sarebbe mantenuto al di sotto del miliardo. Non prevedeva infatti la partecipazione di grandi attori, né di tecnici professionisti strapagati. Il compenso della regia e della sceneggiatura era previsto a percentuale sugli incassi. La colonna sonora originale era già, a grandi linee, in mano a Tony, eseguita da una band inglese. Con trecento milioni, dunque, Tony contava di raggiungere un terzo della spesa complessiva e questo gli avrebbe dato, a suo parere, un notevole potere in fase di realizzazione del film.

Nei dettagli l'*Operazione Briciole* era però tutt'altra cosa, come scalare il cielo servendosi di piccozza, corda e ramponi, pensava Robby. L'idea di Tony era quella di setacciare la spiaggia adriatica, ombrellone per ombrellone, sdraio per sdraio offrendo ai bagnanti la possibilità di diventare produttori cinematografici. Per questo aveva preparato tre differenti tipi di "sottoscrizioni": da dieci, da cinquanta e da centomila lire. In cambio offriva, a film terminato, la divisione degli utili secondo la percentuale di guadagno spettante alla sua società di produzione. In caso di fallimento, e cioè nella eventualità che il film naufragasse, che non reggesse alla programmazione, che non guadagnasse tanto da poter coprire la spesa produttiva, si perdeva tutto. Inoltre, per garantire la massa di produttori da spiaggia, fissava il termine di un anno. Entro quella data o avrebbero riavuti centuplicati, decuplicati o moltiplicati per mille le loro quote finanziarie o avrebbero perso tutto. Prendere o lasciare. Questo era il piano.

Ma c'erano altre grane, come attraversare l'oceano su di un canotto, diceva Robby. E cioè che la massa di uomini necessaria a rastrellare il danaro si riduceva non a un battaglione, non a una compagnia, nemmeno a una pattuglia, ma semplicemente a due persone: lui e Tony. E questo era veramente incredibile.

"Facciamo un po' di calcoli," disse Robby dopo aver ascoltato il piano strategico. Era certo di farlo desistere. Sentiva già l'odore della sua Spagna. "Per raccogliere trecento milioni a forza di diecimila lire occorrerebbero trentamila pazzi scatenati disposti ad aprire il portafoglio. Con una media altamente ottimistica di cinquanta sottoscrizioni al giorno, venticinque per me e altrettante per te, ci servirebbero esattamente seicento giorni, due anni amico mio."

"Non hai calcolato le quote da centomila," disse Tony serafico.

"E allora? Il problema è che in trenta giorni tu devi raccogliere dieci milioni al giorno! Ammesso che io stia qui per tanto tempo! Ammesso che se trovassi un sistema per guadagnare tanto lo voglia sprecare gettandolo in una impresa di cui non so l'esito."

"Hanno venduto la luna, hanno venduto il Colosseo centinaia di volte, stanno vendendo i pianeti, le stelle, stanno spillando danaro promettendo cremazioni nello spazio e funerali su Giove e tu ti preoccupi di vendere delle quote per formare una società? Mi deludi."

Robby avrebbe voluto strapparsi i capelli, uno per uno, e poi i denti, gli occhi e anche le unghie. Tony non capiva. Non c'era niente da fare per farlo desistere. "Poi non è legale," disse infine.

"Perché?"

"Se andiamo in giro a scroccare soldi alla gente primo ci sbattono in galera per accattonaggio, secondo, quando vedono quei fogli di sottoscrizioni, ci arrestano per truffa e terzo, quando li hanno letti, ci spediscono in una casa di cura se non al manicomio criminale. Ecco perché!"

"Non c'è niente di male. Non sfruttiamo nessuno. Anzi. Dal momento che il film incasserà una barca di soldi, noi andiamo in giro a distribuire ricchezza alla gente."

"E naturalmente tutto quello che tocchiamo, solo perché te ti chiami Antonello M. Zerbini e io Roberto Tucci, diventa oro."

Tony versò un po' di birra. Faceva caldo. Erano seduti nel giardinetto della nuova pensione in cui alloggiava Robby. Aveva lasciato quel puzzolente Meublé prima del previsto, non appena la zia di Tony aveva rintracciato una camera libera in un posto più decente. La cameriera che aveva portato le consumazioni si chiedeva perché mai quei due non se ne stessero in spiaggia a prendere un po' di sole piuttosto che litigare come ossessi in quell'ora calda del pomeriggio. Una bambina li guardava sorridendo attraverso il cancelletto della pensione; vi era salita e si dondolava avanti e indietro spingendosi con un piede come su un monopattino.

"Ho preparato tutto, Robby. L'importante è innescare la catena. Poi verranno loro a chiederci di poter partecipare."

"Io mi vergognerei di dimostrare di essere stato abbindolato come un pollo. Non lo direi a nessuno. Manco a mia moglie."

"Ed è qui che scatterà il gioco. I primi saranno così imbarazzati dall'esserci cascati che faranno di tutto per trascinarvi gli amici. Per convincersi, capisci? Perché una truffa solitaria equivale a farsi sbertucciare da tutti, se diventa invece un grosso affare... Allora?"

Robby mugugnò, finì la birra e se ne versò un altro goccio.

Tony tornò alla carica. "Sono solo dieci sacchi! Non stiamo truffando nessuno, perdio! Li spendono per una pizza!"

Robby scattò in piedi. Le gambe gli tremavano per la troppa birra. "Mi hai fatto venire qui con la scusa della sceneggiatura, vero? Per poi incastrarmi in questo modo. Come se io non contassi niente." Era amareggiato.

"Ti sbagli," fece Tony, "ho pensato a te. Che taglia porti?" Estrasse da una sportina un paio di t-shirts azzurre. Le spiegò sul tavolino. Sulla schiena campeggiava una scritta kino production. "Azzurre come il tuo colore preferito."

Robby aprì gli occhi, li richiuse e li riaprì. Le magliette stavano ancora sul tavolino di ferro battuto verniciato di bianco con la loro bella scritta rossa. Non era un sogno, non era un bieco prodotto della sua fantasia arsa dal sole e dall'alcool. Avrebbe voluto dire mille cose, urlare mille ingiurie e invece una sola domanda gli salì alle labbra attonite. "Perché kino?"

"Con tutti i tedeschi che stanno qui... Ho pensato al mercato estero. Non ti piace?"

"Mi piace," disse Robby con un filo di voce.

Tony gli diede una pacca sulla spalla e un buffetto sulla guancia: "Andremo forte, vedrai!"

La mattina del quattro agosto si ritrovarono davanti al bagno numero cinquantadue. Erano le dieci. Tony aveva portato in auto tre grandi scatoloni contenenti i fogli ciclostilati delle sottoscrizioni. Robby lo aspettava in strada, seduto sul muricciolo che delimitava l'ingresso alla spiaggia. Aveva una camicia sopra la maglietta azzurra.

"Ti sei pentito?" disse Tony scendendo dall'auto, una Renault quattro, rossa. "Non fare il bambino capriccioso, fuori la maglietta, su!"

Gli ficcò in braccio un pacco di fogli. "Quelli da dieci carte sono sopra, in mezzo quelli da cinquanta e quelli da cento in fondo. Procediamo insieme, ma quando ne becchiamo uno tu subito corri all'ombrellone vicino. Devono vedere che qualcuno si è già fidato, capito?"

"Andiamo," disse Robby. "Togliamoci questo dente."

"Bene. Cominceremo dal bar. Devono vederci, innanzitutto." Scesero gli scalini di cemento e raggiunsero la prima fila di cabine oltre la quale stava il loro territorio di caccia. Robby cercò di convincersi di quello che stava facendo, doveva crederci sennò era tempo sprecato. Era in ballo e non doveva più giustificare niente a se stesso. Cominciava, in un lampo di follia, a credere a quello che stava per fare.

Nel bar c'era un discreto viavai di gente: ragazzini che facevano la fila per le pizzette e i bomboloni alla crema; bimbi che cercavano di raggiungere il frigorifero dei gelati sollevandosi sulla punta dei piedi, giovani che giocavano a un vecchio flipper o a video-games, qualche mamma con prole attaccata al prendisole come cucciolotti di scimmia, un gruppo di giovinastri abbronzati con mutandine da bagno ridottissime che si davano pacche sulla pancia liscia raccontando porcherie. I due della KINO PROD. si appoggiarono al bancone del bar in modo che la scritta sulla schiena fosse ben visibile a tutti. Tony ordinò da bere controllando, nello specchio di fronte, fra le bottiglie di granita ben allineate, la reazione della gente. Notò un piccolo gruppo che li additava. "Ci siamo," disse urtando leggermente con il gomito il braccio di Robby. Si voltarono insieme con un sorriso smagliante e fintissimo.

Una donna attaccò per prima il discorso. Chiese se facevano fotografie per qualche parte da protagonista in un film. In questo caso avrebbe immediatamente chiamato la sua Sonia dall'acqua. Tony rispose garbatamente, poi la prese sottobraccio e la trascinò fuori, ai tavolini. Spiegò il suo progetto con grandi gesti. La donna se ne andò delusa. Ormai avevano cominciato. E più gente arrivava al bar, più Robby cominciò a credere al miracolo. A un gruppo di ragazzini sui quindici anni arrivò persino a raccontare, nei tratti essenziali, il soggetto.

I ragazzi gli avevano formato attorno un circolo e lo stavano ad ascoltare con attenzione. Intervennero un paio di volte per chiedergli spiegazioni sulla trama e più spesso interessandosi ai meccanismi delle riprese, ai tempi di produzione, ai trucchi cinematografici. Erano tutti svegli e sapevano quello che volevano. Un ragazzino particolarmente acuto di fantasia, Nicola, propose lo sviluppo diverso di una scena. Robby pensò un attimo e si accorse che non era affatto male. Parlarono così per una buona mezz'ora. Quando fu il momento di mostrare loro i fogli ciclostilati, Robby provò disgusto per se stesso. Stava truffandoli. Non esisteva nessun'altra spiegazione. Era convinto di quel che faceva ed era altrettanto convinto di estorcere del danaro. Con sua grande sorpresa, invece, i ragazzini si dimostrarono entusiasti. Alcuni corsero ai rispettivi ombrelloni, altri gettarono in terra tutti gli spicci. Sottoscrissero la prima azione della KINO PRODUCTION, diecimila lire. Marina, una di loro, compiva quel giorno quattordici anni. Il foglio le fu intestato quale regalo di compleanno dalla compagnia del bagno cinquantadue.

Il sole di mezzogiorno cominciò a scottare sulla loro pelle bianchiccia. Avevano raggiunto gli ombrelloni e li stavano passando al setaccio. La gente era diffidente. Finché si trattava di parlare si mostravano ben disposti, cordiali e alle volte addirittura petulanti. Ma quando si trattava di metter mano al portafoglio, si comportavano tutti nella stessa sdegnata maniera.

Verso la mezza, la spiaggia si svuotò d'improvviso. Ne approfittarono per sdraiarsi, esausti, sui lettini liberi e fare un primo consuntivo. Robby aveva raccolto ventimila lire e Tony dieci. Era un disastro.

La spiaggia era deserta. Rimanevano alcune ragazze a seno nudo, a prendere il sole sul bagnasciuga. E qualche famigliola che pranzava sotto l'ombrellone estraendo dalle sporte di paglia pastasciutte, polli allo spiedo e fiaschi di sangiovese. Tony avvistò una donna sui quaranta che stava, proprio in quel momento scendendo in spiaggia. Aveva un aspetto promettente, borghese, quasi intellettuale. Saltò giù dal lettino e andò verso di lei. Robby voltò parte per non assistere alla scena. I suoi occhi si puntarono sulla linea azzurra del mare. Seguì i volteggi di un wind-surf, l'avanzare a scatti di un moscone. C'era silenzio. Le voci dei bagnanti gli giungevano lontane. Sentiva la brezza profumata di salsedine accarezzargli i capelli. Pensò alla Spagna, a Silvia e si addormentò.

Quando riprese conoscenza il panorama stava, di nuovo, cambiando. La spiaggia iniziava a riempirsi. Cercò con lo sguardo Tony. Non lo trovò. Cominciò a girare tra gli ombrelloni. Finalmente lo vide seduto sulla sabbia con due marmocchi in braccio. Uno stava piangendo disperatamente, l'altro invece, più grandicello, si divertiva a gettare manciate di sabbia in faccia a Tony.

"Che diavolo fai qui?" domandò Robby.

"Dammi una mano. Liberami da questa peste," grugnì Tony.

Robby si chinò e prese in braccio il bambino che piangeva. Lo cullò. Arrivò la madre ancora gocciolante dal bagno. Vide la scena e strillò. Dovettero andarsene.

"Me ne ha comprata una," disse poi Tony, quasi a volersi giustificare.

"Da quanto?"

"Dieci carte." Sventolò il foglio.

"Ha risparmiato sul prezzo della baby-sitter," fu l'acido commento di Robby.

Il giorno seguente decisero di separarsi. Avrebbero battuto lo stesso bagno, ma andando uno a destra e l'altro a sinistra del corridoio in quadri di granito, adagiato sulla spiaggia come una passerella, che in certe ore del giorno scottava come una piastra di ardesia rovente. In questo modo si sarebbero spalleggiati a vicenda, ma avrebbero raggiunto il doppio di persone. Tony ebbe grane con il bagnino del numero sessantacinque. Era un ragazzone con un paio di mani larghe come pagaie e gambe che sembravano sequoie. Ci fu ben poco da discutere. Quello agitava un ombrellone chiuso come fosse uno stuzzicadenti. Dovettero battere in ritirata. Mangiavano di solito nei bar sulla spiaggia dove era molto più facile combinare qualcosa. Si stava all'ombra e le persone arrivavano al banco con il portamonete. La maggior parte era poi rilassata dall'aver appena fatto il bagno e parlava volentieri. Era più facile che qualche sottoscrizione abbandonasse il pacco che loro reggevano e trovasse la giusta direzione. Ma il ritmo con cui questo passaggio di mano avveniva non fu mai quello che una notte Tony sognò: vide i tre grandi cartoni abbandonati sulla spiaggia aprirsi improvvisamente come investiti da un turbine e tutti i fogli uscire uno dopo l'altro con un suono di battito d'ali e formare un vortice che subito si innalzò altissimo nel cielo come una tromba d'aria e ricadere poi a pioggia su tutta la spiaggia. La gente usciva dall'acqua e correva, abbandonava le sedie a sdraio, veniva a riva con i mosconi, correva dalle strade, dai bar, dai ristoranti, dalle pensioni e si precipitava sulla spiaggia tendendo le mani e guardando in aria e cercando per terra, perché tutta la spiaggia era ormai ricoperta dai fogli come se un grande autunno avesse lì ammassato tutte le foglie della terra. I bambini giocavano con quelle pagine, facevano aeroplanini, aquiloni, barche, cappelli, freccette a cono, facevano maschere, facevano vestiti, torri, festoni, coriandoli, stelle filanti. Gli adulti li prendevano e si abbracciavano e si baciavano per la gioia e non li portavano via, né li ammassavano, ma una volta raccoltili in grandi bracciate li rigettavano in aria per la gioia di poterli riprendere. Dai tre cartoni il turbinio di carta bianca non aveva fine. I ragazzini più agili salivano sui pennoni accanto alle bandierine che segnalavano lo stato del mare, e da lì, chiamavano la gente dagli altri tratti di spiaggia, che poi accorreva e gridava di gioia finché tutta la costa non fu un solo grande momento di festa, di trionfo, di gioia. La realtà invece era che fino a quel momento avevano raccolto insieme cinquantamila lire.

Robby camminò per qualche decina di metri sul bagnasciuga con la testa china, attento a saltare la risacca delle onde e non inciampare in un qualche corpo disteso. Indossava la solita maglietta azzurra che la sera, arrivato in pensione, lavava sotto un getto di acqua corrente e lasciava ad asciugare alla finestra. Aveva un paio di slip bianchi. Camminava scalzo, tenendo in una mano un paio di espadrillas sfasciate e nell'altra la cartella con le sottoscrizioni. Nella ressa del bagnasciuga, fra gente che giocava a bocce e altri che inseguivano aeroplani gracchianti, tra i fili ingarbugliati degli aquiloni, i palloni, i freesby, avvistò un gruppo consistente di persone. Si diresse verso di loro. Attaccò discorso con le frange più esterne. Chiese se a loro interessava il cinema e quale film avessero visto l'ultima volta che si erano recati in una sala; chiese se preferivano la televisione, se i film della passata stagione erano piaciuti, se li divertivano più quelli americani o quelli italiani; se amavano la commedia, il dramma, il comico, il musical, il tragico, il film storico, la fantascienza o i cartoni animati. Ben presto la discussione diventò incontrollabile. Robby si sentì tagliato fuori come un moderatore televisivo estromesso dal suo dibattito. Ognuno parlava per i fatti suoi, urlando e sbracciandosi. Robby attendeva il momento buono per piazzare le sottoscrizioni, ma il baccano era ormai infernale. Fu allora che lo vide. Stava inginocchiato a terra davanti a un tappeto in cui dominavano i colori rossi e bruni e su cui erano disposti in ordine collane, statuette, bracciali, anelli, orologi, zanne di elefante in finto avorio e statuette in legno finto ebano. Incontrò il suo sguardo. Indossava un cafetano marrone lungo fino ai piedi e in testa portava un fez bordeaux. Senza ormai più clienti, il marocchino si alzò di scatto e sputò una sequela di ingiurie in arabo. Robby era paralizzato. La gente attorno si accorse che stava succedendo qualcosa di poco piacevole. A poco a poco tacque formando loro attorno una specie di arena. Robby farfugliò qualcosa. Il marocchino parlò in francese, gli diede del bastardo e del figlio di puttana. Robby fece per andarsene, ma qualcuno in quel momento lo trattenne. Si girò di scatto e incontrò un altro paio di carboni accesi. I due marocchini cominciarono a gridare, la gente si scansò. Robby aveva una unica speranza, che arrivasse Tony. Lanciò lo sguardo verso la fila degli ombrelloni, ma fu inutile. Cercò di spiegare che non voleva affatto rubare il mestiere a nessuno, che non stava vendendo niente, che passava di lì per puro, accidentalissimo, caso. I marocchini non vollero sentir scuse. Un ceffone beccò Robby al collo. Incassò il colpo. Tentò di restituirlo, ma il secondo marocchino lo teneva stretto. Gli presero la cartella e la vuotarono sulla sabbia. La gente non diceva niente. Solo uno, dai bordi di quella maledetta arena, osò lanciare un "finitela!" Robby si guardò intorno cercando l'alleato. Fu terribile. Vide solamente pance gonfie e grasse e bianche e cicatrici di ernie e appendiciti, mastectomie, ulcere, calcoli renali, calcoli alla cistifellea, alla vescica, vide tette flosce e cosce adipose, rotoli di grasso, ascelle fradicie di sudore, natiche cascanti, scroti lunghissimi, enormi, disgustosi, unghie incarnite, crani calvi, vide moncherini di braccia, gambe poliomelitiche, dentiere d'oro, parrucche, mani finte. Si sentì perduto. L'attenzione dei due marocchini era accentrata sulla sua cartella. Si parlavano fitto, uno dei due si chiamava Kacem. Approfittando della loro disattenzione, riuscì a sfilare dallo slip dell'elastico ventimila lire. Li alzò in alto. Quello che lo teneva da dietro, inginocchiato, prese i soldi. Tony arrivò in quel preciso momento. Trascinò da parte Robby, cercò di sapere quello che era accaduto. I due marocchini gli parlarono velocemente. Tony rispose duro: "Non mi frega una sega se dovete comprarvi venti cammelli per sposarvi, rivoglio quei soldi!"

"Lasciali stare!" gridò Robby. La sua voce era acuta e stridente come fosse sull'orlo di una crisi isterica.

"Ti hanno fregato o no quei soldi!" sbraitò Tony.

"Non me ne importa dei soldi! Sono dei poveracci!"

La gente aveva preso a squagliarsi. Qualcuno andò ad avvisare il bagnino. Tony si azzuffò con il marocchino. Aveva voglia di menare le mani, sentiva l'odore della rissa, dei nervi scoperti, un odore che lo faceva impazzire. Accorsero i bagnini e li separarono. Quando si fu calmato si accorse che i due se l'erano filata. Restò in silenzio. Raccolse uno a uno i fogli sparsi sulla sabbia. Robby, in piedi, lo guardava senza espressione. Vedeva il suo amico chino a terra che prendeva con cura quei fogli stropicciati, ne levava via i granelli di sabbia soffiandoci sopra, li riponeva nella cartellina; vedeva il suo amico, ma tutto gli appariva completamente estraneo. Non si parlarono per tutto il pomeriggio. Robby riprese a girare fra gli ombrelloni abbordando la gente con poche e secche parole: "Vuole comprare un'azione per produrre un film?" Tutto qui. Non si sprecava, non gliene importava nulla. Era aggressivo, se qualcuno lo mandava al diavolo rispondeva sbraitando e menando in aria le mani. Se riceveva una bacchettata rispondeva con un pugno. Trovò una donna, non più giovane. Aveva labbra dipinte di viola, pesanti anelli alle orecchie e una capigliatura di un biondo stopposo. Agli angoli degli occhi due sottolineature di rimmel parevano cicatrici. Il suo corpo, sotto il costume, era una camera d'aria. Lo ascoltò e gli disse di seguirla verso la cabina poiché teneva i soldi nel vestito. Robby la seguì. Girò la chiavetta nella toppa. Entrarono insieme. Dentro, l'aria era soffocante e c'era puzzo di piscio. La luce era scarsa ed entrava a strisce dalle fessure della porta. La donna lo guardò e scoprì i seni. "Voglio i soldi," fece Robby. Lei prese dal borsellino un rotolo di banconote. Fece per darglieli. Si arrestò. "Voglio vederti nudo. Per favore... Fammi vedere come sei fatto, ti prego." Robby sentì una profonda, angosciosa quiete salirgli allo stomaco. Si tolse la maglia. Si abbassò lo slip fino alle cosce. La donna si inginocchiò. In silenzio, si mise a piangere, senza avere il coraggio di toccarlo.

"Dimmi come ti chiami," fece Robby, prendendole i soldi. Li contò. Erano trentamila lire. "Avanti, dimmi come ti chiami."

La donna prese a singhiozzare coprendosi il volto con le mani. Balbettò il proprio nome fissando il sesso di Robby. Scrollava la testa. Non si capiva se piangesse di dolore o di felicità.

O di umiliazione. Robby trascrisse i dati della donna su tre fogli. La prese sotto le ascelle e la rialzò. Le ricompose i seni nelle coppette. Poi prese la mano ingioiellata della donna e guardandola fisso negli occhi la portò dolcemente sul proprio sesso. Era un saluto. Uscì dalla cabina. La donna si sedette in terra piangendo, sfogandosi. Poi, prima di uscire, asciugò le sue lacrime sature di trucco in quei pezzi di carta che il ragazzo le aveva lasciato.

Tornò in albergo. Quando chiese al bureau le chiavi della propria stanza, il portiere lo guardò con aria interrogativa. Robby ripeté la richiesta. "Le chiavi della trentadue per favore."

"Signor Tucci, lei doveva lasciare la pensione questa mattina. Le abbiamo già preparato il conto."

Robby si maledì. Era vero. Gli avevano detto, solo qualche giorno, poi dovrà cambiare. E lui se ne era completamente dimenticato. Era nemmeno una settimana che stava a Rimini e aveva cambiato già tre alberghi.

"I suoi bagagli stanno là, nel sottoscala," disse l'uomo del bureau. "La sua stanza è occupata da altri clienti."

Robby pagò il conto. Chiese di poter telefonare. Si sentiva esausto, deluso, preso in giro dal destino. In momenti come questi, in cui tutto girava a rovescio o non girava per nulla, pensava a una sola cosa: eliminarsi. E nello stesso momento in cui questa idea gli sfiorava il cervello subito un'altra, per associazione, gli veniva in mente. Il viso di Silvia, il suo corpo. La donna che amava, la donna da cui, soprattutto, si sentiva enormemente amato. La donna per cui continuava a vivere e che, in momenti come quello, lo legava alla realtà. Telefonò a Tony per spiegargli la situazione.

"Non potrai venire qui, mi dispiace. Sono arrivati tutti i parenti. Non posso ospitarti."

"Bene. Prendo un treno e me ne vado. E la prima volta che ti incontrerò, dovessero pure passare cent'anni, Tony, in questo o in qualsiasi altro fottutissimo mondo, ti spaccherò la faccia. E ti farò mangiare quei fottutissimi fogli uno a uno, e quando li avrai cagati te li rificcherò in gola a palate per il resto della tua vita!"

"Mi spiace per quello che è successo oggi," fece Tony.

"Ti spiace? E per quello che sta succedendo stasera, no? E per quanto succederà fra tre giorni? Mi hai cacciato in questo troiaio e ora me ne tiri fuori."

"Verrò a prenderti... Ma non puoi dormire qui."

"Stanotte io dormirò nel tuo letto, costi quel che costi. E tu nella vasca da bagno! Ecco come faremo." Sbatté giù il ricevitore, prese la portatile, la sacca e uscì.

Non dovette aspettare molto. Quando avvistò l'auto di Tony caricò il bagaglio sulle spalle e si ficcò in mezzo alla strada. Tony arrestò bruscamente la vettura. Robby salì in macchina senza salutare. Per tutta la durata del percorso, guardò fuori dal finestrino. Tony non s'azzardò a dir nulla. Di tanto in tanto emetteva un rauco colpo di tosse, come se quei pezzi di carta avessero preso a girargli, indigesti, fra la bocca e lo stomaco.

"Non sei nessuno, caro Antonello M. Zerbini, nessuno ti fila, nessuno ti prende in considerazione. Se dovessi crepare nessuno, mai, si prenderebbe la briga di venire a ricercare fra il tuo passato per vedere chi eri e cosa avevi in testa e in cosa credevi o per chi avevi lottato. Le cose stanno così. Per te e per me. Non diremo mai niente e nessuno avrà mai la voglia di ascoltarci. E per quanto tu abbia quel bastardo di nome che porti, nessuno ti userà nemmeno per pulirsi i piedi. Ecco qual è la situazione."

Stavano cenando in una pizzeria a una dozzina di chilometri da Rimini, verso l'entroterra. Robby s'era rifiutato di entrare in un qualsiasi locale della riviera fra il casino, la gente, i jukebox, i camerieri sgarbati. Tony l'aveva assecondato. Conosceva Robby e sapeva che, con un po' di vino in corpo, si sarebbe liberato dall'angoscia.

"Nella nostra situazione ci sono altre migliaia di persone," disse Tony, cercando di ragionare. "Di gente che ha idee, fantasia, estro, ma che non ha il becco di un quattrino. Noi dobbiamo far leva su questo. Se andrà bene a noi, vuol dire che potrà andar bene a migliaia di altri e questo vuol dire, in fondo, una sola cosa: che noi renderemo possibile il cambiamento."

"È impossibile," disse Robby a labbra strette. Si versò altro vino.

"Se non è possibile, noi lottiamo affinché diventi possibile... Quando si parte da soli tutti ti danno del matto. Perché hai la tua idea fissa e solo questo conta. Poi, ti accorgi che tanti altri la pensano come te e allora, improvvisamente, ti senti parte di un'onda, un'onda che cresce più va avanti e che bene o male è destinata ad arrivare a riva."

"Arriveremo al Mar Morto," disse acido Robby.

"Fai come credi. È la sola strada."

"... Io non so, Tony, perché sto qui con te. Se tu me lo chiedi, io proprio non te lo so più dire. Fino a stasera ti ho seguito, ho avuto i miei dubbi, ho cercato di convincermi, ma ti ho seguito. Ora non più."

"Devi tener duro," disse Tony, versando altro vino. Erano alla terza bottiglia. Ognuno parlava per conto suo. Ognuno procedeva per i fatti propri. "Noi vogliamo i soldi. E qui, adesso, i soldi ci sono solamente per i portaborse di qualche politico o il leccaculo di qualche assessore. Hanno preso tutto. Sono dappertutto! O accetti di dipendere da uno striminzito finanziamento di un tizio che un giorno è assessore alla cultura e il giorno dopo ai macelli pubblici, o accetti di fare professione di fede per qualche partito o sei tagliato fuori. A meno che tu non voglia fare del comico da borgata o da quartiere: due pernacchie, qualche modo dialettale, personaggi grulli e rimbambiti che non leggono, non pensano, non si tengono informati, non sanno quel che succede un po' più in là del loro naso. Ecco cos'è il cinema italiano. È semplicissimo. È solo questo. E allora, se tu sei un tagliato fuori come lo siamo tu e io; se non ti va di abbrutirti in sceneggiature pecorecce; se non ti va di trattare con gente il cui mestiere è unicamente quello di garantire agli altri la libertà di fare un mestiere e non dirigerlo, approvarlo, tagliarlo, censurarlo, allora non ti resta che una sola strada. Delirare. E augurarti che il tuo delirio scuota quello di altra gente e trovi delle risonanze per diventare un progetto. Questo è quello che noi stiamo facendo. Dovremo soltanto, d'ora in avanti, gridare più forte... E tu, Robby, sputerai le tue corde vocali con me."

Verso l'una di notte raggiunsero la casa in cui avrebbero dormito. Fecero piano per non farsi sentire. Robby inciampò un paio di volte nei gradini e ruzzolò a terra. Tony temette che vomitasse sul pianerottolo. Si accese una luce. "Sono io, zia," disse. Sentì la propria voce strana, troppo strana.

Buttò sul letto Robby. Che si addormentò immediatamente russando. Tony prese una coperta e raggiunse il salotto. La spiegò sul divano, si stese. Cercò di dormire. Non riuscì. Mezz'ora dopo decise di porre fine a quella tortura. Si rivestì. Uscì di casa. Si ficcò in una disco sul lungomare. Aveva la testa pesante, gli occhi gonfi, le gambe molli. Al primo whisky, la sbronza gli si tirò su. Una ragazza lo stava guardando. Tony la avvicinò e fece tutto il possibile per sorriderle. Gli sembrò di strapparsi la pelle delle guance.

"Niente da fare," disse lei. "Sei troppo fatto."

"Vuoi scommettere?"

La fichetta masticò il chewing-gum come fosse biada. Lo squadrò. Era un bel tipo, Tony. "Hai un posto?"

"Ho la macchina," disse Tony. La fichetta lo arrapava sempre più. Era piccola, tozza, terribilmente sexy, con un gran culo. Una di cui si dice "da sbattere finché non ne puoi più".

"È scomodo. Offrimi da bere che ci penso io."

Raggiunsero il bar. Tony era costretto a reggersi alle spalle della ragazza quando doveva scendere o salire i gradini della discoteca. Era veramente strafatto, ma non aveva quel genere di problemi. Nel suo cervello aveva già il cazzo ritto da ore.

Bevvero qualcosa, un gin tonic per la ragazza e un secondo whisky per lui. "Potremmo andare in spiaggia," propose Tony.

"C'è troppo casino... Non hai una casa?"

"No."

"Va be'... andiamo in macchina. So io un posto."

Raggiunsero la campagna e fecero l'amore. Tony si comportò egregiamente, la fichetta era dolce e morbida e calda e ci sapeva fare. C'era un solo particolare che non andava. Che quella continuasse a masticare il suo chewing-gum.

Quando fu il momento di riaccompagnarla a casa la ragazza diede un sacco di indicazioni finché Tony non si ritrovò in quel dannato posto. "Come è piccolo il mondo," disse.

"Perché?"

"Niente." La ragazza entrò in pensione. Era la stessa fottuta pensione che Robby aveva lasciato poche ore prima. Nello stato psichico in cui era, a mezza strada fra la sbornia, il rientro alla normalità, il down della scopata, la depressione dell'alba, Tony interpretò l'accadimento come un "segno". Ma non avrebbe saputo dire di che valenza fosse: se positiva o negativa.

Alle prime luci dell'alba Alberto salì lentamente le scale della sua pensione facendo tintinnare le chiavi. Non appena ebbe raggiunto il pianerottolo vide la luce accendersi nella stanza di fronte alla sua. Ormai era una consuetudine. Una delle ultime volte aveva intravisto l'ombra di una donna, sapeva che lo stava aspettando. Fece scattare la serratura. Aprì la porta, finse di fare qualche passo, attese un attimo e la richiuse davanti a sé. Si gettò immediatamente nella parte più buia del corridoio. Attese. Pochi istanti dopo, dalla camera di fronte uscì una donna. Era giovane, aveva i capelli in disordine, una vestaglia trasparente che le arrivava a metà delle cosce. Era scalza. La donna si guardò intorno e raggiunse la porta della stanza di Alberto.

Alberto trattenne il fiato. Ebbe paura che i suoi occhi chiari, emergendo dall'oscurità come quelli di un gatto, lo tradissero.

La donna era davanti alla porta. Vi si appoggiò. Sfiorò la maniglia con il palmo della mano come temesse di infrangere qualcosa. Avvicinò la guancia. La appoggiò all'uscio. Fece per rannicchiarsi. In quel momento Alberto allungò il braccio, la trasse a sé e con l'altra mano le tappò la bocca. Cercò i suoi occhi. Si guardarono a lungo. Da una prima espressione di terrore, la donna addolcì il suo sguardo fino a stringerlo attorno alle pupille indagatrici di Alberto come un abbraccio di desiderio. La sua reazione si allentò. Si abbandonò a quell'abbraccio. Alberto continuò a fissarla. Tolse la mano dalla bocca di lei. Restarono così in piedi uno davanti all'altra, illuminati soltanto dal taglio di luce proveniente dalla stanza di fronte. Non si dissero una parola. La donna si incollò al corpo di Alberto. Lui la strinse. Trovarono le labbra. Alberto aprì la porta della sua stanza. Fece per entrare. La donna si staccò dal suo abbraccio. Lo guardò. Raggiunse la propria camera. Entrò. Alberto rimase immobile nel corridoio. Si avvicinò alla camera di fronte fino a sporgersi dentro. Vide due bambini che stavano dormendo e lei di spalle, china su uno dei due. La donna spense la luce. Alberto tornò velocemente nella sua stanza. Lasciò la porta aperta. Andò in bagno e stappò la birra. Gettò la testa sotto il rubinetto dell'acqua fredda. Sentì l'uscio richiudersi.

"Come ti chiami?" domandò raggiungendola.

"Milvia... Tu?"

Glielo disse. "Vuoi bere?"

Milvia fece un cenno negativo. "Tutte le notti ti sento tornare in albergo... Mi sono affezionata ai tuoi passi... Non pensare che io sia matta." Lo guardava con sicurezza e nello stesso tempo timore. Come se avesse già raggiunto qualcosa e avesse paura di prenderlo. Alberto la abbracciò, la baciò. Si stesero sul letto. Nell'amplesso che seguì, arruffato e scomposto, cigolante e soffocato, Alberto disse: "Piano... I tuoi bambini potrebbero svegliarsi."

Le notti seguenti Alberto prese a tornare di corsa dal *Top In* per gettarsi in quell'amore clandestino e notturno che gli era entrato ormai nel sangue. Milvia lo attendeva insonne. Non appena sentiva emergere dall'oscurità silenziosa i passi di Alberto, usciva dalla stanza. Già sul pianerottolo iniziavano a baciarsi e i loro abbracci divennero sempre più placidi e distesi. Non ci fu bisogno di parole. Avanzavano il loro amore nel crescere dell'intimità e della consuetudine dei loro corpi. Certe notti Alberto guardava Milvia, pacata dopo l'amplesso, e le percorreva con la mano i seni, il ventre, le cosce, quasi si trattasse di una creatura di sogno che ancora faticava a credere reale. E, d'altra parte, la loro unione pareva effettivamente costruita della sostanza stessa dei sogni: l'intorpidimento di quelle ore a cavallo fra la notte e il nuovo giorno, la stanchezza, il fiato affannoso che Alberto aveva spremuto nel suo sax fin quasi a rimanerne soffocato; e che poi, miracolosamente, ritrovava nell'abbracciare Milvia. E lei, che a quella creatura della notte aveva affidato tutto il peso della sua insoddisfazione matrimoniale e della ricerca di una felicità, si vedeva – quando ricordava nella luce incandescente della spiaggia i momenti di amore con Alberto – attorniata dalla notte, dal silenzio, dalla sua voce emessa a gemiti e sussurri; e quell'uomo di cui non sapeva assolutamente nulla le appariva avvolto dal mistero, un mistero in cui era lentamente riuscita a penetrare fino a elevarsi, essa stessa, a fantastica creatura della notte. In questo modo i due amanti procedevano nei loro abbracci costruendosi reciprocamente una sorta di loro personalissima leggenda. E così facendo entravano nel mito: Alberto non era solo un uomo, ma tutti gli uomini di questa terra; e lei, Milvia, tutta la dolcezza recettiva e femminea di questo mondo.

3

Continuava a piovere. Scrosci di acqua fredda la investirono non appena fu uscita dall'aerostazione. Non aveva prenotato alcun albergo, nessuno la stava aspettando e non sapeva dove andare. L'ufficio turistico, all'interno dell'aeroporto era chiuso. I suoi compagni di viaggio si erano imbarcati su di un pullman ed erano partiti già da qualche tempo. Era rimasta sola a controllare la cartina turistica per vedere quanto fosse distante la cittadina Bellaria.

La piazza di fronte all'aeroporto era sgombra, buia, senza traccia di taxi. Beatrix si voltò verso la hall. Attraverso i cristalli vide i giornalisti, i fotografi, alcuni uomini dall'aria importante che bivaccavano in attesa. Provò un fortissimo senso di separazione, di estraneità; ma non avrebbe saputo dire se erano quelle persone di un altro mondo, o non invece lei stessa, in piedi sul marciapiede, bagnata fradicia.

Finalmente una macchina le si avvicinò. Era una Mercedes blu. Procedeva lentamente con i fari accesi. Alla guida stava un uomo di mezza età con un cappello calcato in testa. Quando le fu a fianco Beatrix fece un gesto con la mano sollevando la cartina stradale. L'uomo si allungò verso il finestrino, lo abbassò e chiese se avesse bisogno di un passaggio. Beatrix fece sì con la testa. Si sentì salva.

L'uomo sistemò i bagagli sul sedile posteriore e fece sedere Beatrix di fianco a lui. "La serratura è rotta," disse, per scusarsi. Beatrix non diede importanza alla cosa, ma si accorse che, di fronte a lei, mancava il tassametro.

"Conosce un albergo che abbia una camera libera?" domandò.

L'uomo disse di sì.

"E quanto mi costerà?"

L'autista sogghignò.

Imboccarono una strada in cui il traffico scorreva lento. Per quanto Beatrix cercasse di controllare i segnali stradali che, di tanto in tanto, apparivano illuminati dai fari della automobile, non sapeva né dove era diretta, né quale fosse il percorso giusto. La pioggia tamburellava senza tregua sulla capote della macchina. L'uomo accese l'autoradio. Beatrix notò un anello al dito medio della mano destra che portava incise alcune lettere. Cominciò a pensare, vertiginosamente. Si chiedeva se sulla capote della macchina avesse visto la targhetta TAXI. Non riusciva a ricordarlo. Magari era spenta e così, al buio, non l'aveva notata. L'uomo taceva. Ogni tanto accartocciava le labbra seguendo, fischiettando, il motivo della canzone che la radio stava trasmettendo. Beatrix lo scrutò con la coda dell'occhio.

"Quanto ci vorrà per arrivare a Bellaria?" chiese infine.

"Un po'," disse l'uomo girandosi verso di lei e sorridendo come per tranquillizzarla.

"Quanto costerà?"

"Niente problemi, Fräulein."

Avrebbe voluto ridere. Sapeva che in Italia, come in qualsiasi altra parte del mondo, i turisti stranieri erano considerati semplicemente come polli da spennare e che anche un passaggio in taxi, alle volte, veniva a costare più di un soggiorno al Grand Hotel. Avrebbe dovuto combinare subito il prezzo della corsa. Era chiaro, ormai, che quello su cui stava viaggiando non era un taxi, ma una vettura abusiva o forse addirittura un'auto guidata da un solitario in cerca di compagnia. Questa ipotesi la fece rabbrividire. Cercò di stare calma, di rilassarsi, di sognare una vasca d'acqua bollente e profumata in cui si sarebbe immersa con gli occhi chiusi e a lume di candela non appena avesse trovato un albergo. Improvvisamente fu scossa dall'ordine dei suoi pensieri dal sobbalzo dell'auto. Guardò dal finestrino e vide attorno solamente il buio. La macchina continuò a procedere lentamente su un terreno fitto di buche.

"Dove stiamo andando?" chiese con apprensione.

L'uomo non rispose e aumentò l'andatura. La macchina urtò violentemente contro qualcosa e sbandò. Si inclinò pericolosamente sulla destra scivolando lungo un fossato. Beatrix sbatté la schiena contro la portiera. Continuò a gridare. Erano immobilizzati in quella posizione pendente. Le ruote mordevano il fango senza tuttavia far avanzare di un centimetro l'auto. Sentì lo stridore delle gomme che scivolavano, il rombo del motore al massimo, gli scatti delle marce che l'uomo tentava di inserire per tirarsi via da quel pantano. Con uno scatto fulmineo e imprevedibile la macchina si raddrizzò saltando sul sentiero. L'uomo riuscì a tenere il controllo della vettura sterzando violentemente. I fari illuminarono un casolare. Beatrix capì di essere capitata nel mezzo della campagna. Non vedeva luci intorno, la pioggia continuava a cadere, lo sportello, dalla sua parte, era bloccato. Gridò. Urlò di voler scendere. Si gettò sul braccio dell'uomo cercando di staccarlo dal volante. Fu respinta violentemente con un ceffone e un pugno che la beccò al fianco. Beatrix si rannicchiò su se stessa continuando a implorare e a piangere. Finalmente si fermarono. L'uomo scese, aprì lo sportello e la trascinò fuori. Beatrix cercò di aggrapparsi al volante. Muoveva le gambe e la testa e gridava, ma non riusciva a liberarsi da quella morsa possente che le cingeva la vita fin quasi a toglierle il respiro. Cedette. E si trovò stesa in terra. L'uomo le piombò addosso. Sentì il suo fiato, la forza delle sue mani che la inchiodavano al selciato. Sentì il suo ventre premerle addosso. Non pioveva più. Beatrix si accorse di essere distesa sotto a un porticato. Sopra di lei, intravide una tettoia di travi di legno e di lamiere alta una decina di metri. Sentì un cane abbaiare in lontananza e altri cani risposero a quei richiami. L'uomo la teneva ferma. Si stava muovendo sopra di lei biascicando frasi incomprensibili. Beatrix lo implorò, si fece remissiva, abbandonò per qualche istante la reazione, ma tutto il suo pensiero era rivolto al dopo, a come se la sarebbe cavata, a come sarebbe riuscita a mettersi in salvo o a raggiungere qualcuno. Il suo braccio destro era rivolto all'indietro sopra la testa. Sentì con la punta delle dita qualcosa di duro, un ciottolo del porticato. Cercò di afferrarlo; ma era conficcato in terra. L'uomo sopra di lei prese a muoversi con più violenza. Sapeva che era questione di minuti. Sentiva quelle mani pesanti frugarle addosso, strappare, togliere, abbassare. Non poteva farci niente. Poteva solo sperare che si sbrigasse presto e non avesse altre intenzioni: sfregiarla, stuprarla con qualche oggetto, sventrarla, finirla... Questo fu il pensiero che la fece scattare. Prese a stringere quel ciottolo, ma non si staccava. L'uomo era ormai sulla soglia. Beatrix cominciò a scavare con le unghie, lo sentì muoversi come un dente che sta per essere estratto. Ficcò le sue unghie ancora più a fondo nella terra umida fino a spezzarle. Sentiva il morso del dolore, ma il sasso ormai dondolava, si muoveva. L'uomo le allargò le gambe. Beatrix resistette. Il sasso stava uscendo dalla sua radice di terra. Poi, finalmente, lo sentì in mano. Alzò le gambe e si puntò con forza sui talloni. Nello stesso tempo colpì l'uomo alla testa con tutta la forza che poteva avere nel suo braccio storpiato. Si inarcò sulla schiena con un colpo di reni. Lo sollevò. Poi sgusciò, rotolandosi sulla sinistra, alla sua ricaduta. Si trovò così improvvisamente libera. Vide la figura dell'uomo distesa a terra e tremolante. Non era stato un colpo fatale. Lo aveva semplicemente intontito. Ora doveva fuggire alla sua reazione. Cercò di alzarsi in piedi. Il battito del suo cuore accelerò impazzito, il respiro non salì, il braccio le doleva e la mano le pulsava come dovesse scoppiare da un istante all'altro. Sentiva la schiena come schiacciata da una pressa, come se le avessero inchiodato una porta e lei dovesse portarsela in giro. Ma riuscì ad alzarsi. E a correre. Il buio della notte la avvolgeva. Le sue grida si spegnevano assorbite dal fragore della pioggia e del temporale. Scivolò più volte sul terriccio sentendo l'abbraccio del fango, smosso e oleoso, come un letto in cui avrebbe voluto sprofondare per riposarsi e nascondersi. L'uomo prese a gridare. Beatrix non si voltò per il terrore di vederselo lì alle calcagna. Sorda a quei richiami, corse finché non intravide le luci della strada e, più rassicuranti, i fanalini rossi delle auto. Il pianto le aveva ingolfato il respiro. Spalancò gli occhi spostando i capelli infangati dalla fronte. Si stropicciò il viso e barcollando, rallentando l'andatura, raggiunse la strada. Era esausta, spaventata, completamente traumatizzata. Non ebbe la forza di alzare un braccio per chiedere aiuto. Le auto rallentavano, la guardavano e proseguivano. Beatrix rimase ai bordi della strada ammutolita, con gli occhi sgranati, le mani rattrappite e incrociate sotto le ascelle. Aveva perduto le scarpe, i suoi vestiti erano stracciati e infangati. I piedi sanguinavano. Dovette aspettare ancora finché non la raccolsero svenuta, in una pozza d'acqua. A quel punto, per lei l'incubo era già finito. Aveva sentito come un'ondata di insperato e dolcissimo piacere salirle dalle gambe e poi dallo stomaco e raggiungere la testa. Come un respiro troppo grande che cresceva, cresceva senza che potesse far nulla per poterlo emettere e, in questo modo, risolverlo nel respiro seguente. Si abbandonò allora a quell'ondata troppo forte e fu come quando, bambina, dopo aver sciato per una giornata intera sulla *collina delle macerie* al Grunewald, si abbandonava esausta in braccio a suo padre chiamandolo "Vaty". Quella notte, a Rimini, quelle stesse sillabe uscirono dalle sue labbra, ma, ad attenderla, fu il duro asfalto della provinciale.

"Come sta? Riesce a sentirmi?"

Beatrix aprì gli occhi, ma la fatica fu troppa. Vide un soffitto bianco, sentì quella voce che le parlava all'orecchio, ma non le riuscì di volgere la testa in direzione di quel suono, né di parlare, né di tenere gli occhi aperti. Ripiombò nel calore vaporoso dell'intontimento. Quando si riprese, solo pochi minuti più tardi, le sembrò di aver dormito un anno intero e di aver udito quella stessa domanda molto, molto tempo prima. Questa volta riuscì a sorridere e poi, faticosamente, a parlare. Chiese un bicchiere d'acqua. I suoi occhi erano inchiodati a quel soffitto bianco di cui ora riusciva a cogliere screpolature, angoli di polvere, macchie di umidità. Accanto a lei sedeva il medico del pronto soccorso. Lo riconobbe. Sapeva che gli aveva parlato la notte precedente, non appena arrivata in quell'ospedale. Non ricordava altro. Quello che era successo, la violenza, la fuga, il passaggio in macchina, le luci dell'ospedale, i camici verdi, il puzzo dei disinfettanti, erano solamente una sequenza di fatti che potevano essere capitati a un'altra persona. Lei si sentiva solamente stremata e nauseata.

"Che ore sono?" chiese ripiombando con la testa sul cuscino.

"Quasi le undici. Abbiamo un bel sole questa mattina," disse il medico. "Stia tranquilla. Non è successo niente di irreparabile. Ha qualche linea di febbre. Niente di preoccupante."

Beatrix trovò la forza di piegare le labbra per dire che aveva capito.

"Abbiamo ritrovato il suo bagaglio... Aveva prenotato un albergo?"

"No," disse Beatrix. Cominciava a sentirsi rinascere le forze, la lucidità farsi strada. Tossì. "Vorrei uscire... Sto bene."

"Nel pomeriggio, signora Rheinsberg..."

Beatrix fu improvvisamente felice. Felice che qualcuno avesse pronunciato il suo nome. L'effetto dei calmanti le accentuò questa sensazione fin quasi all'ebbrezza. Guardò il medico.

"È successo?" chiese.

"Come?" Le si avvicinò ancora di più.

"Non ricordo... Sono confusa."

Il medico capì. Le prese la mano e gliela strinse. "Stia tranquilla. Non è successo niente."

Arrivò all'Hotel Diamante di Bellaria alle due del pomeriggio. Salì immediatamente in camera. Telefonò a Berlino e si sfogò con Hanna senza però accennarle all'accaduto. Si parlarono per una decina di minuti. Hanna trovò quantomeno strana la conversazione che Beatrix le impose e cioè di parlare di suo padre, Herr Rheinsberg, con il pretesto di una pietanza che aveva assaggiato a Roma e che sapeva essere una specialità di Hanna; oppure del suo negozio di antiquariato chiedendo se fossero arrivate lettere o fatture o avvisi di riscossione. In realtà Beatrix aveva semplicemente desiderio di parlare la propria lingua e, tramite ciò, riattaccarsi a se stessa e alla propria vita. Non chiese notizie di Claudia. Più volte fece il nome di Roddy con frasi del tipo "Sai, Hanna, quando ero sposata con Roddy..."

Fece una doccia tiepida per togliersi l'odore della stanza dell'ospedale. Estrasse dalla valigia gli indumenti per il mare e scese alla spiaggia di fronte all'hotel. Faceva caldo e il giallo dorato della sabbia era invitante. Il bagnino le assegnò un ombrellone e un lettino. Beatrix si spogliò, si spalmò di olio solare e si stese. Ben presto avvertì sulla pelle il caldo dei raggi di sole che scottavano piacevolmente. Sentì le voci di alcune donne che parlavano la sua lingua. Sentì il profumo della salsedine e le grida dei ragazzi che correvano sul bagnasciuga. Fu un po' come tornarsene a casa.

Quella stessa sera, per la prima volta, spietatamente, Beatrix pose a se stessa una domanda semplice e, in apparenza, banale; ma la cui risposta, positiva o negativa che fosse, avrebbe ribaltato le regole del gioco.

Successe mentre si guardava allo specchio immersa nei preparativi per scendere al ristorante dell'hotel a consumare la cena. Si stava ripassando il trucco quando udì provenire dalla strada una sequenza di rumori e di grida, di clacson e di stereo accesi a tutto volume. Lasciò il bagno, raggiunse la stanza da letto e si affacciò al balcone. Sul lungomare un gruppo di ragazzi si inseguiva a bordo di motorette esibendosi in una sorta di slalom i cui paletti erano rappresentati da ragazze in costume da bagno che tenevano, alti sopra la testa, fazzoletti colorati. Un altro gruppo, seduto sul muricciolo, stava a guardare facendo il tifo. Ogni tanto applaudiva. Beatrix continuò il massaggio attorno agli occhi per far penetrare la crema. Poi sentì un urlo, un nome che la fece tremare. Guardò meglio in mezzo al gruppo.

"Claudia!" urlò un ragazzo scendendo dalla moto. Una ragazzina gli corse incontro. Si abbracciarono. Per la prima volta allora Beatrix capì che il suo tentativo, il motivo per cui si era gettata in quel viaggio in Italia, si dimostrava, man mano che i giorni passavano, sempre più vano. Guardando dal balcone del suo hotel, altre impressioni si collegarono sino a dar luogo, nella sua immaginazione, a un unico quadro d'insieme. Si vide mentre attraversava la spiaggia, mentre percorreva il tragitto dall'ospedale all'hotel costituito da un "continuum" di cittadine balneari, hotel e palazzine. Vide la striscia di sabbia della riviera, la fila ondulata degli ombrelloni colorati e dei pattini distesi sul bagnasciuga e allora, a quel punto, la sua impresa venne a definirsi come il ritrovamento di un ago nel fienile, come riuscire a contare i granelli di una manciata di sabbia, come fare entrare il mare in un bicchiere.

Quando aveva letto il nome Bellaria sulla cartolina, Beatrix si aspettava una città, un borgo del Sud Europa con qualche decina di abitanti che per vivere aveva scelto, nei mesi estivi, il turismo. Si aspettava una spiaggia di un qualche centinaio di metri e l'aveva scoperta di centocinquanta chilometri. Si aspettava un paio di hotel, nemmeno di prima categoria, e si era ritrovata immersa in una bolgia di alberghi, pensioni, appartamenti in affitto in cui si muovevano, simultaneamente, milioni di persone. Voleva trovare Claudia, ma la realtà, in quel momento, era che di Claudie ne avrebbe potute incontrare centinaia di migliaia prima di imbattersi in quella giusta.

E allora la domanda che le salì alle labbra fu una sola; e una soltanto la risposta. Stava cercando Claudia? No. Questa era la verità. Scese al ristorante verso le otto e mezza. Le avevano assegnato un tavolo d'angolo sul fondo della sala, accanto a una lunga vetrata che immetteva sul terrazzo. Si guardò intorno. La maggior parte dei clienti dell'albergo era costituita da famiglie di giovani sposi che sedevano chiassosamente a tavola con i bambini. C'erano anche coppie di anziani e fra queste Beatrix notò due vecchietti dall'aria simpatica. Capì al volo che erano tedeschi.

Terminata la cena, uscì sulla terrazza. Era indecisa se terminare così la serata ritirandosi in camera e cercare di dormire, oppure fare una passeggiata. Notò che i due vecchietti si erano seduti su di un divano di vimini proprio a un paio di metri da lei. Li guardò a lungo finché l'uomo non si alzò e la raggiunse.

"È sola, qui?" disse in tedesco. Aveva un aspetto simpatico e leggermente cerimonioso.

"Sì," fece Beatrix.

"L'abbiamo notata in spiaggia, questo pomeriggio. Mia moglie e io ci chiedevamo appunto come mai una bella signora come lei si trattenesse a quest'ora in albergo quando tutti escono per cercar compagnia. Se possiamo esserle utili in qualcosa, ben volentieri."

"Mi chiamo Beatrix Rheinsberg," disse porgendo la mano.

Il vecchietto strizzò gli occhi fino a inghiottirli in una fessura di rughe. Sorrise. "Eberhard Weise. Ma prego, venga, le presento mia moglie."

"È la prima volta che viene da queste parti?" chiese la signora Weise, Ulriche Weise, non appena Beatrix le ebbe stretto la mano. Aveva un paio di occhiali decorati con strass e i capelli di un color bianco sfumato di rosa.

"Sì," rispose Beatrix.

"E le piace?"

"Non ho ancora visto praticamente niente," ammise Beatrix.

Il signor Weise intervenne con aria pensosa. "Pensi che fino a stanotte abbiamo avuto un tempo tremendo. Mare mosso, pioggia..."

"Lei ci ha portato il sole, mia cara," disse tutta contenta la signora Weise.

Beatrix guardò le proprie mani, prese a far girare su se stesso l'anello senza dare risposta.

"Vorrebbe accompagnarci a un concerto questa sera?" disse Eberhard.

"Sono un po' stanca..."

"Su, venga," insistette la signora Weise, appoggiandole una mano sul braccio. Aveva una pelle dorata, secca, piena di efelidi. Beatrix, alla fine, acconsentì.

Il concerto della banda della Sesta Flotta degli Stati Uniti si svolgeva sulla piazza del porto alle dieci. Beatrix aveva preso posto accanto ai Weise sul lato destro di una improvvisata platea. Lesse il programma: Glenn Miller, Frank Sinatra, George Gershwin, Cole Porter, canti della Louisiana, arrangiamenti di canzoni italiane degli anni sessanta, colonne sonore.

Puntualissimo, il direttore d'orchestra salì sul podio e il concerto iniziò. La signora Weise le passò il binocolo benché Beatrix non lo avesse chiesto, né desiderasse scrutare quegli undici ragazzi alti, impettiti, in divisa di protocollo, con i capelli tagliati a spazzola, lo sguardo fisso allo spartito. Una volta osservati attraverso le lenti del binocolo le apparvero come undici ripetizioni di un identico modello che conosceva bene: c'era chi aveva il suo naso, chi i suoi capelli, chi il suo taglio d'occhi, chi il collo, chi l'espressione, chi il portamento. Undici variazioni su un unico tema: Roddy.

Restituì il binocolo. Un improvviso calore le salì al volto. "Si sta divertendo?" chiese la signora Weise.

Beatrix annuì. Non desiderava altro che andarsene. Attese pazientemente il termine della prima parte per congedarsi dai suoi accompagnatori.

"Ma come?" disse Herr Weise. "Se ne vuole andare digià."

"Sono molto stanca, scusatemi. Non avrei dovuto accettare il vostro invito. È stato piacevole, ma ora devo tornare."

Il tono della sua voce non ammetteva repliche. La signora Weise capì. "Ci vedremo domani, se lei vorrà," disse con una nota di rimprovero nella voce.

Beatrix tornò in albergo. Non appena fu salita in camera, si mise a cercare furiosamente nella sua agendina l'indirizzo di Roddy. Lo trovò. Voleva scrivere una lettera, una lunga lettera in cui potersi finalmente sfogare, in cui raccontargli del perché si era cacciata in quella storia e del perché, ora, si sentisse un sacco floscio incapace di decidere le prossime mosse. Sarebbe stata una lettera dolorosa e difficile poiché avrebbe avuto il tono della confessione. Roddy era l'unico amico che aveva in Italia, per quanto un ex marito possa essere considerato un amico. Ma era il solo. Doveva parlare a qualcuno dell'episodio della notte prima, certo non avrebbe potuto farlo con quei benpensanti dei Weise. Roddy avrebbe capito e forse anche accettato di incontrarla. Questo pensiero la scosse. Aveva veramente voglia di vederlo dopo tanti anni? Non lo sapeva. Si sentiva esausta; i pensieri le sfuggivano dalla testa con una velocità incredibile, doveva parlare a voce alta per poter pensare e ricordare quello che doveva fare. Camminava per la stanza con l'agendina in mano. Poi si sedette allo scrittoio, prese la carta intestata dell'hotel e cominciò a scrivere. Iniziò tre volte la lettera e altrettante volte i fogli finirono nel cestino. Le era difficile scrivere "caro", proprio non ce la faceva. Eppure Roddy era il solo, l'unico uomo della sua vita, l'unico che aveva amato e che aveva abbandonato. Forse per questo, per il fatto di essere stata lei ad aprire la voragine dell'abbandono, non si era mai completamente liberata dalla sua ossessione. Se Roddy se ne fosse andato, sarebbe stato molto più facile dirgli addio. Si sarebbe sentita ferita, umiliata, accecata dal dolore. E si sarebbe salvata dimenticando tutto, cancellando quel dolore e innestandolo in tutti quegli altri dolori di privazione e di abbandono come in una collana di perle. Ma si sarebbe riavuta. Così invece e ora lo sentiva, lo sapeva con una consapevolezza talmente precisa da stordirla quasi – Roddy ancora le girava nella testa; ancora, in qualche parte della sua personalità, rappresentava qualcosa di grande e di importante, qualcuno a cui chiedere aiuto.

Riuscì finalmente a scrivere una mezza pagina che subito rilesse e stracciò. Ritentò. Girava attorno al problema, chiedeva notizie della famiglia, delle figlie, del lavoro, ma non arrivava al vero motivo che la faceva resistere lì allo scrittoio. Se fosse stata una donna semplice e orgogliosa avrebbe scritto poche parole: "Roddy, ho bisogno di fare l'amore con qualcuno, soprattutto con te." Avrebbe chiuso la lettera e l'avrebbe consegnata al bureau quella notte stessa. Invece tergiversava e dal momento che non era una donna che amasse la falsità e l'ipocrisia, non riusciva ad andare avanti. Così, dopo altri tentativi, riprese l'agenda, lesse il numero di telefono e chiamò.

Rispose, al terzo squillo, una voce femminile. Beatrix si scusò per l'ora, disse chi era e che aveva urgenza di parlare con Roddy. La donna mantenne un tono di voce cortese. Parlava un inglese storpiato dalla pronuncia di Roddy. Come lei.

"Hello, Beate," disse la voce impastata di fumo di Roddy.

Beatrix tornò a scusarsi per l'ora. Aveva voglia di piangere. Tacque.

"Hello, Beate!... Can you hear me?"

"Roddy..." No, non ce la faceva. Fu sul punto di riabbassare il ricevitore, quando Roddy ebbe un guizzo di gentilezza. Si fece lasciare il suo numero di telefono. L'avrebbe immediatamente richiamata da un'altra stanza.

Beatrix riappese. Raggiunse il letto e si sdraiò. Spense la luce. Oltre le finestre, la linea scura del cielo era illuminata da improvvisi bagliori di fuochi d'artificio. Di tanto in tanto scoppiavano petardi e mortaretti finché di nuovo il cielo tornava per qualche istante a illuminarsi di rosso, di giallo, di azzurro.

"Avanti, Beate, dimmi che ti succede... Come stai?" fece Roddy, non appena lei ebbe risposto al telefono. Parlava ora più distesamente.

"Sei solo?"

"Sì, sono solo."

"Ho svegliato le bambine?"

"Non preoccuparti... Cosa fai in Italia?"

Beatrix sentì nuovamente un groppo di tristezza e autocommiserazione serrarle la gola. Si stava compatendo. Ma aveva assoluto bisogno di qualcuno che la compatisse con lei.

"Non so, Roddy... è tutto così difficile."

"Hai ricevuto la mia lettera, a Natale?"

"Sì... Era molto bella. Tu come stai?"

"Sono felice. Partiremo in autunno per l'Olanda, Den Haag. Ho fatto l'abitudine ai cambiamenti. È sempre Europa."

"... Come sei vestito?"

Roddy sorrise. "Come sono vestito ora?"

"Sì... Voglio saperlo."

"Ho solo una t-shirt addosso e il culo mi sta gelando su questa poltrona di pelle."

Beatrix sospirò rilassata. Se lo immaginò. E provò piacere.

"E tu, Beate?"

"Sono a letto. Fuori fanno dei fuochi di artificio... C'è caldo e ho ancora addosso un abito da sera."

"Di che colore?"

"Grigio. Ma non è un gran che." Beatrix allargò le pieghe della gonna come dovesse mostrarlo. Fece una smorfia. "La seta però è molto bella."

"Beate... Mi sei mancata molto, sai?" sussurrò Roddy. Stringeva il ricevitore alle tempie come dovesse farlo entrare nella sua testa. Le mani sudavano.

"È stato meglio così, Roddy."

"Perché mi hai chiamato?"

Beatrix avvertì una sfumatura ostile nella sua voce. Si ritrasse nel guscio. "Volevo solamente salutarti."

"Dopo tanto tempo?"

"Sono in Italia... Ho pensato a te." Balbettava. Sapeva di non riuscire convincente.

"È mezzanotte, Beate! Vuoi dire che chiami a quest'ora solo per salutarmi?"

Cercò una battuta per sdrammatizzare. "E non sei contento?"

Roddy non rispose. Accese una sigaretta. Beatrix sentì lo scatto dello "zippo". Volle chiedergli se fumava ancora tanto, ma le sembrò un'enorme sciocchezza. Roddy sapeva sfoderare gli artigli. Beatrix capì che a quel punto o si decideva a tirar fuori tutto o riappendeva. S'erano incontrati per un attimo e ora tornavano a essere due estranei.

"Roddy... Roddy," chiamò con un filo di voce.

"Che ti sta succedendo? Beate, dimmi che diavolo ti sta capitando." Era più di una supplica. Era un invito deciso.

"Va bene, Roddy... Telefono a te perché sei l'unico che mi possa aiutare. Ho avuto una brutta storia. Devo sfogarmi."

"Che ti è successo? Avanti!"

Improvvisamente Beatrix sentì di non avere nessuna intenzione di raccontargli della notte precedente, l'arrivo all'aeroporto, il finto taxista, Claudia, la cartolina. Era un delirio tutto suo che ancora non poteva comunicare, poiché ancora non riusciva a stabilirne il nesso con la propria vita. Il fatto che Claudia fosse sua sorella non era sufficiente a motivare tutto quello che stava facendo. Anzi, c'era qualcosa di ridicolo in quel suo girare per l'Italia a caccia di una ragazzina che, nella peggiore delle ipotesi, se la stava semplicemente spassando a suo modo. No, non gli avrebbe detto nulla.

"Anche tu mi sei mancato Roddy. Adesso, in questo momento mi stai mancando da morire." Ce l'aveva fatta. Si sentì meglio, più disponibile, più pronta.

"Vorresti incontrarmi?"

"È impossibile, Roddy. Tu non puoi farlo. Perché succederebbe. E io non voglio."

"Mi piacevi da impazzire, Beate... Ti giuro... Molte volte ti vedo ancora, ti penso... Torno a far l'amore con te. Ma anch'io non potrei più. Non si torna indietro."

"Vorrei capire me stessa, Roddy. Tu puoi aiutarmi?"

La voce di Roddy si fece più suadente, più calma, più roca. Imboccò un registro diverso, un tono sensuale e forte. Senza indecisioni. Beatrix se ne accorse e modulò istintivamente la sua voce, il suo respiro su quelli di lui. Parlarono finché Beatrix non sentì i sospiri giungere dall'altra parte del filo. Sospiri e singhiozzi che si mischiavano ai suoi. Aveva la gola stretta, le tempie sudate, le gambe, inavvertitamente si dischiusero come le valve di una conchiglia nell'atto del respiro vitale. Roddy continuò a parlare e anche Beatrix e quello che si dissero non ebbe più importanza. La voce di Roddy, i suoi gemiti, i suoi sussurri accarezzavano il ventre di Beatrix, la percorrevano attraverso il ricevitore, la sfregavano. Beatrix dirigeva quelle parole dove più calde, più forti, più piacevoli potevano essere. Se le stendeva addosso, le guidava avanti e indietro finché tutto il suo corpo non fu un unico sinuoso movimento che vibrava al suono della voce di Roddy, ne seguiva l'accavallarsi dei gemiti, dei discorsi, delle fantasie, dei sussurri sempre più forti, calcando il ricevitore, inarcando la schiena finché dall'altra parte non udì provenire un suono spezzato e un respiro affannoso e poi più disteso che furono anche i suoi: un gemito soffocato, un accelerare e poi decrescere del respiro fino a una regione di quiete incredibile, di lucidità, di conoscenza. Nel cielo della notte ricadevano, come coriandoli di cenere, gli ultimi fuochi.

Quando si svegliò, il mattino dopo, ancora vestita del suo abito di seta, Beatrix pensò che tutto quanto era successo con Roddy apparteneva a un sogno; o meglio, a uno stato della sua coscienza che sentiva ormai lontanissimo e indefinito. Una cosa era certa, però: che non avrebbe cercato Roddy per un bel pezzo. Era tornata indietro solamente per rendersi conto – come aveva detto Roddy – che indietro non si torna. Era stato, per certi versi, anche bello. Ma era un sogno impossibile. Aveva distrutto l'immagine di Roddy coinvolgendolo nel proprio delirio. Ora sapeva che da quella parte non poteva ricavare nulla. Si sentì più libera, come qualcuno che improvvisamente scopra di essere incollato a se stesso più di quanto non avesse mai creduto.

Quando scese in spiaggia, un'ora dopo, incontrò i Weise. Beatrix era preceduta dal bagnino che portava il suo lettino. Si fermò un istante sotto il loro ombrellone.

"Come va, oggi, mia cara?" disse Ulriche, mostrando la sua perfetta dentatura di ceramica. Aveva le labbra dipinte di rosa e un sottilissimo rigo azzurro sugli occhi.

"Va meglio, molto meglio. Sono dispiaciuta per ieri sera."

"Non stia a pensarci troppo, Beatrix," disse Eberhard. "L'importante è che oggi sia perfettamente in forma."

"Sa? Abbiamo in programma una gita in barca tra poco. Vuole essere dei nostri?"

Beatrix pensò che i due vecchietti ne inventavano una ogni ora. Volle mostrarsi curiosa. "E dove?"

"Fino al promontorio di Gabicce. Se viene con me sulla riva glielo mostro. È da quella parte." Herr Weise allungò il braccio. Indicava solamente l'ombrellone più vicino.

"Ci pensi, mia cara," fece Ulriche. "Ci vedremo più tardi." Beatrix salutò e raggiunse il suo ombrellone. Si spogliò. Si distese al sole. Riuscì, per qualche minuto, a non pensare a nulla. Poi prese il sopravvento il ricordo di Claudia. Si sentì in colpa. In fondo stava semplicemente prendendosi una vacanza. "Devo ricaricarmi," si disse come per giustificare la sua inazione. "Devo solo riprendermi un po'. Dopo la cercherò."

La voce della signora Weise, poco dopo, la distolse dal relax. "Allora, ha deciso?"

"No... Non ancora."

"Meglio così, cara Beatrix. È successo un piccolo guaio. E me ne deve tirar fuori!" S'era fatta confidenziale e intima.

"Che razza di guaio?"

La signora Weise si sedette al suo fianco sul bordo del lettino. "Deve sapere, mia cara, che due volte la settimana prendo lezioni di lingua italiana." Fece una pausa studiata per ricevere un consenso di ammirazione. Beatrix tacque. Ulriche proseguì. "Allora è capitato che oggi andremo a fare quel viaggio in barca e io non potrò fare la mia ora di conversazione!"

Sembrava sul punto di piangere. Si lamentò muovendo la pelle delle sue braccia ossute che ondeggiava come scossa da impulsi elettrici. "Capisce, mia cara Beatrix? È terribile!"

Beatrix proprio non capiva dove risiedesse il lato tragico della questione. Preferì starsene zitta.

"Il fatto è che Eberhard è sempre stato contrario a questa mia piccola mania. Dice che ormai non imparerò più nulla. Dice bene, lui, che l'italiano lo parla come fosse nato da queste parti!... Ecco il dramma, Beatrix: io non voglio rinunciare alla mia gita in barca e non posso rinunciare alla mia lezione, altrimenti Eberhard diverrà furioso!"

Beatrix non aveva la minima idea di cosa stesse combinando la signora Weise, ma sapeva, che in un modo o in un altro, la stava intrappolando.

"Se posso far qualcosa..." disse docilmente.

"Grazie. Sapevo che mi avrebbe aiutata."

Come non aspettasse altro, la signora Weise si alzò, la baciò sulle guance e si dileguò tra la folla dei bagnanti improvvisamente assorbita da una chiazza di luce accecante.

"La signorina Rheinsberg?" chiese una voce maschile.

Beatrix aprì gli occhi. Erano passate solamente un paio di ore dalla visita della signora Weise.

"Sì? Sono io..."

"Il bagnino mi ha detto di venire qui."

"Il bagnino?" Beatrix non capì. Pensò si trattasse di un gigolò che aveva voglia di attaccare bottone. "Non ho chiesto nulla. Mi spiace."

"Sono l'insegnante di italiano della signora Weise. Mi hanno detto di venire qui," insistette l'altro.

Beatrix si sollevò dal lettino. Lo guardò. Era un ragazzo non troppo alto con un fisico asciutto e atletico. Aveva la pelle scura e un folto ciuffo di peli gli scendeva dal torace disegnandogli i contorni dei muscoli. Era moro, con capelli lisci né corti né lunghi. Aveva un viso di forma triangolare con la fronte larga, le sopracciglia lunghissime e folte, il naso piccolo, le labbra morbide e ben disegnate.

"Ho capito," disse sorridendo Beatrix.

"Vuole che parliamo in tedesco?" disse il ragazzo sedendosi sulla sabbia.

"Sarà meglio, come inizio."

Si chiamava Mario, aveva studiato a Monaco, ma il suo accento non tradiva l'inflessione di quelle parti. Beatrix seppe che durante l'estate si guadagnava da vivere insegnando l'italiano ai tedeschi, mentre d'inverno faceva il contrario. Si era laureato in Lingue Straniere, ma non aveva trovato ancora un lavoro. Aveva ventotto anni. La sua città era Ravenna. Non fecero lezione – Beatrix non ne aveva assolutamente voglia – ma chiacchierarono, prendendo il più delle volte spunto dalla coppia Weise. Mario si trattenne fino allo scadere della sua ora di lezione. "È stato molto piacevole, signorina Rheinsberg," si congedò alzandosi in piedi.

"Il tempo è già scaduto?"

"Temo proprio di sì."

Allungò la mano per salutare. "È stato davvero molto piacevole," ripeté il ragazzo.

Incontrò i Weise, sul terrazzo, verso le undici di sera. Chiese come fosse andata la gita in mare. Ne erano rimasti entusiasti. Descrissero lungamente i compagni di viaggio, il vino che era stato offerto con prodigalità insieme con gli spiedini di pesce appena pescato. Parlarono dell'accompagnamento musicale, delle fisarmoniche, delle chitarre, dei tamburelli, dei canti.

"E lei, Beatrix? Si è divertita?" insinuò la signora Weise con un pizzico di civetteria. Non attese però la risposta e scivolò via.

Approfittando dell'assenza della moglie, Eberhard sussurrò: "Ho saputo che Ulriche le ha ceduto il suo insegnante di italiano. Detto tra noi: non valeva la pena di spendere del danaro in quel modo."

Beatrix dapprima sorrise nel sentire quelle parole, intendendole ironiche. Ma l'ultima frase la colpì. Si fece seria. "Crede?"

"È un bravo ragazzo. Non se ne pentirà. E lei Beatrix gli darà molte più soddisfazioni che non mia moglie."

"Ma io non ho intenzione di..."

"Benissimo, mia cara," intervenne Ulriche di ritorno. "Il sole le dona. È rifiorita." E poi, rivolta al marito. "Andiamo, Eberhard. Faremo tardi per il café chantant!"

Beatrix li salutò. Rimase sola nel silenzio della terrazza. Non credeva di aver capito bene il gioco. Frau Weise voleva elegantemente sbarazzarsi del ragazzo senza smentirsi agli occhi del marito – facendo così un favore a se stessa – o non piuttosto servirgli quello stesso ragazzo su un piatto d'argento facendo invece un favore a lei, Beatrix? O forse tutte e due le cose insieme?

"È una strana vecchia pazza," pensò Beatrix, andandosene.

La sera, prima di coricarsi, massaggiandosi il viso con la solita crema e guardandosi allo specchio, sentì qualcosa di nuovo in lei. Stava davvero – come aveva detto Ulriche – rifiorendo? E qual era il sole che l'aveva illuminata? Il sole della costa, il sole dell'Italia o lo sguardo di quel ragazzo, Mario?

Incontrò di nuovo Mario alla spiaggia, tre giorni dopo. Aveva deciso di prendere quelle benedette lezioni al posto di Ulriche.

"Potremmo vederci anche senza questo impegno?" chiese Mario al termine della conversazione.

Beatrix annuì.

"Potremmo cenare insieme. Se ne hai voglia."

"Sì. Ne ho voglia."

"Stasera?... Ti passerò a prendere in albergo alle otto e mezza."

"No, in albergo no," si affrettò a dire Beatrix. "Preferisco incontrarti al Caffè Centrale."

Mario non parve sorpreso. "Come vuoi tu," disse infine.

Alle otto e mezza, puntualissima, Beatrix si sedette alla distesa di tavolini del caffè. Il cameriere le si avvicinò. "Aspetto un amico," disse lei, "ordineremo insieme."

Davanti al caffè, sulla piazza, un gruppo di falegnami e di elettricisti eseguiva gli ultimi controlli attorno a un palcoscenico prefabbricato. Provavano le luci, la tenuta delle quinte, l'intensità della corrente elettrica. Sul palco, il presentatore in jeans e camicetta, chiamava una serie di personaggi. Questi lo raggiungevano, scambiavano velocemente qualche battuta, provavano la postazione in favore delle telecamere e poi se ne andavano lasciando il posto a un altro. Il regista della manifestazione dava ordini servendosi di un megafono. Era collegato con una cuffia al regista televisivo che stava in un grande Tir parcheggiato dietro al palcoscenico. In alto, sul fondale, uno striscione diceva: "XV Elezione dei Tipo da Spiaggia." Beatrix riuscì a tradurre, ma non ad afferrarne il senso.

Mario arrivò scusandosi per il ritardo. La manifestazione aveva causato la chiusura del centro storico alle macchine e aveva faticato parecchio per trovare un parcheggio.

"Che significa quella scritta?" domandò Beatrix.

Mario sorrise e gliela spiegò.

"Sono curiosa. Andiamo a vedere."

Raggiunsero il centro della piazza. Sul palco sfilavano i candidati per la prova generale. Avrebbero cominciato di lì a un'ora e mezzo. Erano divisi, spiegò Mario, in varie categorie: il più alto, il più basso, il più grasso, il più magro, quello dal naso più lungo, la coppia peggio assortita e così via. Una televisione locale riprendeva in diretta la manifestazione.

Beatrix trovò divertente l'idea. Avrebbe voluto proporre come candidata alla miglior pettinatura da spiaggia Ulriche Weise. Lo disse a Mario e risero insieme. Fu a quel punto che qualcosa la richiamò indietro rammentandole un ricordo sepolto.

"Che c'è, Beatrix?" chiese Mario. La vide impallidire e farsi tesa. Il presentatore continuava a chiamare alcuni nomi e, in particolare, ne ripeteva uno. Nessuno si presentava. Il presentatore continuò a chiamare. Beatrix corse verso il palco. Un operaio la raggiunse dicendo che non poteva salire. Beatrix si liberò di quella stretta. Intervenne Mario. Chiese a Beatrix cosa avesse, ma Beatrix non stava affatto male. Era solo in preda all'emozione di essere finalmente arrivata a qualcosa. "Giorgio Russo! Avanti! Perché non c'è?" diceva il presentatore battendo nervosamente un piede per terra. Giorgio Russo si fece avanti inchinandosi alla platea deserta. Era piccolo e magro, ma con un ovale di volto molto delicato.

"Devo parlare con lui!" gridò Beatrix salendo la scaletta.

"Aspetta! Beatrix! Non puoi andare!" urlò Mario. Un paio di tecnici lo trattenevano. Vide allora Beatrix estrarre dalla borsa un paio di fotografie e mostrarle al piccoletto che faceva di sì con la testa. Mario riuscì a raggiungerla. Il presentatore urlava ingiurie.

"Aiutami a tradurre!" supplicò Beatrix con la voce tremante.

Mario allora svolse il ruolo di interprete fra i due. Non capiva di che parlassero. C'entrava una ragazza di nome Claudia, un albergo di Roma, una cartolina. Beatrix pendeva dalle sue labbra quando era il momento della traduzione. Lo incitava, non voleva si perdesse nei dettagli. Voleva sapere dove trovare quella ragazza. Il piccoletto glielo disse. Mario ripeté in tedesco. Beatrix scosse la testa stupita. "Cosa vuol dire?" chiese incredula. Mario le ripeté il nome. Poi tentò una traduzione: *Märchenland.* Beatrix continuò a non capire: "Ma quale *terra delle fiabe?*"

4

Dopo quel nostro incontro notturno, non vidi Bruno May per parecchi giorni. Eravamo nel pieno della stagione turistica: cinquemila alberghi e pensioni, duecentocinquanta case per ferie e colonie, cinquantaseimila ville e appartamenti da affittare, settanta camping, tredici porti turistici, centosettantasei campi da tennis, centoventuno cinematografi, centosettantuno dancing e discoteche, centoquaranta club sportivi, quattro aeroclub, millecinquecento stabilimenti balneari, più di duemila bar e caffè, tutto funzionava al massimo delle proprie possibilità.

La vicenda del senatore Lughi era caduta di interesse in attesa che si conoscessero gli esiti delle perizie necroscopiche. La versione che resisteva era ancora quella del primo annuncio ufficiale reso noto dalla Squadra Mobile della questura: morte per annegamento. Bisognava trovare altri argomenti e altri fatti per sostenere la tiratura. Ci davamo da fare come matti. Giocavo a squash con Guglielmo soltanto di mattino presto. I nostri scambi erano sempre più brevi man mano che la mia esperienza cresceva.

Una mattina si presentò in redazione uno strano tipo. Era un ragazzone alto e massiccio, con il cranio rasato, gli occhi allungati e il naso schiacciato. Indossava un completo color avana che gli cadeva da tutte le parti: non perché fosse largo, ma perché sformato e logoro. Teneva le mani incrociate dietro la schiena e quando parlava reclinava il capo. I suoi occhi guardavano ora il pavimento, ora il soffitto. Non li incontrai mai. Mi porse un biglietto. Lo aprii e riconobbi la mia calligrafia.

"Sei il nipote di Argia?... L'autista del senatore?"

Mugugnò un sì.

"Sono Bauer. Ho scritto io questo biglietto..."

Il ragazzo non dava segni di vita. "Vuoi dirmi qualcosa?" chiesi.

Mi fece capire che era disposto ad aprirmi la casa di Lughi. Presi la giacca e lo seguii.

Guidava una Volvo metallizzata che pareva una portaerei. Non appena fui salito, cominciai con le domande.

"Quando hai visto il senatore l'ultima volta?"

Non rispose immediatamente. Guidava con molta prudenza. Si arrestava cortesemente in prossimità delle strisce pedonali aspettando che qualcuno attraversasse la strada, anche se lontano cento metri. I clacson dietro di noi strombazzavano come forsennati, ma lui scrollava le spalle e non procedeva di un centimetro.

"Hai accompagnato tu il senatore in città l'ultima volta che lo hai visto?"

Finalmente arrivò un sì.

"Perché non sei tornato a prenderlo?"

Non rispose.

"Te lo ha chiesto lui?"

"Sì."

"Cosa era andato a fare in città?"

"Non lo so."

"Aveva documenti con sé? Una cartella, qualcosa?"

"No."

"E che ore erano?"

"Di pomeriggio."

"Di che giorno? Sforzati di ricordare."

Abbordò una curva con lentezza. Il motore a innesto automatico fece dei tossicchii prima di riprendere la velocità. Dalla strada era ormai possibile vedere la rocca di Sant'Arcangelo.

"Era tre giorni prima che lo ritrovano."

"Non ti sei insospettito per questo?" domandai.

"Per cosa?"

Cristo! Era difficilissimo. Bisognava avere una pazienza tremenda. E forse non ero il tipo adatto per questo genere di interrogatori. "Era solito fare queste cose? Farsi portare a Rimini e poi essere lasciato lì? Sparire per qualche giorno?"

"Mia nonna ha trovato una volta un biglietto che dice che era andato a Milano."

"Ma tu l'hai accompagnato in stazione quella volta?"

"Là vicino l'ho accompagnato. Ho già detto tutto alla polizia."

Gli dissi che andava tutto bene. Era teso e cercai di metterlo a suo agio. Il guaio era che io ero più teso di lui. Gli chiesi se il senatore guidasse la macchina.

"Ogni tanto," fu la sua risposta.

"Lo accompagnavi tu a Badia Tedalda?"

"No, lì ci andava per conto suo. Si fermava a dormire."

Dissi che avevo capito. Ormai eravamo arrivati a Sant'Arcangelo. Parcheggiammo la macchina nello stesso punto dove, qualche giorno prima, avevo lasciato la mia Rover. Scesi per primo.

"Però era seduto là dietro l'ultima volta," disse, chiudendo l'auto.

Non mi sembrò un annuncio particolare. Lo guardai. "Vuoi dire nel sedile posteriore?"

"Sì."

"Faceva sempre così?"

"Si sedeva vicino al suo autista Fosco tutte le volte."

"E l'ultima volta invece si è messo dietro. È questo che vuoi dire?"

Fece sì con la testa. Forse avrà dovuto scrivere qualcosa, pensai. Gli chiesi di riaprirmi la macchina. Presi il posto del senatore. Perché aveva voluto sedersi proprio lì? Forse... Sollevai la moquette, cercai fra gli interstizi dei sedili finché il mio sguardo non si posò sul posacenere. Un piccolo triangolino bianco spuntava dalla scatola di metallo. Estrassi il posacenere. Il cuore prese a battermi. Presi il foglietto, lo aprii, lo lessi. Dio mio! Avevo visto giusto! Avevo in mano la prova. Le ultime due righe scritte dal senatore prima di togliersi la vita. Due righe soltanto in cui chiedeva perdono. Urlai qualcosa a Fosco. Balzò in macchina. "Portami al giornale! Di corsa!" gli gridai. "E guai a te se ti fermi a un passaggio pedonale!"

Mi scaraventai nello studio di Zanetti. Chiusi la porta a chiave e chiamai Milano. Dissi ad Arnaldi quello che avevo trovato e come avrei dovuto comportarmi. Avevo in mente di tenermi quel biglietto fino all'ora in cui, consegnandolo agli inquirenti, nessun collega avrebbe potuto riprendere la notizia per il giornale del giorno dopo. Mi fece aspettare al telefono qualche minuto. Chiese se potevo avere elementi per provarne l'autenticità. Dissi che non ne avevo, ma che potevamo tentare. L'importante non era la verità, ma la notizia.

"Allora è deciso. Fammi il pezzo per la cronaca nazionale. E per la Pagina dell'Adriatico usa chi hai lì. D'accordo?"

"Va bene... è un buon colpo, vero?" Dovevo sentirmelo dire. Ne avevo bisogno.

"È perfetto," disse Arnaldi. E riagganciò.

Mi guardai attorno. Tutto mi sembrò nuovo. Era stato facile.

"Lo scoop," dicevano nelle scuole di giornalismo, "non è nient'altro che trovarsi sul luogo giusto al momento giusto. E questo vuol dire una sola cosa. Avere il demonio che lavora per voi."

Avevo avuto fortuna. Il caso Lughi era, per quanto mi riguardava, definitivamente chiuso.

Qualche sera dopo Bruno telefonò per invitarmi a un party a casa sua. "Ci saranno un po' di amici. Portane anche tu, se vuoi."

Dissi che stava bene. Arrestai la Rover davanti al cancello della villa. Susy era con me. "Forse riuscirò a strappargli qualche confidenza," disse eccitata. "Non è facile che parli con i giornalisti."

Mi avvicinai al suo collo. Profumava di essenze orientali.

"Vacci piano," sussurrai baciandola. "È un tipetto incandescente."

Si distaccò da me. "So come comportarmi, Bauer. Ora scendi e vieni ad aprirmi la porta."

Tutte le luci della villa erano accese. Il terrazzo era illuminato da sottili lampioni, il grande oblò della facciata splendeva come una luna piena fra i platani e i cedri del giardino. Gli ospiti si muovevano attorno alle sorgenti di luce come falene. Faceva caldo. I profumi del giardino erano forti. La vicinanza di Susy mi inorgogliva. Mi sarei congratulato con me stesso.

Bruno ci venne incontro reggendo in mano un calice di spumante. "Avete fatto un buon lavoro, con quel poveraccio," disse.

"Intendi il senatore Lughi?"

"E chi sennò?"

Ci guidò in mezzo alla piccola folla degli invitati finché non ci lasciò davanti a un uomo di una cinquantina d'anni, alto, distinto, dal volto ambiguo. La sua bellezza era femminea: labbra turgide, zigomi sporgenti, capelli finissimi che ricadevano in un piccolo ciuffo sulla fronte. Aveva occhi straordinariamente chiari. L'eleganza dei suoi gesti mi colpì. Quando si alzò dalla poltrona per venirci a salutare sembrò che tutto, nella casa, si alzasse per renderci omaggio. Nonostante ciò possedeva una naturalezza e una agiatezza di stile che non ci misero in imbarazzo. Indossava un blazer blu notte, una camicia bianca a sottili quadretti rossi e azzurri, un paio di pantaloni color ghiaccio. Il colletto della camicia era abbottonato. "Sono Oliviero Welebansky," disse sorridendo.

"Bruno mi ha parlato di lei," feci e presentai Susy.

"Cosa le ha detto di me?" Teneva una mano in tasca.

"Che è il suo agente letterario."

Inarcò le labbra con un particolare vezzo. "Bruno ha un modo molto fantasioso di chiamare gli amici. È vero. Mi sono occupato anche dei suoi interessi. Ma senza mai pretendere per me una qualifica così ingombrante."

"Sono convinta che vincerà lui, quest'anno," intervenne Susy.

Welebansky la guardò. Il suo sopracciglio si piegò ad angolo retto. "È quello che tutti noi gli auguriamo. Sinceramente ritengo sarà una impresa assai difficile."

"Perché?" disse Susy. Mi sembrò ingenua come un neofita del corpo diplomatico di fronte a una vecchia volpe di ambasciatore. Mi aspettai da Welebansky una risposta strategica. Invece andò dritto come un fulmine.

"Indubbiamente il libro di Bruno è molto buono. La concorrenza, se permettete, addirittura ridicola. Ma questo non basterà a farlo vincere. Il fatto è che a lui non importa un bel niente di quel premio, a parte i soldi. E fa di tutto per dimostrare che non gliene importa niente. Dovrebbe mostrarsi un poco più malleabile, più interessato, più coinvolto. Ha scelto invece di fare solamente il venale. Cosa volete. Personalmente non so dargli torto. Certo non può mettersi a parlare di letteratura con quella gente."

Susy non aspettò altro. Si ripeté convinta delle capacità di Bruno. Disse che non aveva mai letto nulla di così toccante. Presi da bere da un vassoio che un giovane cameriere mi aveva messo sotto il naso. La ricordai quando, avvinghiata a quel francese, Michel Costa, aveva detto di considerarlo il migliore. In questo, Susy era un vero prodigio. Riusciva a essere convincente anche nelle situazioni più contraddittorie.

Lasciammo insieme il salotto per salire in terrazzo. Una grande tavola circolare era sontuosamente imbandita con pietanze fredde a base di pesce. Scegliemmo astici guarniti da creme esotiche dai colori brillanti.

"Hai visto cosa ha preparato Oliviero per me?" disse Bruno, arrivandomi alle spalle.

Mi voltai. "Ciao, Bruno. Ti sei dileguato... Hai già conosciuto Susy?"

"È la tua accompagnatrice, no?" C'era dell'astio nella sua voce. Ma sorrise ugualmente.

"Vorrei parlarle, se permette," fece Susy. "A condizione però di poter riferire sul mio giornale."

Bruno si grattò il mento imitando un atteggiamento pensieroso. "... Il giornale?"

"Lasciamoli soli," disse Oliviero prendendomi al braccio. Ci appartammo sul lato opposto della terrazza. Susy e Bruno si sedettero su un divano in giunco, di fianco a un lampioncino. Bruno teneva in mano una bottiglia colma di spumante versandosene senza interruzione nella flûte. A un certo punto, parlavano animatamente, versò da bere a Susy così velocemente che la schiuma traboccò dal bicchiere e la bagnò sulla mano e sul vestito. Subito accorse un cameriere. Oliviero notò la mia disattenzione alla conversazione. Si accorse di quello che stava succedendo dall'altra parte, ma non diede l'impressione di esserne turbato. Continuammo a parlare finché non sentii la voce di Susy che gridava. "Mi sta facendo male!"

In effetti Bruno si era gettato su di lei e le tirava un orecchio. "Se non ha capito questo non capirà mai niente!" diceva. Continuava a strapazzarle il lobo dell'orecchio destro. Susy gridava. Oliviero schizzò via. Raggiungemmo Bruno. Con fare disinvolto lo prese sottobraccio e lo portò via.

"Che succede?" domandai a Susy.

"È ubriaco... Marco, ti giuro. Io non ho detto niente di male... Quello è un pazzo scatenato!" Era sconvolta. Il suo orecchio era rosso e alcune gocce di sangue le scendevano dal lobo macchiando l'orecchino.

Chiamai il cameriere e feci portare del whisky. La gente sulla terrazza continuava a mangiare e chiacchierare come nulla fosse successo.

"Forza, bevi," dissi porgendole lo scotch.

"È pazzo... completamente," balbettava lei.

A quel punto Welebansky ci raggiunse. Giustificò il comportamento di Bruno con una serie di fatti che erano capitati in quei giorni. Disse che era lo stress e che il ragazzo attraversava un periodo difficile. Comunque non si scusò. Forse non rientrava nelle abitudini della sua razza scusarsi per qualsiasi cosa.

Scesi nel soggiorno e da lì cercai nelle camere da letto. Lo trovai. Stava seduto su di una poltrona, al buio, rannicchiato su se stesso. Aveva in mano una bottiglia da cui beveva lunghe ed estenuanti sorsate. La stanza era spoglia, fatta eccezione per quella poltrona, un letto e una fila di televisori spenti. In terra un groviglio di cavetti e fili elettrici, li collegava alla consolle di un piccolo computer.

"Che ti succede amico?" dissi entrando. "Di sopra la mia ragazza sta ancora dando i numeri."

Bruno alzò la testa. "Mi spiace sia successo con lei." Sussurrava le parole, più che pronunciarle. Quasi le inghiottiva prima di emetterle. Era fradicio come può esserlo solamente un alcolizzato. Un fradiciume di cervello.

Mi sedetti sulla sponda del letto, alle sue spalle. Lui guardava il cielo stellato.

"Capita sempre più spesso," disse. "Non posso farci niente. Vorrei trovare il modo per dirti che non mi interessa più niente di ciò che ha a che fare con l'umano... Odio la gente che mi racconta i fatti suoi. Sono le stesse cose da migliaia e migliaia di anni." Parlava a fatica. Delirava. Non lo interruppi.

"È come se tutto fosse troppo piccolo per me. Non c'è più niente che colpisca il mio sguardo. Niente che possa giustificare la pena di quel mio stesso sguardo. Sento solo questo desiderio di gridare, sento la rabbia di essere prigioniero di qualcosa che è dentro di me. È una zona d'ombra che si allarga come un cancro. Sono costretto a lottare ogni ora del giorno e della notte per contenerla. Ma non ce la faccio. Succederà... E di punto in bianco tutto sarà diverso."

Si fermò un attimo. Voltò il capo verso di me. Aveva gli occhi piccoli e lucidi. Il suo viso era una maschera di terrore.

"Ho solo paura che sia troppo presto," disse infine, quasi supplicando.

Restai di ghiaccio. Non avevo capito una sola parola di quel che aveva detto. Sembrava un uomo diverso, ma a pensarci bene lui era sempre un uomo diverso. Quando l'avevo conosciuto al bar del Grand Hotel, su a Badia Tedalda, quella volta in riva al mare, quella stessa notte. Erano sempre persone diverse. Mi sembrò tutto irreale e troppo angoscioso. Ebbi voglia di uscire a respirare.

Nel soggiorno, il party era al suo apice: musica, chiacchiere, alcune persone che ballavano, altri che si spostavano da un divano all'altro. Era una fauna internazionale sulla mezza età, a eccezione di alcune cariatidi imbronciate che bevevano dai calici con uno sforzo estremo dei muscoli facciali stirati da decine di lifting. Parlavano italiano, ma nessuno lo parlava in un modo vivo. Sentivo le inflessioni straniere accavallarsi l'una sull'altra dando vita a una lingua asettica, da laboratorio. Mi sembrò di trovarmi in un aeroporto e loro tanti fantasmi senza storia.

Trovai Susy e la portai in un angolo.

"L'hai trovato?" chiese imbronciata.

"Andiamocene," dissi, "ho un bisogno disperato di fare l'amore con te."

Mi guardò sorpresa. Non le avevo mai detto niente di simile, e mai con quel tono di voce da fine del mondo. Ma in quel momento sentii la sua presenza accanto a me come qualcosa di estremamente vivo e vitale. Salutammo Oliviero. Nel giardino la abbracciai e la baciai lungamente. Susy sorrise, la sentivo aderire al mio corpo come una spugna bagnata, rinfrescante e morbida. Salimmo in macchina. Si rannicchiò attorno al mio braccio come un serpente.

"Che strana gente," disse a un certo punto.

La lasciai continuare.

"Non era un solito party. C'era almeno metà della colonia Vermilyea, sai?"

Risposi che non sapevo cosa intendesse. Quella comunque fu la prima volta che sentii parlare di quel giro.

Verso le tre, quella stessa notte, Bruno uscì silenziosamente di casa. Camminò speditamente fino al mare, la testa china, come seguisse una direzione prestabilita. Sul lungomare incontrò una fila di auto incolonnate e ferme in mezzo alla strada. Un paio di vetture della stradale erano messe per traverso e bloccavano il traffico. Bruno si mantenne sul marciapiede. Vide i poliziotti che cercavano di sedare una rissa causata da un tamponamento. Un ragazzo dai capelli lunghi era disteso a terra e vomitava. I suoi compagni ubriachi imprecavano contro un uomo che non osava scendere dalla macchina. Arrivò una autoambulanza a sirene spiegate. Bruno proseguì fin verso la rotonda del Grand Hotel. Fu allora che attraversò la strada con l'intenzione di raggiungere i giardinetti.

Fra gli alberi il buio era fitto e odorava di hashish. Le chiazze di luce che filtravano attraverso il fogliame illuminavano alcune siringhe. Alcuni piccoli fagotti respiravano addossati ai tronchi o distesi sul prato rivelando la presenza di qualcuno nei sacchi a pelo. Bruno si mosse per i vialetti con sicurezza, li conosceva ormai bene. Alla luce di un lampione un ragazzo fumava una sigaretta sdraiato su una panchina. Quando lo sentì arrivare, si alzò a sedere e scrutò nell'ombra. Bruno passò via velocemente. Incontrò, più avanti, una coppia di vecchi che conducevano a mano le biciclette procedendo prudentemente nel lato dei giardini illuminato. Sbirciarono nel buio, incontrarono i suoi occhi. Nessuno si fermò.

Improvvisamente la ghiaia scricchiolò alle sue spalle. Bruno si arrestò. Sentì un rumore di passi che lo stavano raggiungendo. Cautamente si voltò. Scorse un'ombra. Una figura alta gli andava incontro, superò il vialetto e calpestò l'erba a una decina di metri da lui. Bruno non si mosse. Cercò di individuare quella persona. Sentì gli arbusti scrocchiare e poi il fischio di una canzoncina, dapprima tenue, poi sempre più nitido man mano che l'ombra gli si avvicinava. Bruno si inchiodò a terra. Conosceva molto bene quella canzone. La ripescò dalla memoria. Faceva:

Did I really walk all this way
Just to hear you say
"Oh, I don't want to go out tonight"...

I ricordi si scatenarono l'uno nell'altro, lo stordirono. L'ombra lo aveva ormai raggiunto e continuava a canticchiare:

I don't owe you anything
But you owe me something
Repay me now...

Bruno vide un ciuffo di capelli biondi. Alzò la mano come per accarezzarli. "Aelred," soffiò. "Come hai fatto a trovarmi ancora?"

A Londra, tre anni prima, nel tardo pomeriggio di una rigidissima giornata di novembre, Bruno stava partecipando, in compagnia di amici, al vernissage di una collettiva di scultura in una galleria di Floral Street, a due passi dal Covent Garden. L'esposizione si sviluppava su due piani. Nella sala al pian terreno stavano alcune opere costituite da carrelli da supermarket colmi di oggetti elettronici; alcune gomme di auto sovrapposte e impilate per circa due metri di altezza e percorse da striature colorate di vernice; due cartelli segnaletici capovolti e decorati da strisce di plastica nera simile a quella dei sacchi per la spazzatura. C'era inoltre un tavolo dietro cui un cameriere offriva birra e pasticcini. Al piano superiore stavano il resto delle opere e la gran massa dei visitatori avvolta dal fumo delle sigarette. Bruno trovò insopportabile resistere ancora e benché gli *acrochages* lo interessassero per la casualità degli accostamenti simile per certi versi alle associazioni libere della poesia, uscì ben presto. Si fermò sulla soglia della galleria per terminare la sua birra. Un ragazzo stava attraversando la via provenendo da St. James Street. Reggeva un portfolio sotto il braccio. Un ciuffo rossiccio di capelli gli pendeva sul viso ondeggiando a ogni passo di una particolarissima andatura dinoccolata e, nello stesso tempo, strascicata. Bruno lo osservò meglio. Le punte dei piedi leggermente rivolte all'esterno, la schiena curva e un braccio penzoloni rendevano la sua andatura totalmente indipendente dall'esterno, dalle automobili che passavano, dai pedoni che erano obbligati a scansarlo per non farsi urtare, dai clacson che suonavano. Il ragazzo camminava in simbiosi con la propria andatura, così naturalmente sovrapposto alla artificialità del suo passo, così completamente abbandonato alla legge dei gesti appresi (che parlavano di palestre, di basket ball, di cavalli, di lavoro a tavolino) che il suo carattere si diffondeva, completamente svelato, all'esterno. Bruno notò che la sua corazza gestuale non appariva come una difesa, non nascondeva, non occultava; anzi parlava chiaramente e dolcemente. La sua camminata infatti, nient'altro era che il tic del suo animo.

Il ragazzo indossava un giubbone da parà color piombo, zeppo di tasche e cerniere. Il cappuccio che scendeva sulle spalle era decorato con strisce sottili di pelliccia maculata. Portava un paio di pantaloni bianchi sporchi di colore e calzava grosse scarpe di pelle grigia che sembravano ortopediche. Quando si incrociarono, si guardarono per un istante negli occhi. Bruno lo seguì con lo sguardo. Vide che salutava alcune persone. Decise di rientrare.

Il ragazzo si era appartato e stava mostrando il contenuto del portfolio a una donna. Bruno si avvicinò e gettò lo sguardo su quelle tavole. Chiese di poterle vedere da vicino. Si trattava di grandi collages fatti con matite, pennini, retini, carte geografiche e topografiche, fotografie dipinte e ritoccate. Riunivano tutte le immaginarie metropoli del globo sotto una medesima atmosfera: fra le cupole della Piazza Rossa di Mosca spuntavano palmizi hawaiani; caratteri cirillici costituivano scritte pubblicitarie in una Times Square percorsa da una identica fauna umana negroide o asiatica. Una devastazione atmosferica e geotermica aveva ridisegnato il mondo. Parlò al ragazzo. In quel momento Reginald Clive, un critico abbastanza noto, salutò Bruno. Ne approfittò per presentare il ragazzo e così sapere

il suo nome. Aelred, così si chiamava, si dimostrò impaccia-
to. Bruno dovette soccorrerlo sostenendo la conversazione.
Reginald apprezzò le tavole. Si congedò dicendo che doveva
passare in Fleet Street a buttar giù il pezzo. Si diedero un appuntamento telefonico.

"Non sarei mai riuscito a mostrare qualcosa a Clive nemmeno pagandolo mille sterline," disse Aelred.

Bruno gli raccontò come lo aveva conosciuto a Venezia, qualche anno prima.

"Perché non vieni a mangiare qualcosa con me al club?" propose Aelred.

Bruno indugiò.

"È qui vicino... Ho voglia di bere qualcosa di buono. E tu?"

Bruno rispose di sì, aveva anche lui una gran voglia di bere.
Salutò gli amici e uscì in compagnia di Aelred.

Il club era nascosto in un intrigo di viuzze strettissime attorno
al Covent Garden. Per raggiungerlo procedettero uno davanti
all'altro poiché non c'era spazio per due. Aelred disse qualcosa
a proposito di Charles Dickens che Bruno non afferrò. Giunsero davanti al club. Si trattava di un ristorantino polveroso anni
quaranta. Davanti all'entrata stava un panchetto di legno su
cui era posto il registro delle visite. Aelred salutò il cameriere e
firmò invitando Bruno a fare altrettanto nello spazio riservato
ai visitors. Il cameriere spostò il panchetto e li fece passare.

Il ristorante era vuoto. Seguì Aelred che passava tra i tavoli
apparecchiati con destrezza. Si diressero verso uno sgabuzzi-
no. Aelred accese la luce tirando una corda che pendeva dalla
lampadina spiovente. Più avanti iniziava una scala di legno. La
discesero. Immediatamente li investì uno sbuffo di aria calda,
odore di sigarette e di alcolici. Si sentiva, in sottofondo, musica
rock.

Entrarono in una grande stanza circolare con il soffitto a volta e le pareti verniciate di nero. Al centro stava il banco degli
alcolici con un paio di rubinetti per la birra e uno scaffale ripieno di bottiglie ben allineate. Nella parete attorno si apri-

vano alcune nicchie che avanzavano nel cemento per qualche metro. Il fondo era ricoperto di cuscini colorati. Davanti a ogni nicchia stava l'imitazione di un rudere antico decorato da luci intermittenti. La fauna era abbastanza giovane, sui trent'anni. Aelred presentò Bruno a qualche amico: una soprano critico musicale di una rivista marxista, un pittore calvo e grassoccio, un tenore che aveva studiato in Italia, un architetto che Bruno già aveva visto, nella galleria di Floral Street.

Ordinarono dello scotch e chiacchierarono con i membri del club. Erano tutti alticci, la soprano, un donnone imponente vestita di un robe manteau lungo fino ai piedi cantò il brindisi della Cavalleria Rusticana in onore di Bruno. Quando finì il club esplose in applausi e grida di compiacimento.

Bruno andò al bancone per un altro scotch. "Bevi qualcosa, Aelred?" Aelred non rispose. Bruno ripeté la domanda, si girò e si accorse che non stava rivolgendosi ad Aelred, ma a un altro ragazzo. Si scusò. Guardò attorno ma non lo vide. Prese il bicchiere e raggiunse il gruppo di prima. Domandò alla soprano se lo avesse visto in giro. La donna fece un grande sorriso e cantò il brindisi dalla Lucrezia Borgia. Bruno scorse una nicchia vuota. Si sedette a bere. Passò mezz'ora. Di Aelred nessuna traccia. Prese un altro scotch e lo bevve d'un fiato. Aveva fame, ma certo non si sarebbe fermato in quel posto a cenare da solo. Chiese al barman due biglietti da visita del club. Uno se lo infilò rapidamente in tasca. Sull'altro scrisse una frase di congedo e il proprio indirizzo. Lo riconsegnò al cameriere pregandolo di consegnarlo ad Aelred qualora fosse tornato. Il barman prese il biglietto e lo infilò in mezzo a due bottiglie di whisky.

Camminò fino a Leicester Square e lì entrò al Salisbury per mandar giù qualcosa. Il pub era affollato e rumoroso. Salutò qualche amico e ordinò un sandwich. Un biondino lo guardò insistentemente. Non era affatto male. Chiacchierarono urlandosi nelle orecchie le parole per potersi capire. La calca li pigiava da tutte le parti. I camerieri passavano fra la gente tenendo alti sopra le teste i boccali di birra che gocciolavano sui vestiti. Bruno disse che aveva un appuntamento ma che, se il boy avesse voluto, il giorno dopo a mezzogiorno si sarebbero potuti incontrare nello stesso posto. Uscì dal locale, camminò fino a Trafalgar Square e lì abbordò un taxi. Poco dopo entrò nel suo appartamento di Cranley Gardens, sulla Fulham Road. Si trattava di un flat di due stanze comunicanti. Nella living room stavano un tavolo, il divano, una poltrona e un caminetto. Nell'altra il letto e il bagno.

Bruno si spogliò, sfece il nodo della cravatta, accese una sigaretta e si allungò in poltrona verso il pallido fuoco del caminetto. Poi si alzò, accese la radio e afferrò la bottiglia di gin. Aveva voglia di urlare. Se fosse stato un poco più paziente, avrebbe atteso Aelred al club finché non fosse tornato. Invece no, via. Già da qualche giorno pensava che, forse, dopo due mesi, stava per giungere il momento del ritorno in Italia. A Londra era arrivato con l'alibi di controllare l'uscita di un suo romanzo. Avrebbe dovuto fermarsi una settimana ed erano invece sessanta giorni ormai che bivaccava fra sbronze, vernissages, teatri, pub, incontri sentimentali che duravano una sola notte. Il fatto era che si sentiva a secco. E questo già da molto, moltissimo tempo.

Il telefono squillò. Bruno lo lasciò suonare. Infine si decise a rispondere. "Chi parla prego?" disse con la voce impastata dall'alcool. Sentiva dall'altra parte il brusio di una riunione e una musica in sottofondo.

"Ehi amico, sono Aelred!"

Bruno fu glaciale. "Ti ho lasciato scritto un biglietto. Come ti dicevo, un impegno dimenticato mi ha costretto ad andar via."

"Capisco... Ma ora sei libero?"

Bruno fu colto alla sprovvista. Non rispose.

"Sei solo?" insistette l'altro.

"Stavo andando a dormire..."

Aelred cambiò tono di voce. Diventò allegro. "Su, amico. Non sono fuggito via. Ero semplicemente salito in cucina per prepararti una sorpresa. Una straordinaria torta di rognoni e funghi."

"Ho mangiato qualcosa al Salisbury..." fece Bruno.

"E che ci faccio ora con questa roba?"

A Bruno sfuggì un sorriso che Aelred immediatamente colse. "Verrò lì. E mangeremo la mia torta."

Bruno chiuse gli occhi e si abbandonò in poltrona. Disse: va bene, Aelred, hai vinto. Molte altre volte, innumerevoli altre volte quelle parole sarebbero uscite con lo stesso spasimo di tenerezza e abbandono dal profondo del suo animo.

Appoggiò il ricevitore. Rimase qualche minuto in silenzio, senza nemmeno respirare. Si spogliò poi del tutto, andò in bagno e si ficcò nel getto bollente della doccia. Dieci minuti dopo si sentì notevolmente meglio. Passò in camera, scelse una camicia pulita, un paio di jeans e una cravatta verde. Mise ai piedi un paio di scarpe da tennis che non aveva ancora portato. Poi tolse la cravatta e la rigettò nel cassetto. Si era ricordato di averne una dello stesso colore degli occhi di Aelred.

Il ragazzo arrivò mezz'ora dopo. Bruno sentì il motore del taxi scoppiettare sotto la propria abitazione. Si avvicinò alla bow-window e guardò giù. Aelred cercava faticosamente di estrarre dei soldi da una delle tasche del suo giubbotto, ma il portfolio e un pacco voluminoso lo impacciavano. Il tassista uscì, gli resse la cartella e prese i soldi. Bruno sorrise e scese ad aprirgli prima che avesse il tempo di suonare. "Mi spiace essere sparito così all'improvviso," disse Aelred salutandolo, "volevo farti una sorpresa."

Bruno lo toccò sul braccio. "Vieni, sali."

Entrarono nell'appartamento. Aelred appoggiò il pacco sul tavolo. "Hai da bere?" chiese.

"Beaujolais o champagne. Nient'altro. Il gin è appena finito."

"Prima una e poi l'altra. Devo scaldarmi," fece Aelred.

Bruno stappò il Beaujolais accanto al caminetto. Aelred si era seduto sulla moquette, accanto alla poltrona. Era arrossato sulle guance, il ciuffo di capelli biondo ramati era inumidito dal freddo umido della notte. Le sue labbra pallide. Bruno lo guardò sotto la nuova luce dell'intimità e si sentì felice. Felice di poter guardare quel corpo alto e asciutto, quel viso allungato dai lineamenti come scolpiti nella dura roccia delle scogliere scozzesi.

Si sedette in poltrona al suo fianco. Versò il vino.

"Brindiamo alla nostra amicizia," disse, guardandolo negli occhi. Il ragazzo avvicinò il bicchiere. "Brindiamo alla tua bellezza." Bruno lo accarezzò. Aelred gli appoggiò la testa sulla gamba. Lo accarezzò terminando il bicchiere di vino. Aelred allora si alzò in piedi e si portò dietro lo schienale della poltrona. Allungò le braccia chinandosi verso il petto di Bruno. Lo accarezzò e scese a baciarlo. Gli baciò la fronte, gli occhi, e i capelli passandoseli fra le lunghe dita bianche. Bruno cercò quelle mani, le trovò, se le portò sul cuore. Le baciò, succhiò le dita, le nocche sporgenti, si accarezzò passandosi quelle mani sul viso e sulla fronte, stringendosele sulle tempie, coprendosi completamente la faccia. Aelred lo raggiunse. Bruno allargò le braccia e lo accolse in un disteso abbraccio. Si baciarono, giocarono con le labbra, succhiarono come cercando nel respiro dell'altro le ragioni di quel desiderio che li aveva ormai travolti. Si abbandonarono poi sulla moquette rotolandosi lentamente, teneramente abbandonati in un abbraccio che largo pulsava come traendo vita da un unico cuore.

"Mi piaci," disse Bruno. "Mi piaci tanto." Lo abbracciò più forte. I capelli di Aelred rilucevano ancor più fiammeggianti alla luce del fuoco. Bruno li accarezzò, li baciò. Il ragazzo lo guardò con i suoi piccoli e stretti occhi selvaggi. Prese a sciogliergli il nodo della cravatta baciandolo sul collo, percorrendo con la lingua il mento dell'amico, le orecchie. Poi si alzarono tenendosi per mano, lisciandosele, intrecciandole in delicate e sempre diverse sovrapposizioni. Si distaccarono. Guardandosi negli occhi, uno di fronte all'altro, si spogliarono sulla soglia della camera da letto. Si abbracciarono di nuovo completamente nudi ed eccitati finché non raggiunsero il letto.

La pelle di Aelred era liscia e chiara come se nemmeno un raggio di sole l'avesse mai sfiorata. Era una pelle tersa come un lago ghiacciato. Bruno la sentì vibrare, accarezzandola, percorsa da una corrente di vita. Lo baciò su tutto il corpo, nelle linee sinuose del collo turgido e scultoreo, nel torace affusolato, nell'addome dove leggeri riccioli biondi iniziavano a crescere per concentrarsi nella linea dell'ombelico ed esplodere nel ciuffo del pube. Sentì il profumo del sesso rigido di Aelred. Scese lungo le cosce così imprevedibilmente muscolose in confronto alla complessità di quel corpo che sarebbe anche potuto apparire gracile nella sua longilineità. Inginocchiato ai suoi piedi, Bruno afferrò i polpacci di Aelred e li sollevò. Si spinse in avanti facendoseli passare sulla schiena. Scese a baciarlo in bocca. Aelred lo bloccò in quella posizione serrandogli i fianchi nella morsa delle sue gambe. Ma non era ancora il momento. Sciolse la stretta liberando il corpo di Bruno. Avevano le mani incrociate. Facendo forza sulle braccia, Aelred lo rovesciò dall'altra parte del letto. Cominciò a baciarlo sui capezzoli. Li mordicchiò, li succhiò, li stirò con i denti. Bruno gemeva. Aelred scese con la punta della lingua a baciargli il membro. Lo inghiottì lentamente mentre la lingua lo avvolgeva morbida e calda. Bruno liberò le mani affondandole nei capelli di Aelred. Dischiuse automaticamente le gambe e la lingua soffice di Aelred lo penetrò delicatamente. Brunò sentì un caldo violento salirgli al cervello, una rilassatezza umidiccia che gli fece distendere il sorriso. Cercò con la mano il cazzo di Aelred e così, stringendosi reciprocamente, riacquistarono la posizione iniziale, distesi uno a fianco dell'altro. Si baciarono ancora a lungo finché Aelred non disse: "Voglio che sia ora." Bruno lo accarezzò nella fessura tra le cosce, gli andò dietro e lo percorse con la lingua salendo fino alla schiena e scendendo fino alla punta del cazzo che stringeva ripiegato sotto. Aelred cominciò a muoversi e Bruno sentì che era giunto il momento. Lo bagnò. Poi risalì, lo abbracciò e cominciò a spingere.

Avvinghiati uno alle spalle dell'altro, le nuche sovrapposte, il respiro veloce, i gemiti, gli ansimi, le grida soffocate, le parole che Bruno sussurrò nell'orecchio infuocato di Aelred, i sospiri, i singhiozzi, tutto si fuse come una corda che vibra e il cui suono si riverbera nella cassa armonica del mondo. Il loro movimento divenne il gesto dei loro nervi, i loro sospiri il canto dell'universo. Quando Bruno finalmente entrò nel corpo di Aelred, qualcosa tra loro esplose e li scagliò insieme in una avventura che solamente loro, in quel momento e in quell'ora, potevano vivere in nome dell'umanità. I loro gesti si fecero più rapidi, la mano di Bruno si sovrappose a quella di Aelred stretta attorno alla colonna del proprio sesso. Erano in orbita. Tutto scomparve. Restò un solo brusio, continuo e monodico, come emesso da una grande cassa di amplificazione accesa, un brusio che fece tremare le loro orecchie e che era la voce del loro viaggio. Il brusio divenne più forte fino a scoprire, oltre a quella vibrazione, un accordo nuovo, unitario e totale che viaggiò in completa sintonia con il loro silenzio interiore. L'eccitazione progredì finché entrambi non raggiunsero, uniti, le soglie dell'orgasmo. La lingua di Bruno si incollò alla bocca di Aelred, la sua mano, sul sesso dell'amico, spinse più forte e più rapidi furono i movimenti dei suoi fianchi. Le cosce di Aelred tremarono sotto la potenza di quelle spinte che lo stavano violando, ma il suo corpo e il suo cervello erano oramai adattati al corpo dell'amico e solo questo volevano, al di là del dolore: essere uniti a lui.

Aelred scoppiò per primo, gridando. Bruno sentì la propria mano inondata da quel succo caldo, aprì gli occhi e vide un secondo schizzo lanciato in alto che si aprì come un fiore. Si sentì un fiore egli stesso, e venne, spingendo con tutta la sua forza. Fu allora che insieme poterono capire, per un istante, come una rivelazione, quel suono che non copriva la loro solitudine ma che la rivestiva di piacere e di sentimentalità nuova. Un suono il cui segreto era nelle altre volte in cui l'avrebbero cercato. Quando Bruno riaprì gli occhi, quando si specchiò nel volto sudato di Aelred, quando lo baciò e lo asciugò con la lingua da quelle gocce che gli scendevano dalle tempie, quando gli accarezzò i capelli, quando i loro respiri ripresero, nel silenzio della stanza, il loro ritmo abituale, quando Aelred pieno di gratitudine e di appagamento gli soffiò: "Doveva esserci nella mia vita questa bellissima prima volta con te", Bruno si abbandonò sul letto e ringraziò Dio per avergli fatto conoscere, attraverso il corpo di Aelred, la preghiera nascosta e universale delle sue creature.

La scoperta travolgente della loro bellezza e ancor più del piacere che sapevano reciprocamente di darsi, li avvolsero, nei giorni seguenti, di un commosso sentimento di gratitudine e di rispetto, qualcosa che non aveva a che fare con l'impeto della passione, quanto piuttosto con l'ebbrezza di una nuova scoperta. In quei momenti di confronto, di amore, di ricerca, entrambi erano consapevoli di essere partiti per una avventura la cui fine sarebbe stata la perfezione del loro rapporto. Si scrutavano, si mettevano alla prova in quegli abbracci d'amore che parevano rivelare, in certe situazioni di felicità, la vera natura del rapporto fra due uomini: come ci si possa amare e come si possa vivere insieme e sostenersi sentendosi fianco a fianco, uniti, dalla stessa parte, proiettati nella conquista di qualcosa. Ma, una volta raggiunta la perfezione del rapporto, perché restava ancora "qualcosa"? E cos'era? Un rito di passaggio verso la vita adulta o una cerimonia di preparazione all'incontro con l'*altro*, la donna? Perché si sentivano "fianco a fianco" e non uno di *fronte* all'altro? C'era differenza fra l'essere schierati insieme e quello di esserlo invece in opposizione? Si poteva progredire ugualmente nel cammino dell'esperienza? Era la stessa cosa?
Bruno fu completamente travolto dal suo amore per Aelred; e anche Aelred si trovò coinvolto in una esperienza nuova che lo assorbì completamente. Bruno era il suo amico, il suo compagno, la ragione stessa della sua vita. Era quel dolce e medi-

terraneo ragazzo che lo incitava a lavorare, a disegnare, che gli parlava per notti e giorni e gli ricostruiva con i racconti il mondo, che si sbronzava ridendo con lui nei clubs, con cui andava a teatro e attraversava, in certe ore sospese del dopopranzo, i parchi silenziosi di Londra. Era la persona che gli dava coraggio, che lo assisteva, lo accudiva come nessuno aveva mai fatto. Era l'uomo che gli faceva fare l'amore in un modo straordinario toccando tutte le corde del suo sentimento e del suo corpo. Era chi lo placava e chi lo eccitava, chi gli offriva buone avventure di testa e pensieri piacevoli. E lui, Aelred, ricambiava e rispondeva negli stessi termini. Ora sorreggendolo con la sua bellezza quando Bruno appariva stranamente silenzioso come conquistato da un umore freddo e tetro; ora quando cercava la sua mano e lui gliela porgeva e la guidava sul sesso fino a farlo scoppiare; o quando, delicatamente, lo penetrava reggendogli in alto le gambe e in quei momenti, allora, "qualcosa" veniva a turbarlo, come una immagine cacciata lontano che prepotentemente tornava a farsi viva ai suoi occhi. Ed era sempre l'immagine di una donna, il sospiro di una donna, la voce strozzata dell'orgasmo di una donna. Non di una particolare donna, ma dell'essenza stessa della femminilità.

Così un giorno Aelred glielo avrebbe detto, molto semplicemente, approfittando di un momento di distensione, un dopo-sbronza magari quando i colori sono pallidi, le voci roche, e i pensieri vagano nell'aria satura di alcool come leggere condensazioni di idee non ancorate; glielo avrebbe detto ben sapendo di farlo soffrire e di procurargli una ferita violenta. Ma aveva deciso così. Amava Bruno, forse lo avrebbe sempre amato e per questo glielo avrebbe detto.

Si trovarono così faccia a faccia nell'appartamento di Cranley Gardens. Era da poco passata la mezzanotte di un giorno di marzo e faceva ancora freddo. Da qualche tempo erano rimasti senza soldi. Bruno telefonava ogni giorno in Italia per ottenere un anticipo dal suo editore, ma i soldi gli venivano, ogni giorno, negati. I suoi amici londinesi lo avevano abbandonato. Avevano conosciuto Aelred e immediatamente lo avevano messo in guardia da quello "spostato". Bruno, infastidito dal fatto che non riconoscessero il valore del suo ragazzo, smise di frequentarli. Quando si trovò in cattive acque telefonò, ma ebbe come risposta solo una cinquantina di sterline che gli servirono a pagare l'affitto di una settimana. Aelred non guadagnava. Lavorava parecchio ai suoi collages e ai suoi disegni. Ogni tanto arrivava l'assegno da parte di una rivista per lavori pubblicati precedentemente, ma erano come gocce d'acqua nel deserto. La sua famiglia viveva a Perth, nello Strathmore, in Scozia. Il padre aveva abbandonato la moglie e viveva negli Stati Uniti. A Perth erano rimaste la madre e le due sorelle che campavano decorosamente, ma certo non potevano passargli niente di più di quella rendita di duemila sterline annue che Aelred aveva ricevuto come vitalizio dal nonno paterno. Bruno, d'altra parte, aveva terminato da un pezzo il compenso dei suoi diritti di traduzione e non aveva in cantiere, a breve termine, nessun progetto che potesse garantirgli la sopravvivenza. Certi giorni cercava di scrivere, di riordinare gli appunti del suo romanzo, ma erano sempre tentativi destinati al fallimento. Non riusciva a entrarci, a mettersi tranquillo, a incatenarsi per il futuro a una avventura esclusiva e totale come quella della scrittura. C'era Aelred e sapeva che in Aelred qualcosa di oscuro si stava agitando. La prima volta in cui se ne accorse fu quando il ragazzo si assentò da Cranley Gardens per una settimana dicendo che sarebbe salito a Perth. Bruno invece venne a sapere, da amici, che se ne era restato a Londra e frequentava un club a Paddington in compagnia di una ragazza. Bruno non diede peso alla faccenda, ma quando ne parlò ad Aelred si trovò di fronte a una reazione violenta che lo colse del tutto impreparato. Aelred divenne furioso, urlò, sbraitò, ruppe bottiglie e bicchieri nel caminetto. Ma non osò toccare Bruno. Quando poi fecero l'amore, finita la sfuriata, Aelred disse: "È una faccenda mia. E tu non puoi farci niente. È così e basta."

Quella notte dunque Aelred non seguì come di consueto Bruno a letto, ma si sedette sulla poltrona, le gambe allargate, la testa china, le mani in grembo. Bruno si accorse della grana che stava scoppiando. Disse: "Che c'è Aelred?" con il tono di voce più calmo e pacato che conoscesse. Ma non era tranquillo. Era come il mare in una notte di bonaccia: buio e calmo. Ma non tranquillo.

Aelred scostò il ciuffo di capelli, sollevò lo sguardo e parlò. "Dobbiamo lasciarci. Per qualche tempo. È meglio per tutti e due. Devi tornare in Italia e lavorare."

"Non dirmi quello che devo fare, Aelred," disse sarcastico Bruno.

Aelred si stropicciò gli occhi. "Sei stato l'unico della mia vita. Voglio che tu lo sappia."

"Lo so, Aelred, lo so. E ora? C'è qualcun altro?"

Aelred indugiò. "C'è una donna," disse infine.

Bruno assorbì il colpo. "Ne sei innamorato?"

"Non lo so... Non lo so proprio."

"Perché vuoi andare da lei?"

"Devo provare. Ho avuto molte altre donne..." Lo disse sottovoce, per non irritarlo. Bruno capì che Aelred voleva liberarsi di lui.

"Vattene ora, se lo devi fare," disse Bruno.

Aelred si alzò dalla poltroncina. "Non voglio che tu soffra. Io ti voglio bene, ma è necessario che provi."

"Vattene adesso, perdio!" gridò Bruno.

Aelred uscì dalla stanza senza dire una parola.

I giorni seguenti furono per Bruno un continuo entrare e uscire dagli stordimenti dell'alcool senza mai avere, nemmeno per un istante, un attimo di lucidità. Tutto divenne confuso. Il suo pensiero ruotava per ore attorno a una parola senza tuttavia riuscire a fissarla. I suoi gesti si ripetevano identici mille volte per eseguire la stessa semplice azione senza tuttavia riusci-

227

re mai a completarla. Per aprire un rubinetto potevano anche passare delle ore. Bruno rimaneva immobile con la mano sul lavandino completamente perso nei suoi pensieri. Non tentò di scrivere, né chiese aiuto. Balbettava, ormai. Il suo linguaggio era come regredito a uno stadio infantile: conosceva solo poche frasi e poche parole e tutte erano parole che definivano Aelred. I momenti della loro unione gli sfilavano davanti agli occhi inchiodandolo al passato. Era come vedesse continuamente lo stesso film pornografico. Si eccitava e si masturbava al pensiero del corpo di Aelred, ma tutto appariva come in sogno, non ne traeva piacere, non si placava. Il bisogno di Aelred, dei suoi gesti d'amore, della sua voce, del suo corpo divenne l'ossessione. Non era difficile che in certi momenti avesse delle vere e proprie allucinazioni. Si sentiva chiamare per nome, ma in casa sapeva di essere solo.

Aelred tornò dopo quindici giorni. Era ubriaco. Bruno lo abbracciò e lo baciò. Aveva la barba lunga e rossiccia e incolta. Gli disse: "Solo tu sei il mio amore, Bruno." Si spogliò e si inginocchiò ai suoi piedi. Bruno sentì il caldo delle lacrime rigargli il volto. Si abbassò, lo afferrò sotto le ascelle, lo strinse al petto. Aelred singhiozzò sulla sua spalla. Gli disse qualcosa. Bruno parlò tra i singhiozzi: "Poiché tu sei il mio dio, Aelred, di cosa dovrei perdonarti?"

Aelred era tornato senza soldi. Gli servivano immediatamente centocinquanta sterline per pagare un debito. Bruno si diede da fare per raccogliere quella somma. Girò fra amici, andò dal suo editore. Riuscì a ottenere quello di cui aveva bisogno. Non chiedeva. Pretendeva. Quando Aelred ebbe finalmente in mano i soldi, sparì dalla circolazione.

Fu in quel momento che Bruno ebbe la lucidità necessaria per scrivere a Père Anselme, a Parigi. Non gli chiese aiuto, gli parlò solo del suo amore e di se stesso. Scrisse: "Sono incatenato a lui e per quanto tu possa disapprovare, per quanto ti possa apparire stupido e indegno di una persona che tu ritieni, a suo modo, intelligente, io sto bene. Mi basta sapere che mi cercherà e che tornerà da me per essere felice. Perché non può più fare a meno di me. Ho sempre cercato 'tutto' nella vita: la verità e l'assoluto. Ho sempre detestato la gente soddisfatta. Non c'è niente al mondo per cui stare allegri. Niente di niente. Eppure, io che ho lasciato perdere tante volte 'qualcosa' per avere soltanto niente ora mi sto accontentando di qualcosa. E sento che mi basta. E a mio modo sono felice. Amo profondamente Aelred, al punto che vorrei essere lui. Lo giustifico e lo capisco, anche se soffro. Ma se soffro è un problema mio. Io so che mi ama. A tutto o niente ora sto finalmente imparando a preferire qualcosa."

Quando tornò dall'ufficio postale di Gloucester Road, trovò la porta di ingresso accostata. Era certo di averla chiusa uscendo. Le assi di legno scricchiolarono sotto i suoi passi. Arrivò davanti alla porta dell'appartamento, sentì all'interno delle voci, ma non erano vere e proprie voci. Erano gemiti e sospiri che conosceva bene. Il suo primo impulso fu quello di entrare, ma una voce sconosciuta lo bloccò. Era la voce di una donna, il suo respiro, la sua lussuria. Non ebbe il coraggio di entrare. Si accasciò davanti alla porta con la schiena appoggiata alla parete. Restò così per parecchie ore. Non pensò a niente. Piangeva e balbettava, come in un disco interrotto, le sillabe del sacro nome di Aelred.

Verso sera finalmente la porta si aprì. "Bruno," disse Aelred, "che ci fai qui?"

Bruno farfugliò qualcosa. Entrò in casa. Bevve un bicchiere di birra, il solo alcolico ormai che potessero permettersi. La ragazza stava seduta in poltrona. Era alta, magrissima e con una grande cresta di capelli rossi. Aelred fece le presentazioni. "È una mia amica. Non sa dove dormire. Le ho detto che può fermarsi qui qualche giorno. Glielo permetteremo, vero?" Bruno chinò la testa. "Sì, Aelred, come vuoi tu."

La ragazza si trattenne una settimana e fu l'inferno. Molte volte Bruno fu sul punto di cedere a quel gesto. Aelred passava dalle sue braccia a quelle della ragazza. "Vi amo tutti e due," diceva allegro. "Siamo una famiglia perfetta."

Una mattina si svegliarono soli. La ragazza era uscita. Bruno parlò con Aelred. "Non ce la faccio più, mandala via," disse. "Scegli: o me o lei."

Aelred lo accarezzò arruffandogli i peli sul petto. "Se io rinuncio a lei, rinuncio a qualcosa a cui tengo. E così sarebbe per te."

"E allora andate al diavolo!"

Aelred riuscì a calmarlo con le lusinghe del suo corpo. Ma fu l'ultima volta in cui fecero l'amore, almeno in quel periodo. Padre Anselme arrivò quello stesso pomeriggio. Capì la situazione al volo. "Non puoi restare con quel ragazzo. Non sa chi è e non potrà mai amare nessuno finché non lo scoprirà. E lo dovrà fare da solo." Detto questo, portò Bruno a dormire nella casa che lo ospitava a Maddox Street.

Due giorni dopo partirono insieme per Roma. Per Bruno tutto si svolse talmente in fretta da non rendersi pienamente conto di quello che stava succedendo. Sapeva di uscire da un incubo. Ma sapeva, altrettanto bene, che un altro incubo, molto più terribile, quello dell'abbandono e dell'addio, lo attendeva.

"Aelred è il mio ideale. Nessuno come lui ha corrisposto a quello che io mi sono sempre immaginato della persona che volevo accanto per la mia vita," disse in aereo, sulla via del ritrno.

"Peccato che fosse marcio," commentò Padre Anselme, succhiando la sua ostrica.

5

Adieu! my friends, my work is done,
And to the dust I must return.
Far hence, away, my spirit flies
To find a home beyond the skies.

Quella prima notte in cui lo vide, Bruno May se ne stava sulla terrazza dell'Excelsior, a Firenze, in compagnia di un gruppo di ragazzi dal fisico alto e asciutto che lo reggevano a turno con una disinvoltura senz'altro frutto di una certa consuetudine; poiché i giovanotti, certamente fotomodelli o indossatori, riuscivano a dar l'impressione che non fosse tanto lui ad appoggiarsi a loro, ormai incapace di reggersi in piedi per il troppo alcool o troppa polvere o troppe pasticche o troppo dio-sa-cosa, quanto piuttosto il contrario. E cioè che fossero proprio quei gran pezzi d'uomini dai volti perfetti, dai sorrisi smaglianti, dagli occhi luminosi come diamanti o zaffiri o smeraldi a cercare chi prima chi poi il suo sostegno.

Quella prima notte in cui lo vide, Oliviero Welebansky si disse allora due cose: la prima che, per quanto conoscesse la sua vera età, non lo faceva così giovane; la seconda che, come gli avevano riferito alcuni amici, stava realmente, in quel periodo, dando fondo a tutta la sua inquietudine.

Era una notte di metà luglio e faceva caldo. Nell'attico del Grand Hotel si consumava un pranzo che un grande sarto dava in onore della presentazione della sua collezione a Pitti. Quando Oliviero arrivò, era da poco passata la mezzanotte e già una piccola folla in abito da sera sciamava fra gli ascensori e il grande atrio parlando a bassa voce. Erano per lo più giornalisti, fotomodelle, indossatori e personaggi in auge nelle cronache mondane che avevano deciso di lasciare l'albergo per continuare probabilmente la nottata in un qualche salotto o in un night-club. Oliviero salì sull'ascensore in compagnia di due modelle che parlavano un inglese sommesso e veloce. Indossavano entrambe lo stesso tipo di abito in paillettes rosso fuoco, ma in due versioni differenti: la ragazza di colore aveva un décolleté vertiginoso, da lasciare senza fiato. L'altra invece, dal viso orientale, una scollatura sulla schiena che si stringeva torcendosi su un fianco fino a raggiungere, sul davanti, la zona dell'ombelico. Fu una salita molto agevole.

Sbucò poi in un corridoio rivestito di raso bianco come una bomboniera. Una gigantesca corbeille di fiori tropicali era appoggiata sulla moquette candida davanti a un tavolino. Data l'ora, la festa volgeva ormai al termine, il cameriere sistemava sul tavolo i cartoncini di invito come carte da gioco estraendoli da un antico bruciaprofumi orientale. Quando vide Oliviero avanzare, preceduto dalle due ragazze, cercò disinvoltamente di radunare gli inviti a mazzetti. La sua espressione era compassata. Ma era chiaro che stava giocando.

Oliviero oltrepassò una prima muraglia di invitati e raggiunse il salone. Un centinaio di persone erano ancora sedute ai grandi tavoli circolari sistemati attorno a una piccola pista da ballo incartata di argento. Dall'alto pendevano come liane grappoli di fiori bianchi che i ballerini spostavano con la schiena, il viso o le gambe. Si divertivano. Lo champagne girava senza ritegno. Alcune ragazze erano ubriache e si dondolavano sulla pista in un seducente controtempo, come stessero muovendosi al suono di una viola d'amore e non di quel rap scatenato diffuso dagli altoparlanti. Oliviero gettò lo sguardo sui tavoli, fece qualche cenno a gente che lo salutava da lontano, ma non si fece avanti. Era capitato all'Excelsior per noia. Certo non lo interessava la gente, quella particolare gente che incontrava da una vita sempre nei soliti posti: a Parigi, a New York, a

Firenze, nei luoghi di villeggiatura per miliardari nel subcontinente indiano o in quello sudamericano. La solita gente che affollava le sfilate, i parties, i cocktails, i debutti, i commerci, le operazioni finanziarie, i pranzi, i festivals, i salotti. Era da troppo tempo che la conosceva e non gli procurava alcun brivido. Da trent'anni non era più quel giovane spaurito esule polacco che aveva chiesto asilo alla Francia, che aveva vissuto come un sogno la vita dell'occidente, la notte di Parigi, i boulevard, i café chantant, la musica, i cabaret. Non era più quel ragazzo potente capace di far l'amore per giorni e giorni con vecchie pollastre solamente per provare a se stesso la propria esistenza nel mondo. Era ormai un uomo maturo, solido, roccioso, impenetrabile che preferiva la vita tranquilla della Colonia di Vermilyea, a Roncelle, di cui era diventato, con gli anni, il sacerdote. C'era una frase di Scott Fitzgerald, nel *Crack-Up*, che aveva segnato la sua vita. "In una reale notte fonda dell'anima sono sempre le tre del mattino, giorno per giorno." Per venti anni per lui fu sempre quell'ora finché qualcosa non cambiò e finalmente poté accorgersi di un nuovo mattino, che un nuovo sole era sorto anche per lui.

No, non era andato all'Excelsior per trovare compagnia o fornirsi un pretesto per folleggiare fino a mattino. Era capitato lì come si passa dal bar, per abitudine. Non doveva combinare affari, né intortare un qualche uomo politico per riceverne favori. Non era un talent-scout e nemmeno un patito del sesso facile e veloce. Nessuno gli doveva nulla e lui non doveva niente a nessuno. Non era curioso né pettegolo. Non doveva raccogliere informazioni, né imbastire intrighi, né, tantomeno, soggiacere ai penosi riti della "forma". Era soltanto, forse, un *collezionista*. Molta di quella gente che gli si stringeva attorno, lui l'aveva vista cadere in disgrazia, poi riemergere, poi cadere di nuovo. Altri erano spariti per sempre. Conosceva i segreti delle carriere di questo o di quello, ma non perché gli importasse qualcosa, ma solamente perché era un osservatore e osservando traeva conclusioni e traendo conclusioni collegava e collegando riusciva a inquadrare perfettamente la situazione di un individuo da un semplice battito di ciglia. Per questo non gli interessava più quel mondo, ma continuava a viverci poiché sapeva che la *society* è una grande rete da pesca che strascica i fondali della contemporaneità smuovendo fango e prede meravigliose. E ogni tanto rivelando improvvisamente la luce di una perla.

Raggiunse la terrazza. Era una notte straordinariamente limpida. I campanili delle chiese, le torri, la cupola di Brunelleschi, Orsanmichele, si illuminavano sullo sfondo come tante diapositive turistiche proiettate sulla parete brillante e quasi fosforescente della città vista dall'alto. Le serpentine di luci arancioni disegnavano i contorni dei grandi viali di circonvallazione. Dalla parte opposta correva la fossa nera dell'Arno contenuta fra due sponde di luci bianche e spioventi. La facciata di San Miniato era là, in alto sulla collina, straordinariamente illuminata. Era quasi possibile cogliere il disegno dei marmi tanta era la sua nitidezza. Una falce di luna le splendeva sopra. Era tutto come un grande teatro di posa pronto per il ciak. Lo scenario della notte fiorentina appariva infatti nel suo emozionante sviluppo a tableau, nella scansione dei vertici, delle guglie, delle lastre scure dei tetti, come finto. E in effetti era finto. Firenze non era mai stata *così*. Quello che faceva da sfondo al grande terrazzo dell'Excelsior era solamente il doppio notturno di una città mai esistita in quella forma e in quella dimensione e soprattutto in quei tagli di luce così plastici e così artificiali. Con tutta probabilità, cinquecento anni prima, una città chiamata Firenze era lì realmente esistita. In quel momento invece si trattava semplicemente di una fra le tante migliaia di città della notte in cui un occidente agonizzante specchiava la propria inevitabile fine: accendendo candele ai monumenti e al passato come si fa con le care immagini dei morti.

Oliviero restò a guardare la notte. Quando si voltò, prendendo una coppa di champagne dal vassoio che il cameriere gli porgeva, gettò il suo sguardo su quel gruppo chiassoso di ra-

234

gazzi. C'era qualcosa che lo attraeva in uno di loro, la smorfia cinica del suo sorriso, l'essere sorretto a turno dalla compagnia, il suo astrarsi, ogni tanto, dalla conversazione scherzosa per fissare un punto qualsiasi davanti a sé. Poi si riprendeva scrollando la testa, come dovesse uscire da un sogno o dall'immersione in una vasca colma d'acqua. Oliviero lo riconobbe. Provò immediatamente un senso di soddisfazione per essere arrivato al party. Si fermò così, a una decina di metri, appoggiato al parapetto della terrazza, a scrutarlo.

Qualche minuto dopo, Bruno gli si avvicinò. I ragazzi erano rientrati nella sala e dai gesti che si erano scambiati aveva capito che Bruno volesse rimanersene un po' a prendere aria. Lo vide avvicinarsi e appoggiarsi al parapetto, curvato, come dovesse cogliere qualcosa giù in strada. Oliviero non si voltò. Rimase imperturbabile.

"Problemi sentimentali?" disse come parlando fra sé e sé.

Bruno si girò. "Come ha detto?" Rimaneva chinato come un fantoccio sul parapetto.

"D'altra parte è tutto così inefficace," proseguì Oliviero. "Gli unici piaceri della vita sono l'alcool e le donne. Ma quando sei con una donna non puoi far altro che berci sopra. Perché non sarà più lì quando tu la cercherai."

"L'alcool tiene lontane le belle donne," disse Bruno rialzandosi. Gli chiese il bicchiere e lo finì. "Una volta... Mi sentii molto solo dentro a un uomo."

"Ho letto un suo libro," disse Oliviero.

Bruno sbuffò. "Avrei preferito che non me l'avesse detto."

"Perché?" Lo guardò.

"Era un'altra persona. Le sembrerà ridicolo, ma è sempre così quando si finisce un libro. Chi ha scritto quelle cose è una persona di cui occasionalmente io porto il nome. Niente di più."

Oliviero allora, nonostante conoscesse il ragazzo da pochi minuti, o forse proprio per questo, si azzardò a fargli una domanda, quella domanda che solitamente nessuno fa a un'altra persona nonostante sia la domanda fondamentale di ogni esistenza. Qualcosa che tutti danno per scontato e che nessuno si rivolge. Anche fra intimi. Oliviero sentì che quel ragazzo gli avrebbe permesso quel genere di domanda così banale e così violenta.

"Perché vivi, se non sei felice?" domandò.

Bruno fece una smorfia come per concentrarsi. "Voglio tornare a scrivere... Le sembra una risposta adatta?"

"È così importante per te?"

"Per me lo è."

"E sufficiente?" insistette Oliviero.

"Ogni persona è costretta a crearsi una finzione per poter continuare a vivere. C'è chi pensa alla famiglia, chi al lavoro, chi al danaro, chi al sesso. Ma sono tutte illusioni. Io ho la mia. Non posso fare a meno di crederci."

"T'ho guardato poco fa in mezzo ai tuoi amici. E sai cosa ho pensato?"

Bruno ridacchiò. "Me lo dica."

"Ho pensato: quel ragazzo sta sbagliando tutto. È talmente diverso dalla gente che c'è qui. Né migliore né peggiore. Diverso."

"Stavo facendo qualcosa di male?"

"No, no," disse Oliviero. "Ma ho come avuto una sensazione. Che questa non sia la maniera giusta per te. Tutto qui."

"E quale sarebbe quella giusta?"

Oliviero lo fissò. "Io credo che tu lo sappia già." Restarono in silenzio un paio di minuti. Qualcuno si avvicinò a Oliviero per salutarlo. Bruno gli fu grato per comportarsi come se non si conoscessero. Non fu coinvolto da presentazioni. Prese da bere.

"Ora devo andare," disse Oliviero.

Bruno gli strinse la mano. "Buonanotte."

"Pensa a quello che ti ho detto. Né più, né meno. Solo a quanto ti ho detto," disse, congedandosi.

Bruno abbozzò un sorriso. "Cercherò."

"Potremmo risentirci?" arrischiò Oliviero. "Dimmi solo sì o no. Riuscirò a rintracciarti per mio conto."

Bruno non rispose immediatamente. Gli sembrò tutto così irreale. Per questo disse: "Va bene," per sapere, il giorno dopo, se quell'uomo era vero o solo il frutto di una tra le tante sue allucinazioni.

A Firenze, nel suo vecchio appartamento di costa de' Magnoli, Bruno era tornato dopo qualche settimana passata nella zona dei castelli romani ospite di Padre Anselme. In quel piccolo borgo fra i laghi di Albano e di Nemi sentì le forze tornare come se il pericolo maggiore fosse passato. Abitava nella canonica, una casa fine Ottocento, all'ultimo piano sopra le stanze di Padre Anselme. Passava le sue giornate passeggiando lungo le strade della collina, leggendo, discutendo la sera, a tavola, con il vecchio amico.

Il paese contava circa trecento abitanti ed era composto in maggioranza da vecchi e bambini. C'era un solo bar-osteria, una trattoria, una rivendita di generi alimentari con spaccio di tabacchi. Per il resto, oltre a quelle case di roccia vulcanica, non c'era nient'altro. O meglio, c'era tutta la silenziosa bellezza dei pendii rigati dai vigneti, degli uliveti sensibili al movimento del sole al punto da mutare continuamente colore, di quei boschi in cui ogni tanto i lecci, gli ontani, i platani si diradavano di colpo per fare emergere pareti di tufo a picco.

Ma non riusciva a scrivere. Non riusciva a pensare, se non all'amico. Un giorno telefonò in Cranley Gardens. Il desiderio di Aelred era divenuto troppo forte. Gli rispose la voce di un uomo. Non seppe dargli nessuna indicazione utile. Bruno riabbassò il ricevitore scuotendo la testa.

"Tornerò a casa," disse quella sera a Padre Anselme.

Il vecchio lo guardò. Si aspettava da un giorno all'altro che Bruno rivendicasse la propria libertà. Ma non se lo aspettava sinceramente così presto. "Come vuoi," rispose. "Ti senti sufficientemente tranquillo?"

"Voglio tornare a Firenze a scrivere."

Padre Anselme non disse nulla. Avrebbe voluto spiegargli che era ancora presto, che aveva bisogno del suo aiuto più di quanto credesse, che per guarire definitivamente dal fantasma di Aelred gli sarebbero occorsi mesi e forse anni. Avrebbe dovuto tener conto delle ricadute, dei deliri; si sarebbe trovato improvvisamente al punto iniziale come quel giorno sull'aereo per Roma. No, non si poteva dimenticare così in fretta una storia come quella. Soprattutto se non si era convinti di doverla dimenticare. Non fece obiezioni. Avrebbe soltanto drammatizzato un fatto che invece bisognava far passare come la logica conseguenza delle cose: Bruno era da lui come ospite per qualche tempo. Finito il periodo di convalescenza se ne sarebbe dovuto andare. Ma era troppo presto.

"Perché non rimandi di qualche settimana? A metà aprile partirò per Madrid. Potremmo lasciarci allora," disse soltanto.

"Voglio andarmene ora," gridò Bruno. "Non stare a dirmi quello che devo o non devo fare. Mi sembra di impazzire fra queste galline e questi conigli. Non sono fatto per vivere lontano dalla gente. Voglio tornare a Firenze. Subito."

Il giorno dopo si lasciarono. Bruno salì sul pullman diretto a Roma. Anselme non lo accompagnò. Si salutarono in biblioteca bevendo il tè. "Non mi dai la tua benedizione?" chiese Bruno.

"La prossima volta, quando tornerai, te la darò," fu la secca risposta di Anselme.

Tornare a Firenze. La sua città. Dopo il dolore della separazione tornare a respirare l'aria che aveva allargato i suoi polmoni per la prima volta. Firenze, che lo accoglieva con un abbraccio ordinato e composto. Tornare a frequentare i vecchi amici, le vecchie strade, sentire nell'aria gli stessi profumi, ritrovare i gesti di tanto tempo prima, la abitudini, i caffè, le parole, la lingua. L'abbandono di Aelred lo aveva talmente distrutto che ora aveva bisogno di ricominciare nello stesso luogo in cui era iniziata la sua vita. Era andato troppo oltre. Il suo amore lo aveva lanciato talmente lontano da non poter più nemmeno scorgere dietro di sé la propria *traccia*. E ora, il ritorno a casa, aveva tutta la dolcezza di un soffice ritorno tra le proprie braccia. Tornare a Firenze fu per Bruno come tornare a guardarsi allo specchio: riconoscere i tratti del proprio viso, i propri lineamenti, le proprie espressioni. Da troppi mesi infatti il viso che trovava quando si specchiava, non era il suo, ma quello pallido di Aelred.

Fu in quei primi giorni a Firenze, scendendo a piedi da via San Leonardo fino in costa de' Magnoli, che Bruno provò quella particolare e strana dolcezza che è solo dell'abbandonato, o meglio, di certi istanti che l'abbandonato prova: il sentirsi cioè ancora fidanzato per il resto della propria vita, ma fidanzato in assenza. Questo particolare sentimento allora gli si riversava addosso come venerazione di un corpo che l'amato aveva venerato. Attraverso un tale gioco di proiezioni Bruno sentì di amarsi, di voler continuare a esserci, di voler scrivere. Sapeva che nessuno mai al mondo avrebbe potuto togliergli il ricordo del suo amore. Aelred era come incollato alla sua pelle.

In quei dolci momenti si sentiva infatti come qualcuno che in un qualche modo *ce l'aveva fatta*. Tutto durava un istante.

Pochi giorni dopo cominciò a capire quanto sarebbe stata difficile la sua impresa. Rimaneva per ore davanti alla macchina da scrivere senza che una sola descrizione si concretizzasse sui tasti. Scrivere diventò un incubo. Si trovò in un circolo vizioso: beveva per poter scrivere, ma quando era ubriaco non poteva riuscirci. Si trovò senza soldi, completamente al verde. Dapprima visse dei prestiti di qualche amico, ma a lungo andare il gettito era destinato a interrompersi. Si sentì inutile, perduto, fallito, insoddisfatto, gettato via. Più chiedeva meno gli veniva dato. Pensò a cercare lavoro. Ma questo avrebbe significato l'abbandono della scrittura. E Bruno, invece, ogni mattina, appena sveglio, correva con gli occhi sbarrati alla macchina da scrivere sperando che quello fosse il giorno buono, il mattino miracoloso. Fu tutto inutile. Scriveva pagine e pagine, ma nessuna riga degna di entrare in un romanzo. Gettava i fogli in un cassetto su cui era scritto Diario. C'era un solo pensiero ormai inchiodato al suo cervello: Aelred. Se quello di bruciare era il suo destino, allora lo avrebbe fatto con Aelred. Affittò il proprio appartamento a due fotomodelli californiani. Con i soldi dell'anticipo volò a Londra. Si precipitò al club in cui era andato quella prima sera in cui aveva incontrato Aelred. Non lo fecero entrare. Gli dissero che non vedevano il ragazzo da qualche tempo. I vecchi amici londinesi dimostrarono, nel rivederlo, freddezza e imbarazzo. Bruno riuscì comunque a farsi ospitare da uno di loro in un flat vicino a Earls Court con la promessa che non si sarebbe trattenuto più di tre notti. Per tre notti e tre giorni cercò Aelred senza riuscire a trovarlo. A quel punto, disperato, tornò in Italia. Fu allora che tutto nella sua testa scomparve – il pensiero del libro, la preoccupazione del danaro, il ricordo di Aelred – assorbito dai fumi opachi dell'alcool. E così, completamente fradicio, o completamente a secco – a seconda dei punti di vista – lo incontrò Oliviero quella notte, sulla terrazza dell'Excelsior.

"Pronto!" gridò Bruno seccato all'apparecchio.

Erano le undici di mattina e stava ancora dormendo.

"Ti ho disturbato?" Gli sembrò di riconoscere quella voce.

"Sono a letto..."

"Mi chiamo Oliviero Welebansky. Ci siamo conosciuti due notti fa all'Excelsior, ricordi?"

Bruno sbadigliò. "Molto confusamente."

"Che ne dici di fare colazione insieme?"

"Oggi?"

"Fra due ore passerò a prenderti da Giacosa. Beviamo un drink e poi andremo a Roncelle. Sai dov'è?"

"Sì... Credo di sì."

"Molto bene. Addio."

Arrivò all'appuntamento in perfetto orario, se non altro perché aveva bisogno di bere per ridurre il tremolio delle mani e della testa, e quella era una buona occasione. Si fece preparare due *Long Good-bye* che mandò giù difilato.

"Quando ci siamo conosciuti?" chiese Bruno.

Oliviero lo guardò. "Non facciamone un problema. Cogliamo l'occasione per conoscerci ora. Va bene?"

Bruno ridacchiò. "Lei mi piace, sa?"

Oliviero si grattò la guancia con un dito. "Ti devo avvertire. Non saremo soli a Roncelle."

Bruno fissò i due bicchieri vuoti con aria triste. "Se ha intenzione di gettarmi in un qualche pasticcio è bene che sappia che sono già nei guai fino al collo."

Oliviero gli appoggiò la mano sulla spalla. "Non è per questo. Conoscerai altra gente. Tutto qui. Te lo dico perché sei ancora in tempo a rifiutare."

"Come mai non me lo ha detto prima, al telefono?"

Oliviero lo prese decisamente al braccio e lo portò fuori. Bruno ebbe l'impressione di aver chiesto qualcosa di troppo.

Arrivarono a Roncelle, un piccolo paese a sud di Firenze fra l'Impruneta e il Galluzzo, una mezz'ora dopo. La grande auto di Oliviero svoltò per una strada ghiaiosa finché non oltrepassarono una grande cancellata bianca. La strada divenne più larga. In fondo Bruno scorse tra gli alberi una villa in stile rinascimentale.

"Abita qui?" chiese guardandosi intorno.

Oliviero fece un cenno affermativo con la testa.

"Credevo che in posti del genere abitassero solamente americani. Al più qualche inglese."

"Infatti," disse Oliviero arrestando l'auto.

"Lei è americano?"

"È di Velma. La conoscerai tra poco."

Scesero dall'auto. Bruno seguì Oliviero. Non entrarono nella villa, ma attraversarono un boschetto di noccioli selvatici fino a sbucare sul retro della casa. C'era una grande piscina, una tenda sotto cui alcune persone consumavano una colazione, qualche gruppo in costume da bagno. Seduta su una poltrona di vimini una donna non più giovane, avvolta da un pareo rosso scarlatto, era intenta a dipingere attorniata da una cucciolata di spaniel tibetani.

Oliviero guidò Bruno verso Velma. Lo presentò. La conversazione che seguì, per qualche minuto, fu formale e inconsistente. Bruno adocchiò un carrello di beveraggi. Dalla piscina provennero spruzzi d'acqua; si erano tuffati e ora nuotavano placidamente. Ebbe voglia di farsi un bagno, ma soprattutto di bere. Oliviero capì e lo portò in un salotto. "Potremo parlare con più calma," disse.

"Non ho molta voglia di parlare. Dopo mezza bottiglia di gin potrei anche provarci."

"Accomodati," fece Oliviero.

Bruno si versò una buona dose di gin. Lo bevve puro, allungato solamente con un po' di ghiaccio. "Ora va meglio," disse quando ebbe finito.

"Allora. Come ti sembra?"

"Ora faccio io le domande," disse aspro. "Chi è quella gente? E perché mi ha portato qui? Cosa volete da me? Risponda prima lei a queste cose."

Oliviero scosse il capo. "Potresti fermarti da noi, se vuoi."

"E a fare che?" Gli sembrarono tutti pazzi. La vecchia vestita di rosso, quell'uomo grande e grosso che sedeva di fronte a lui, quell'altra gente che nuotava in piscina e i cui schiamazzi raggiungevano la stanza.

Oliviero non rispose e cambiò argomento. "Preferisci far colazione fuori o di sopra?"

"Non ho visto di sopra," disse Bruno.

"È una buona risposta," fece Oliviero alzandosi. Si avviarono lungo un corridoio decorato da centinaia di tele e altre opere d'arte contemporanea, fino a raggiungere uno scalone. Bruno si sentì confuso, ma anche eccitato. Questo, comunque, fu il suo ingresso ufficiale nella colonia Vermilyea.

Velma chi diceva avesse settanta chi ottant'anni, ma la sua vitalità era fuori discussione. Era capace di stare in piedi fino all'alba a ballare su quelle sue ancora splendide gambe, e il giorno dopo, alle undici, sedere in giardino davanti al cavalletto e dipingere come se tutto quanto aveva fatto la notte prima fosse semplicemente stato un giro di valzer.

Velma godeva di una ingente rendita che le proveniva da un numero imprecisato di immobili in Italia e all'estero, da pacchetti di azioni finanziarie ereditate dal primo marito, e da quel che restava, in liquido, di un cospicuo patrimonio famigliare di cui era tornata in possesso, completamente, dopo la morte della sorella. Non aveva figli e solo due matrimoni alle spalle. Era una donna alta circa un metro e ottanta, magra, con un viso allungato che si gonfiava sulle guance e sul mento. Aveva grandi occhi turchini e capelli biondi ossigenati con striature più chiare, lunghi fin sulle spalle. Aveva un paio di cosce turgide che si affusolavano sui polpacci sodi fino a congiungersi ai piedi in un paio di caviglie strette e perfette come le ruote di un ingranaggio. Da una decina d'anni la sua attività preferita era una sorta di mecenatismo avveduto. Collezionava opere di artisti contemporanei, finanziava giovani talenti ospitandoli nelle sue case e passando loro, alle volte, un piccolo vitalizio. Si circondava di gente giovane e questo anche per combattere la depressione dell'età. Oliviero Welebansky la affiancava in qualità di amministratore e di consulente. Più che altro il suo compito era quello – come diceva Velma, con la sua bizzarra voce strascicata – di separare le mele marce da quelle buone. E non perché non andasse ghiotta di certi particolari sapori di disfacimento, ma perché, da un punto di vista squisitamente etico, non avrebbe potuto sopportare che il marcio contagiasse il resto o viceversa. La sua casa era uno strano miscuglio di buono e di cattivo, di artisti di valore e di pessimi uomini, di epicurei professionisti e di gente approdata da lei sospinta dai misteriosi flussi dell'esistenza.

Quell'estate in cui Bruno fece il suo ingresso nella colonia, si stava decidendo dove trascorrere un periodo di vacanza. Velma, in questi casi, non sceglieva mai per tutti. Si limitava a fare alcune proposte per bocca di Oliviero, ben sapendo che lo sciame avrebbe sempre seguito la sua ape regina. Molti dipendevano dalla sua figura non soltanto finanziariamente, ma anche psicologicamente. Udo, uno svizzero ancora molto giovane, per esempio, non faceva che gridare il suo nome e recitarle dichiarazioni d'amore quando l'ispirazione veniva a mancargli. Chantal e Nicole, due lesbiche francesi, erano le sue ninfe. La accudivano, la coccolavano, cantavano il suo nome, le dedicavano ogni loro performance. Senza il suo consenso, i membri della colonia non si esibivano mai in pubblico. E a tutti Velma dispensava i propri consigli e, alle volte, anche il fiore avvizzito delle sue gambe.

"Si sta decidendo per il Portogallo," disse in quei giorni Oliviero a Bruno. "Che ne pensi?"

"Dove?"

"Ottanta chilometri a sud di Lisbona. Velma ha una tenuta sull'oceano. Confina con un bosco di sugheri. Non va da molti anni."

Bruno si dondolò sulla poltrona. Erano nel giardino, verso il tramonto. "Non so..."

"Ti farà bene," disse Oliviero.

"Vorrei scrivere."

"Dopo, dopo lo farai. Pensa a tornare in te."

"Ti ho mai parlato di Aelred?" disse Bruno come seguisse un filo del discorso tutto suo.

Oliviero assentì. "Non fai che parlare di lui."

"Già," gli fece eco, "io non faccio che vanverare di lui. E non serve assolutamente a niente."

Partirono per il Portogallo verso la fine di luglio. D'accordo con Velma, Oliviero aveva provveduto a liberare l'appartamento di Bruno, in costa de' Magnoli, dai due indossatori. Ma glielo avrebbe detto soltanto a vacanza finita.

In Portogallo andò tutto liscio. Bruno diede un lieve cenno di miglioramento dimezzando la sua razione alcolica quotidiana. Oliviero gli era sempre alle costole, ma non lo infastidiva. Dormivano in due camere separate sullo stesso piano nel corpo centrale della villa. Gli altri ospiti erano alloggiati in bungalows sparsi per la tenuta.

Una notte, rincasando insieme da una festa in riva al mare, Bruno gli disse: "Ho un solo altro amico insieme a te."

Oliviero si fece più vecchio. Non disse niente.

"Si chiama Anselme. È un prete. Mi ha beccato quando uscì il mio primo romanzo otto anni fa. È sempre in giro per il mondo all'inseguimento delle sue anime. Mi diverto con lui. Gli voglio molto bene. Ma è un po' come te..."

"Cosa vuoi dire?" domandò Oliviero.

"Tutti e due volete tirarmi da qualche parte. Farmi fare una scelta."

"Non ti ho chiesto mai nulla, Bruno," disse Oliviero. C'era un po' di risentimento nella sua voce.

"Il bello è proprio questo. Che non chiedete nulla. Ma è come se lo pretendeste. È una specie di gioco che io devo scoprire."

"Mi farai conoscere il tuo amico Anselme?" chiese Oliviero.

"Non so..." Pensò un istante. "No, penso di no. Mi tendereste una trappola." Si mise a ridere.

Raggiunsero il corpo centrale della villa. "Ti sono molto riconoscente per tutto questo," disse Bruno. "Te lo dico una volta per tutte. Non mi piace ringraziare. Questa sarà l'unica volta."

Oliviero si arrestò sulla scalinata d'ingresso. Bruno si fermò qualche passo più avanti. Si girò. Vide in Oliviero una espressione strana. Era tranquillo, sereno e pieno di sé. Era Oliviero Welebansky come mai lo aveva visto. Il suo viso era divenuto realmente il ritratto della sua personalità. Era un viso da ragazzo che ne ha viste troppe: una somma tale di esperienza da divenire universale e, nel medesimo tempo, assolutamente trascurabile. Oliviero allargò le braccia e gli andò incontro. Bruno si adattò a quell'abbraccio. Appoggiò la testa sulla spalla dell'altro. Oliviero alzò una mano per accarezzargli la nuca, ma si fermò così a mezz'aria come avesse paura di romperlo. Gli sfiorò i capelli.

"Buonanotte," gli disse all'orecchio.

Bruno si allontanò da quell'abbraccio. Salì in camera. Dalla sua finestra poté vedere Oliviero passeggiare da solo nel giardino con estrema lentezza. Guardava le cime degli eucalipti, alzava il braccio per accarezzarne le foglie e sentirne il profumo. Poi arrivarono altre persone e l'incantesimo si ruppe. Fu l'unica volta che Oliviero osò toccare Bruno. L'unico abbraccio della loro vita. Per questo, ma non solo per questo, fu indimenticabile.

Tornarono a Roncelle ai primi di settembre dopo un breve soggiorno a Parigi. Bruno ritrovò il suo appartamento sgombro. Trovò fra la posta anche un biglietto di Padre Anselme. Proveniva da Atene ed era scritto sulla carta intestata dell'Olympic Airways. Era vergato nella calligrafia minuta e difficilmente leggibile di Anselme. Era un pensiero di Pascal: "Se vivere senza cercare di conoscere la nostra natura è un accecamento soprannaturale, vivere male, pur credendo in Dio è un accecamento terribile." Più sotto Anselme aveva formulato un breve saluto e annotato la data del suo ritorno in parrocchia. Bruno rigirò tra le dita quel biglietto e lo appoggiò sul tavolo dello studio. Prima o poi, lo sapeva, lo avrebbe ritirato fuori.

Ai primi di ottobre Oliviero organizzò una "serata d'onore" per Bruno in un teatro di Firenze. Monique, una ragazza olandese, avrebbe curato la scenografia coprendo le quinte con grandi pannelli di veline colorate e incollate l'una sull'altra, un trio d'archi avrebbe eseguito musica romantica, e Velma presentato la serata in cui Bruno, per la prima volta, avrebbe letto alcune pagine del suo nuovo lavoro. Furono spediti gli inviti. Lo scopo era quello di fare avere a Bruno il cachet che la direzione del teatro aveva programmato per un ciclo di conferenze. Organizzando la serata in uno spettacolo, Oliviero era riuscito a strappare una cifra che avrebbe permesso a Bruno di tirare un po' il fiato. La serata fu disastrosa. Il teatro era stato scelto troppo grande, così che risultò vuoto. A metà serata Velma cercò di sollevare la situazione scoprendosi le gambe e lanciandosi in un passo di cha-cha-cha. Ebbe un personale successo che trapelò anche da un paio di resoconti sui giornali, qualche giorno dopo. Bruno si scolò una bottiglia di gin per trovare la forza di presentarsi davanti a quel buco nero che era la platea e pronunciare il nome di Aelred. Abbandonò poi il teatro mentre Velma ballava il cha-cha-cha invitando i presenti a raggiungerla sul palco.

Si ritrovarono tutti in un ristorante di Borgo San Jacopo. Oliviero gli consegnò l'assegno che Bruno infilò nella tasca interna dello smoking. Non disse una parola. Entrò nel ristorante un marocchino a vendere le sue cianfrusaglie. La sala era gremita dalla colonia. Velma troneggiava al centro della tavolata, osannata dai suoi adulatori. Il marocchino si rivolse a Bruno mostrando un paio di collane. Oliviero gli allontanò la mano sgarbatamente. Spinse lo sguardo sprezzante verso Velma: "Allez chez elle," disse secco. "Nous n'avons pas d'argent. Nous sommes les parasites officiels."

Ormai Bruno faceva parte della colonia, in tutto e per tutto. Dipendeva economicamente da una specie di borsa di studio che Oliviero gli aveva messo insieme perché terminasse il suo nuovo libro. Ma Bruno non aveva nessuna intenzione di mettersi a scrivere. Avrebbe scritto di Aelred, questo era certo, ma così facendo lo avrebbe cacciato definitivamente dalla sua vita. Non voleva considerare quell'amore talmente finito da poter essere imprigionato in una descrizione. Amava Aelred. Certi giorni scriveva pagine e pagine sul sentimento che Aelred aveva fatto esplodere in lui, ed erano pagine che assomigliavano a una partitura musicale, in cui il ritmo del discorso procedeva per poi arrestarsi e continuare su altri toni e altri ritmi fino a riprendere il motivo iniziale, e questo ritorno alla superficie di parole e frasi ormai travolte dal flusso del discorso aveva in sé la bellezza della riscoperta, del riaffioramento alla luce, della rinascita. Ma fu tutto inutile. Le pagine finivano nel solito cassetto. Aelred non lo avrebbe mai amato per quanto lui andava scrivendo. E il suo amore non si sarebbe mai risolto in quelle pagine.

Aveva un bisogno quasi vitale di scrivere, ma sentiva strappar via questa scrittura dal suo cuore come un boia fa con le unghie delle sue vittime. Doveva restare immobile, non far nulla. Non voleva separarsi da Aelred. Se se ne fosse liberato, che dannata razza di liberazione sarebbe stata in realtà? Sarebbe semplicemente morto. Bruno e Aelred morti e mummificati insieme su una stupida pagina scritta.

La presenza di Oliviero divenne per lui ossessiva come un senso di colpa. Si ritrovò seduto al suo scrittoio fissando nel nulla. Poi si accorse, improvvisamente, che da più di un'ora fissava il biglietto di Anselme. Decise di raggiungerlo a Roma.

Si incontrarono alle sette di sera in Piazza Barberini. Faceva freddo. Aveva smesso di piovere da poco. Anselme aveva la macchina al parcheggio sopra Via Veneto. Si incamminarono in quella direzione. Anselme non disse nulla, non gli chiese perché avesse voluto quell'incontro, né cosa avesse in mente né come se la passasse. Lo lasciò parlare seguendolo in silenzio. Ogni tanto si arrestava e scrollava la tonaca nera da qualche foglia umida che vi si era appiccicata. Bruno continuava a parlare fissando in terra, non accorgendosi che Anselme non era più al suo fianco. Il traffico di Via Veneto era caotico e bloccato in un gigantesco ingorgo. Le luci dei caffè e degli hotel si moltiplicavano sull'asfalto bagnato. I passanti si urtavano nella ressa. Agli angoli delle vie trasversali alcuni giovanotti fermavano la gente per offrire biglietti omaggio per i nights. Gruppi di militari scendevano dal lato sinistro della via gesticolando e facendo commenti ad alta voce sulle prostitute ferme sul ciglio della strada. Anselme e Bruno proseguirono finché non si fermarono davanti alla vetrina di una libreria.

"Cosa vuoi che faccia per te?" domandò Anselme gettando lo sguardo fra i libri esposti.

Bruno si tenne alle sue spalle. "Lo sai!" gridò.

"Me lo devi chiedere." Continuava a guardare i libri.

Bruno tacque. Era furioso.

"Devi semplicemente chiederlo."

"Voglio che tu mi confessi," disse, stringendo gli occhi. Fu uno sforzo tremendo.

Anselme si girò e lo guardò. In quel suo piccolo viso grinzoso come di una simpatica scimmietta, gli occhi chiari sormontati da un paio di sopracciglia brizzolate spesse come un paio di baffi, su quel volto si illuminò un sorriso che solo Chesterton avrebbe potuto descrivere: *"Può andare in capo al mondo ma una lenza lo lega a me. Basta dare uno strappo al filo..."*

"Sei pronto?" disse Anselme mostrando quel sorriso.

Bruno capì. Balbettò qualcosa.

"Ti senti pronto?" insistette Anselme posandogli una mano sul braccio.

"Sì... Sono pronto," disse Bruno chinando la testa.

Anselme chiuse gli occhi, mormorò qualcosa e fece il segno di croce. Poi lo prese sottobraccio e lo guidò nel traffico caotico dei passanti, della gente, dei taxi che strombazzavano, dei motociclisti che s'insinuavano rombando fra le file di automobili bloccate. Dai finestrini appannati la gente guardava fuori come si guarda oltre le sbarre di una prigione, chiedendosi, nell'apatia dell'ingorgo, cosa avessero da dirsi quel prete con la tonaca fradicia d'acqua e quel ragazzo che si teneva ben stretto al fianco. Procedettero serrati e veloci. Bruno parlò e Anselme lo condusse sicuro fino al termine di Via Veneto. Gli diede l'assoluzione, in latino, sulla sua auto, nei pressi del Muro Torto.

"Sei uno sradicato come me. Non abbiamo casa, ma ne abbiamo tantissime. Non abbiamo soldi, ma viviamo nel lusso, non pensiamo al domani ma siamo continuamente in progresso e alla ricerca di qualcosa. Per questo il cattolicesimo ci va stretto da un certo punto di vista. Perché è fatto di oratori, di stanze chiuse, di paura del mondo. Noi invece abbiamo bisogno di aria e di girare. Amiamo quello che può darci il mondo. Non credo sia in sé un fatto negativo. Quello che fa di noi degli apolidi è l'inquietudine di amare Dio. Ma c'è un fatto." Anselme si arrestò e si versò un bicchiere d'acqua. Avevano raggiunto la casa nei colli. Avevano consumato insieme un piccolo pranzo: riso al curry, verdure e un uovo sodo a testa. Bruno innaffiò la cena con una mezza bottiglia di Brunello che era rimasta ancora aperta dalla sua visita precedente. Anselme era astemio e non sprecava nulla. Bruno lo ascoltò rigirando tra le dita il cucchiaio di argento antico con su le iniziali della grand-mère di Anselme. Ascoltava il suo amico senza intervenire.

"Ma c'è un fatto," proseguì Anselme, "che cerchi Dio e non ti accontenti di averlo trovato. Vorresti una vita diversa, vorresti fermarti a riposare in Dio, ma non lo farai perché niente ti basterebbe mai. Molti vedono solo una piccola fessura dove tu trovi invece crepe e abissi. Cercherai Dio per tutta la vita e questo basterà a salvarti. Non smettere di cercare, ma sappi che, ovunque tu vada, ti guiderà sempre la sua Grazia."

Passarono alla biblioteca. Bruno ebbe il permesso di versarsi un bicchierino di Calvados. Non appena Anselme sparì per rispondere al telefono se ne versò un altro paio. Curiosò tra le novità che Anselme aveva ricevute. Scelse un saggio di lingua inglese sui mistici medioevali della cristianità scritto da un Lama Tibetano. Prese il vocabolario di inglese, scrisse la buonanotte su un foglietto e salì nella sua stanza. Una volta, a Londra, al Ritzy Cinema di Brixton, aveva visto un film: *Tibet: a Buddhist Trilogy*. Si trattava di quattro ore di proiezione divise in tre parti: *A Prophecy; Radiating the Fruits of Truth; The Fields of the Senses*. La parte centrale del film consisteva nella documentazione della celebrazione di un antichissimo rituale del Buddismo zen conosciuto come *A Beautiful Ornament*. Una decina di monaci riuniti accanto al Lama pregavano recitando le autogenerazioni delle divinità, cantandone le sillabe originarie, i mantra, le trasmutazioni sonore che avevano dato vita ad altre divinità. Ogni tanto si arrestavano per suonare i corni, i campanellini, i piatti alternando così la musica alla preghiera. Non potendo capire quelle parole e non volendo dar troppo peso alle didascalie in inglese Bruno si trovò coinvolto dal sonoro. Si trattava di un ronzio cavernoso che usciva dai corpi dei monaci senza che essi aprissero quasi le labbra o muovessero un qualsiasi muscolo in superficie. Un rotolio di vibrazioni sonore che si accavallavano, scivolavano, si deglutivano una nell'altra. Un suono straordinario e non umano come di gocce calcaree che piovono sul pavimento di una grotta, una eco bronzea che i monaci cullavano dondolandosi sulle gambe incrociate.

Una sola volta gli capitò poi di sentire qualcosa di simile. A Roma. In una basilica. La chiesa era deserta, silenziosa e buia. Solamente una luce calda proveniva dall'ultima cappella laterale della navata. Bruno avanzò. La luce era tremolante e sempre più forte. Improvvisamente il silenzio si arricchì di una vibrazione, come un ronzio, che si faceva più grande man mano che Bruno si avvicinava a quella cappella. Il ronzio si riverberava sulle volte della chiesa penetrando il silenzio. Raggiunse la cappella. Un gruppo di donne anziane recitavano velocemente un rosario sedute su sedie di paglia. Non c'era nessun prete a guidarle. Si alternavano nella recita delle preghiere accordando il loro brusio a quello più forte di chi in quel momento dava l'inizio. Bruno chiuse gli occhi. Ne era certo. Era la stessa identica musica che usciva dalle labbra chiuse dei monaci. La stessa musica che aveva scoperto facendo l'amore con Aelred.

Posò il libro in terra. Ne aveva già lette trenta pagine. Il giorno dopo ne avrebbe parlato con Anselme. Avrebbe ricevuto la sua benedizione e si sarebbe dileguato.

Quando tornò a Firenze era l'inizio di dicembre. Oliviero fu contento di rivederlo e la colonia diede un ricevimento in suo onore.

"Devo incontrare Aelred," disse Bruno, portando Oliviero in una stanza. "No. Non preoccuparti. Lo devo incontrare un'ultima volta. So che sarà l'ultima, per sempre."

Oliviero mugugnò qualcosa. "Sai dove trovarlo?"

"Ancora no," ammise Bruno.

"Va bene. Ti aiuterò. Ma a un patto."

"Lo sai che non mi piace fare promesse. Non sono in grado di mantenerle per nessuna ragione al mondo."

"Verrò a Londra con te," disse gravemente Oliviero.

Bruno sbottò a ridere. "Hai paura che mi perda? O che non torni più indietro in questa gabbia di pazzi? Dovresti augurarmelo, di prendere il volo, se mi fossi veramente amico!"

Oliviero girò per la stanza. "Vattene pure!" gridò. Era furioso.

Una settimana dopo Bruno volò a Londra con in tasca il probabile indirizzo di Aelred frutto delle ricerche di Oliviero. Lo scovò infatti in una stanza ammobiliata a Chelsea. Viveva solo. Era al verde. Reginald Clive lo teneva in ballo da mesi con la promessa di organizzargli una personale alla Graphic Art Gallery nei pressi del Barbican.

"Vuoi che gli telefoni?" disse Bruno. Erano ancora ai preliminari. Si erano dati appuntamento in un pub a due passi dall'abitazione di Aelred.

"Non servirebbe a nulla," disse Aelred. Era sfiorito in quei mesi. O forse nella mente di Bruno era sfiorito, ormai. Ancora però lo desiderava.

"Reginald pretenderà forse che tu vada a letto con lui," buttò lì Bruno in tono scherzoso.

Aelred si stirò le mani. "Già fatto."

Fu un colpo secco. Cercò di reagire. "Sei stato il suo amante?" La voce gli tremava.

"Qualche volta..."

Bruno scattò in piedi. "Voglio andare via!"

Raggiunsero la casa di Aelred senza parlarsi. Il muro di dolore che li separava era sempre più invalicabile. Aelred preparò del tè. "Mi sei mancato Bruno... È che io sono fatto così. Sono pazzo... In preda continuamente a situazioni che non controllo... So di far soffrire chi mi sta vicino."

Bruno lo ascoltò. Fu un tuffo nel calore della commozione. Ascoltò Aelred che parlava come se piangesse.

Si alzò e lo raggiunse. "Io ti amerò per sempre, Aelred," gli disse. Aelred gli aprì le labbra. Fecero l'amore una prima e poi una seconda volta. Dormirono insieme, nel piccolo letto, tutta la notte e metà del giorno seguente, finché una sera Bruno gli disse: "Dobbiamo separarci. È necessario che ci diciamo un lungo addio se vogliamo continuare a vivere. Io non ho la forza per poter restare con te e poterti aiutare. E per te è lo stesso nei miei confronti. Siamo due deboli attaccati disperatamente uno all'altro. Con una forza sovrumana. Se c'è un mistero nel nostro amore, è tutto qui."

"Allora mi lasci ancora?" disse Aelred.

"Partirò domani."

"Sarà molto difficile per me..."

"Cercherò di procurarti qualche occasione in Italia. Ho un amico. Si chiama Oliviero. Sta facendo molto per me, benché io lo tratti con una specie di risentimento. Forse potrà aiutarti. Ma è necessario che ci separiamo, per sempre. Non cercarmi."

Aelred reagì urlando, offendendo, gridando tutte le porcherie che aveva combinato in sua assenza. Bruno lo lasciò sfogare. Si sarebbe calmato, lo sapeva. Gli si avvicinò e lo spogliò dolcemente. Fu un addio. Fu l'ultima volta. Bruno tornò a Firenze deciso finalmente a scrivere. Nonostante Oliviero gli avesse offerto una sistemazione tranquilla al Sud, si intestardì per scrivere nella sua casa. Chiuso nella stanza cominciò finalmente a riempire un foglio dietro l'altro. Divenne tutto, improvvisamente, molto facile. Ma non perché avesse fatto questo o quello per arrivarci. Non aveva fatto un bel niente. Quello era solamente il momento giusto. Il miglior modo per procedere è restare fermi. Questo fu il pensiero che lo ispirò.

Il manoscritto fu inviato all'editore e passato direttamente in composizione. Con quel romanzo Bruno si sarebbe presentato ai lettori nella primavera successiva in modo da poter partecipare alla finale del Premio Riviera. Ma una volta liberatosi di quel peso, Bruno si accorse di essersi liberato dell'essenza stessa della sua vita.

L'ombra uscita dai giardinetti di fronte al Grand Hotel gli era di fronte. Smise di fischiettare quel motivo.

"Aelred," disse Bruno avvicinando la mano fino ad accarezzarlo. Un colpo violento lo prese alla bocca dello stomaco. Cadde in terra. Sentì altri colpi alle costole e sul cranio e una voce che lo offendeva. Perse i sensi. Quando si svegliò, si trovò spogliato della giacca e pieno di sangue sul volto e sulle mani. Si rialzò a fatica. Cominciava ad albeggiare. Gli ubriachi tornavano in albergo dopo una notte di follie. Tutti erano nelle stesse condizioni, più o meno. Certo, Bruno era sporco di sangue, ma chi dava importanza a quel particolare? Ognuno voleva solo ficcarsi a letto nel più breve tempo possibile. Ognuno voleva dimenticare qualcosa. Barcollò fino a raggiungere la casa. Entrò nella sua stanza. Chiuse gli occhi. Quello che seguì non fu altro che un dolore ridicolo e fulmineo. Per un istante tutti i colori del mondo, tutti gli abbracci del mondo scoppiarono nel suo cervello finché non ci fu più nessun Aelred nella sua vita, né scrittura, né Dio, né alcool, né ferite, né amori né passioni. Soltanto un respiro lento che faticava a venire. Non disse un'ultima parola, né lasciò scritto niente. Fu il suo mattino terminale. Quella parte della colonia Vermilyea che stava dormendo nella villa si svegliò improvvisamente al colpo. Il nuovo mattino era dedicato tutto a loro. Bruno aveva passato le consegne. Che se ne occupassero gli altri, ora, di quel corpo abbandonato sul pavimento. Lui ci aveva tentato per tutta la vita. E non c'era riuscito. Sì, che se ne occupassero una buona volta gli altri. Lui era definitivamente al di là di qualsiasi preoccupazione.

6

Le torri di Fiabilandia svettavano color rosa salmone nella notte illuminata da grandi fari rendendosi visibili fin dalla provinciale. Alcuni altoparlanti diffondevano all'esterno una musica di flauti come per sedurre il pubblico a entrare nel giardino delle fiabe.

Il parco dei divertimenti sorgeva su una superficie di circa centoventimila metri quadrati, attorno a un lago artificiale, nei pressi di Miramare di Rimini. Non fu difficile raggiungerlo. Beatrix e Mario impiegarono un paio d'ore, però, a causa del traffico congestionato della sera. Giunsero davanti al ponte levatoio verso le undici. Fecero il biglietto ed entrarono.

"Non può essere qui," disse Mario. Teneva per mano Beatrix per impedire che la calca dei turisti li separasse. Lungo i viali del parco la ressa era enorme. I bambini correvano avanti provocando i richiami isterici dei genitori. Turisti di ogni età passeggiavano aprendo la bocca come in un luna park. Si accodavano placidamente per poter salire sul battello e visitare il lago da cui, ogni tanto, avvolto da una nebbia artificiale, appariva un vascello fantasma. Oppure facevano la fila davanti all'ascensore che li avrebbe condotti nella mano tesa di King Kong, a una trentina di metri di altezza. Un trenino stracarico di turisti percorreva lento l'intero territorio del parco sbucando improvviso da una finta roccia e tuffandosi imprevedibilmente in uno stagno. I turisti venivano schizzati d'acqua. Ma non se la prendevano. Ne avrebbero pretesa di più.

Attraversarono la riserva indiana, salirono su una canoa che li trasbordò sulla riva in cui stavano la casa di Biancaneve e quella di Hansel e Gretel. Di Claudia nessuna traccia. Mario comprò due aranciate da una vecchia travestita da fata per un prezzo sproporzionato. Tornò da Beatrix. Si sedettero su una panchina a forma di fungo. "Allora?" chiese Mario.

"Ero convinta che l'avrei trovata qui," fece Beatrix. "Aveva bisogno di soldi. Poteva essere una di quelle ragazze che vendono souvenirs o strappano i biglietti."

Mario le strinse la mano. La guardò dolce. "Lei sa che la stai cercando?"

"No." Beatrix scrollò la testa e si prese il viso tra le mani. "Non credo."

"Perché non lasci perdere allora?"

"Ha bisogno di me," sussurrò Beatrix.

Mario la baciò sui capelli. "O forse," disse, "sei tu che hai bisogno di lei più di quanto non creda."

In quel momento dagli altoparlanti disseminati nel parco provenne una allegra musichetta. Subito dopo una signorina annunciò, in quattro lingue, che il parco dei divertimenti stava chiudendo. Si pregavano quindi i cortesi visitatori di distribuirsi gradatamente verso le uscite laterali e non intasare il viale principale, quello verso il ponte levatoio e le torri del castello di Cenerentola.

"Dobbiamo andare," disse Mario alzandosi.

Beatrix era esausta. Guardò nel vuoto.

"Ti porto a mangiare. Doveva essere la nostra prima cena intima, ricordi?"

Beatrix si strinse a lui. In quel momento seppe che non avrebbe mai più fatto a meno di quella presenza per il resto della propria vita. Lo amava. Era felice di amarlo.

Si misero in coda per uscire. A una cinquantina di metri da loro un uomo con la divisa del parco disciplinava il flusso smistando i visitatori ora verso destra, ora verso sinistra. Beatrix si alzò sulle punte dei piedi e lo scorse fra i palloncini colorati e i copricapi fiabeschi degli altri turisti. Poteva essere una possibilità. Estrasse le fotografie di Claudia. Quando passò di fianco all'uomo gliele mostrò. Le parole non le uscirono dalla bocca. L'uomo sbirciò le foto.

"Non è roba per me," disse facendo un gesto con la mano come per allontanare dalla sua vista quelle foto pornografiche.

Beatrix resistette con le foto davanti ai suoi occhi. Non riuscì a parlare.

"Finiscila! Devo lavorare, via!" borbottò il guardiano.

La folla premeva alle loro spalle. Mario e Beatrix ostruivano il passaggio. Sentivano il fiato della calca che premeva dietro di loro. Furono sospinti, dapprima lentamente, poi sempre più decisamente, in avanti. Il guardiano afferrò Beatrix per toglierla dal passaggio. La spinse in avanti, verso destra. Poi, improvvisamente, la fissò negli occhi.

"Aspettatemi all'uscita," disse.

Mezzanotte suonò alle torri del castello di Cenerentola. A uno a uno i grandi fari che illuminavano il parco si spensero. Ci fu un gran silenzio. Fuori dal muro di cinta la gente guardava in alto appoggiata alla capote della propria automobile. All'ultimo tocco tutto si spense, poi, d'improvviso, partirono razzi dalla coda fluorescente che solcarono il cielo fino a scoppiare e illuminare l'intero parco di una luce gelida e spettrale. Altri fuochi partirono in sequenza. Alla fine, in un lampo colorato, si illuminò un grande scritta che diceva: ARRIVEDERCI. Le luci poi si spensero nel buio della notte. La giornata di Fiabilandia anche quel giorno era finita. La gente applaudì.

Aspettarono il guardiano di fianco all'uscita laterale per una buona mezz'ora. Gran parte delle auto aveva lasciato il parcheggio. I lampioni, disposti ordinatamente come su una scacchiera, illuminavano tante buche nere e vuote. Il parcheggio assomigliava a un campo dopo un bombardamento. E sotto una di queste chiazze di luce stavano loro.

"La troveremo," disse Mario stringendosi a lei. Le accarezzò la nuca. Non le disse che l'uomo aveva probabilmente inteso tutta un'altra faccenda; che gli offrissero, ad esempio, una giovane prostituta per la notte. Non volle turbarla, non volle offenderla. Di lì a qualche minuto avrebbe fatto chiarezza. Per il momento pensava a tenerla tranquilla.

"Voglio dirti che..." S'interruppe. Beatrix alzò lo sguardo. Appoggiava la testa al suo petto, ne sentiva i battiti, il respiro, il profumo. Erano sensazioni che appartenevano a un passato lontanissimo e che ora, miracolosamente, ritrovava in sé.

"Sì?" sussurrò.

"Mi piaci, Beate," disse Mario. Le accolse il viso tra le mani come prendesse delicatamente una grande coppa. La sfiorò sulla fronte e poi scese a baciarla. Beatrix si strinse a lui.

"Vieni da me stanotte," fece Mario. Beatrix lo baciò ancora più forte.

La voce del guardiano li fece tornare alla realtà. "Fatemi rivedere quelle foto," disse avvicinandosi. Mario le mostrò. L'uomo fissò quei pezzi di carta. Gli si inumidirono gli occhi.

"Chi è?" chiese.

"La conosce?" ribatté Beatrix.

Il vecchio restituì la fotografia, abbassò la testa, si stropicciò le mani. "Dovrete aspettare un po'... Lei torna spesso molto tardi."

Si lamentava più che parlare. Come stesse confessando un peccato. Quando disse "lei" un sorriso gli sfiorò il volto. Era un volto duro, di un uomo segnato dal tempo, dal sole e dalla salsedine. Un viso asciutto e grinzoso sovrastato da una capigliatura bianca striata di giallo; un viso di chi, un tempo, era pescatore. Quel timido sorriso lo rese, per un momento, vivo.

"Cosa vuol dire?" domandò Mario.

"Che stanotte, se siete fortunati, verrà qui."

Beatrix scoppiò a piangere nascosta dall'abbraccio del suo uomo.

Attesero per qualche ora nella casupola di servizio del parco. Si trattava di una costruzione posta al lato est del parco dove il lago artificiale arrivava a lambire il muro di cinta. Il guardiano li aveva fatti entrare nella baracca. Si trovarono in una grande stanza-magazzino colma di oggetti dalle forme fantastiche che assomigliava al ripostiglio di un teatro o al laboratorio di qualche falegnameria specializzata in carri di carnevale. A destra si apriva una porta che immetteva in una stanza arredata come la cucina di una casa di campagna: c'erano sedie, un tavolo, fornelli, divano e televisore. Il guardiano offrì del caffè.

"È venuta qui la prima volta circa un mese fa," incominciò fissando il fondo della tazzina con le mani congiunte sul tavolo e la testa china. Mario e Beatrix, abbracciati, lo ascoltavano in silenzio. "Devo essere sincero," proseguì, "non è che la ragazza è venuta qui da sola. L'ho trovata una notte sulla strada, là fuori... Facevo un giro per il parcheggio. Ho visto la sua figura... È una ragazza molto bella, vero?"

Beatrix fece sì con la testa. "Vada avanti, la prego."

"Era molto stanca. Disse che aveva girato tutta la notte e ormai eravamo quasi al mattino. Voleva dormire ma non sapeva dove; era senza soldi. Allora... Io l'ho chiamata qui."

S'arrestò di nuovo. Mario sentì un brivido corrergli lungo la schiena. "Non ci interessa, questo," disse tentando di far procedere il racconto. Beatrix lo guardò dura: "Continui, per favore."

"Non poteva rimanere qui. Ci sono altri guardiani la notte. Allora l'ho portata di là. È stata una buona soluzione. Nessuno potrà mai accorgersene. Alle volte rimaneva dentro un giorno intero. Non so cosa facesse di preciso... Diceva che le piaceva, la riposava..."

"Dove l'ha portata?" chiese Mario.

Il vecchio si alzò con fatica. "Venite," sussurrò.

Uscirono dalla stanza e raggiunsero il magazzino. La parete di fondo era chiusa da un grande portone ad arco sotto cui scorrevano dei binari di ferro. Facendosi aiutare da Mario, il vecchio aprì il portone. Una ventata di aria fresca li investì insieme al profumo dei tigli e dei pini che ornavano il parco. Davanti a loro a fior d'acqua, stava una imbarcazione grande quanto un cabinato da crociera. Era di legno. Aveva tre pennoni alti cinque-sei metri. Alcuni manichini di cartapesta riproducevano le fattezze dei pirati e dei bucanieri. Beatrix e Mario avevano già visto quel vascello procedere nel lago. Si avvicinarono.

"È un semplice motoscafo," spiegò il vecchio, "attorno gli è stata costruita una gabbia di legno che regge la sagoma del vascello. È ancorato a un binario che scorre sul fondo del lago. La sera lo riportiamo a riva per rifornirlo di candelotti fumogeni."

Mario toccò lo scafo. Lo trovò leggero. I pupazzi lo guardarono con un'aria minacciosa. "E Claudia viene qui?"

Il vecchio annuì. Tolse un pannello dalla chiglia del vascello. C'era un passaggio, come una passerella che conduceva al motoscafo vero e proprio tra un groviglio di tiranti e cavi elettrici. Mario aiutò Beatrix a passare. Il vecchio balzò, precedendoli, sul motoscafo e da qui scese nella cabina.

"Ecco," disse allargando le braccia.

Una luce fioca illuminava una branda ricoperta di cuscini. C'era qualche vestito sul pavimento di legno, un paio di riviste, dei giornaletti, delle cassette da registratore. "È qui che viene a dormire," disse.

Verso le quattro del mattino avvertirono alcuni rumori. Erano tornati nella cucina della baracca. Il vecchio aveva continuato a raccontare. Mario voleva chiedergli perché non avesse avvertito la polizia, ma era una domanda oziosa. C'era qualcosa, per il vecchio, che finalmente animava quel paese di cartapesta, quella incredibile città fantasma: ed era il corpo di una giovane donna addormentata nel ventre di un battello di legno compensato. La notte, girando fra quei viali deserti, fra quelle creature di cartone e di plastica, sapeva che in un posto preciso, in quello stesso momento, una ragazza riposava sotto la sua protezione e animava, come per incanto, quel paese fantasma. No, non era soltanto il guardiano di una città di divertimenti e di balocchi. Era il guardiano di una piccola, graziosa e stramba fata calata dal Nord. Questo era il suo segreto. Questo era il geloso gioiello della sua vita.

"Tonio?" sussurrò una voce.

Il viso del vecchio si illuminò. Mario sfiorò Beatrix sul braccio. "Ci siamo," voleva dirle. Beatrix dormiva. Non la svegliò.

Entrò nella stanza. Aveva una minigonna bianca a pois minuti color pervinca. Una t-shirt nera e un foulard giallo annodato attorno alla vita. I capelli erano finissimi e biondi. Le scendevano sulla schiena. Era scalza. La sua espressione fu di stupore, ma più che altro sembrava domandasse perché quelle due persone, quel ragazzo e quella donna addormentata con il capo appoggiato sul tavolo, si trovassero lì.

"Claudia?" domandò Mario.

In quel momento Beatrix si svegliò dall'intontimento. La guardò e sorrise. "Claudia..."

La ragazza si irrigidì. Serrò le braccia lungo i fianchi ed esplose in un urlo. Si girò e scappò via.

Il vecchio scattò in piedi. "Claudia!" mormorò come se implorasse. Mario e Beatrix la seguirono, di corsa, fuori dalla stanza. Nel magazzino era ancora spalancata una porta che immetteva nel parco, di fianco al portone del vascello. Si precipitarono fuori.

"Resta qui," disse Mario. "Stai calma. Te la porteremo indietro." Beatrix non rispose. Lo vide sgusciar via.

Il parco era affondato nel buio. I fari di servizio erano accesi ai lati del recinto in muratura e facevano spiovere una luce fioca. Mario corse attraverso i vialetti finché, fermandosi, si accorse di essersi perso. Non sentiva più lo scricchiolio della ghiaia calpestata dalla corsa del guardiano, né il rumore dei passi di Claudia. Il suo respiro era affannoso. Si guardò intorno. Decise di tornare alla baracca facendo attenzione a non perdersi una seconda volta.

Quando riuscì finalmente a riguadagnare l'ingresso di servizio era quasi mattino. Aveva vagato a lungo fra i viali ripercorrendo spesso lo stesso tragitto. Un chiarore gravido di foschia si allargava sulle costruzioni del parco. La terra era umida e fumava. Nelle acque del laghetto vide nuotare ordinatamente alcuni esemplari di anatre esotiche. Entrò in cucina. Trovò soltanto il vecchio.

"Dov'è?" si preoccupò di chiedere.

L'uomo rispose lentamente: "Quando sono tornato, la sua amica non era più qui."

"E Claudia?"

Il vecchio si alzò facendo leva sui gomiti appoggiati al tavolo. "È quasi giorno. Forse potremo vederle, sempre che siano ancora qui."

"Certo che sono qui! Ho le chiavi della macchina!" La tensione aveva attaccato anche i suoi nervi. Gli sembrò tutto irreale e fantastico. Chi era Beatrix? E cosa ci stava facendo in quel posto da incubo?

Il vecchio prese un grosso mazzo di chiavi appese a un chiodo sulla parete. Mario lo seguì in silenzio.

Percorsero un vialetto per qualche centinaio di metri fino a sbucare davanti all'ingresso principale. Il ponte levatoio era sollevato. Il vecchio si avvicinò a una delle due torri di ferro color rosa salmone, aprì una porticina e vi si intrufolò facendogli segno di seguirlo. Salirono per una scala a chiocciola stretta e buia come quella di un minareto. A ogni torsione della scala un po' di luce entrava da un pertugio aperto nella lamiera. Sbucarono finalmente in un terrazzino largo appena un mezzo metro. Gettarono lo sguardo sul parco.

"Sono là," disse il vecchio puntando l'indice teso.

Mario mise a fuoco la vista. Vide due macchie colorate sedute davanti a una casa dal tetto rosso e gonfio come fatto di gomma da masticare. Attorno stavano uno steccato, qualche pupazzo, un giardino e un pozzo. Beatrix e Claudia erano là, sedute sulla soglia di quella casa di cartapesta. Erano fianco a fianco e davano l'impressione di parlarsi. Ogni tanto gli parve di distinguere il braccio di Beatrix circondare delicatamente le spalle della sorella.

Ecco, finalmente l'aveva trovata. Stava lì, seduta al suo fianco. I mesi che le avevano separate le sembrarono in realtà un istante. Rivedendola, riabbracciandola, ebbe come la certezza che Claudia non l'avesse mai abbandonata. Questa fu la sua gioia più grande: ritrovarla come se non fosse mai accaduto niente. Fu allora che Beatrix cominciò a capire qualcosa del perché si era tanto affannata per riportarsela a Berlino. Fu nello stesso momento in cui la trovò ancora bella, ancora giovane, ancora con i capelli ondulati e lisci, il suo corpo gracile, il suo viso allungato e tenero. Claudia stava vivendo semplicemente il protrarsi di una vacanza iniziata molti mesi prima con la fuga da Leibnizstrasse. Stava cercando qualcosa che orientasse la sua vita. Certo, non l'aveva ancora trovato, ma quei mesi e mesi in giro per l'Europa le avevano dato una solidità interiore nuova. Stava vivendo una avventura tutta sua. Dormire su quella barca, restarsene nascosta una giornata intera là dentro a spiare, dalle finte bocche dei cannoni, i turisti, il fuori, la realtà, guardare quel vecchio che la teneva nascosta, erano situazioni che si era scelta e che, in un certo modo, la appagavano. No, Claudia non stava affatto male. Si era semplicemente persa in quella città della notte – l'intera riviera – e ora tentava di ritornare in se stessa ricostruendo passo dopo passo, fantasia dopo fantasia, la sua storia e il mondo dei suoi desideri. Sapeva che presto tutto sarebbe finito con il sopraggiungere dell'autunno. Le luci si sarebbero fatte più fioche e più tenui, la spiaggia più rada, le strade più scorrevoli e più vuote. Gli alberghi avrebbero chiuso così come le discoteche, i night-clubs, i parchi di divertimento. E allora se ne sarebbe tornata a Berlino e non in una casa qualunque, ma proprio in Leibnizstrasse, con la vecchia Hanna e con la sua dolce Beate. Non c'era una fuga possibile, per il momento, da quell'universo femminile senza cui non avrebbe più potuto vivere, da cui riceveva vita e in cui sconfiggeva la sua solitudine. Se l'era vista brutta con Giorgio, a Roma. Aveva conosciuto le siringhe, come a Londra e ad Amsterdam e in Tunisia, ed era andata troppo oltre in quella vita di sbattimenti e di miserie: arrangiarsi, trovare un buco, rubare, fuggire e soprattutto aspettare. Continuare ore e ore ad aspettare qualcuno nei posti più impensabili e assurdi. E quando questo qualcuno arrivava, subito dopo aspettarne un altro e un altro ancora e così per notti e giorni, anche se ormai la notte e il giorno erano un unico incubo di solitudine e di attesa. Aveva seguito Giorgio a Bellaria. Poi una notte aveva incontrato il vecchio e fu un "viaggio" diverso dentro di sé, dentro quella ragazzina che a quindici anni occupava le case e che a diciannove era ridotta a uno straccio. Starsene a guardare la folla che si divertiva, galleggiare dondolando per ore e ore in quel ventre immerso nell'acqua, salire alla superficie, ritornare a dormire, placare la propria curiosità nell'osservare i meccanismi dei sogni, passeggiare per i viali deserti con le creature della sua infanzia miracolosamente riunite tutte insieme per lei sola, abbracciare i pupazzi morbidi, chiacchierare con loro. Guardare il vecchio, chiedergli una colazione, mangiare con lui di nascosto nella cabina come due fuggiaschi uniti dallo stesso segreto e dalla stessa battaglia. Sì, era vero. Si era persa, completamente. Ma forse lo doveva fare, una volta per tutte, per togliersi da quella adolescenza troppo dura che aveva conosciuto su a Berlino. In questa terra di sogno, finalmente, stava tornando alla luce. E ora, mentre Beatrix le teneva la mano, sapeva che ormai l'autunno era arrivato per lei e la sua storia segreta. "Verrò con te a casa," disse.

In quei momenti Beatrix capì il perché si era imposta di trovare Claudia. In realtà – come si era confessata spietatamente quella sera in hotel – chi stava realmente cercando era se stessa, una donna che seguiva il fantasma di un'altra donna sperando nascostamente nella coincidenza delle loro identità. Si cerca sempre se stessi, in fondo. O qualcosa di noi che non ci è chiaro o non abbiamo capito: le ragioni di una sofferenza o di quella malattia sotterranea che ti prende il respiro ed è nera e umida come la malinconia. Beatrix stava cercando se stessa, questa era la verità. Nel momento in cui si era liberata dell'ossessione di Claudia, si era data pace, se lo era confessato, aveva potuto aprirsi al miracolo della conoscenza dell'altro. Si era innamorata. S'era messa il cuore in pace e magicamente tutto era filato alla perfezione. Aveva trovato il suo amico, aveva trovato Claudia.

Parlarono per ore finché il sole cominciò a scaldarle e i rumori, provenienti dall'esterno, le avvertirono che il parco stava per iniziare una nuova giornata di festa. Si alzarono e si diressero verso il ponte levatoio. Mario le attendeva là, in piedi, accanto al guardiano.

"Claudia verrà con noi," disse Beatrix.

Mario la abbracciò e la strinse forte. Uscirono così, attendendo che il vecchio facesse scendere il ponte. Beatrix salì in macchina sul sedile posteriore. Abbracciò Mario da dietro, stringendogli il petto. Lo baciò sulla nuca. Guardò la linea azzurra del mare sfilare via alla sua destra mentre tornavano in albergo. Claudia si era addormentata.

"Verrai con me a Berlino?" gli chiese in tedesco.

Mario chinò la testa e la baciò sulle mani. Arrestò la macchina ai bordi della strada. "Scendi," disse.

Respirarono all'aria aperta. "Voglio fare l'amore con te," disse stringendola. Beatrix sorrise. Lo desiderava. Lo avrebbe desiderato tante altre volte e sempre con lo stesso entusiasmo. Si sentiva amata e lo amava. Per un attimo una immagine le folgorò il cervello e le diede pace. Era l'immagine di un angelo. Aveva il corpo di Mario e il suo viso e la sua voce.

"Sai chi sono?" le disse.

Sì, avrebbe voluto rispondere Beatrix. Uno straniero. Che parla la mia stessa lingua.

7

Per quell'anno il Premio Riviera non fu assegnato. La morte
improvvisa di Bruno May fece accorrere a Rimini decine e decine
di cronisti. In mancanza di altre notizie, il suo suicidio diventò un
argomento di prima pagina. La gran parte dei commenti seguì la
medesima impostazione: Bruno si era ucciso per protestare contro tutti i premi di questo mondo. Dai loro luoghi di villeggiatura
i collaboratori delle pagine culturali telefonarono "coccodrilli"
mettendo sotto accusa "l'insulso ingranaggio" che aveva stritolato la vita del "giovane talento", il cui nome, peraltro, riuscì del
tutto sconosciuto ai più. Alcuni ebbero il buon ardire di scagliarsi
contro il potere editoriale, altri se la presero con i giurati, altri
ancora con le cosche e le famiglie che, a loro dire, decidevano in
anticipo i vincitori di manifestazioni del genere. La giuria si trovò così bersagliata da critiche, polemiche e anche contestazioni.
Benjamin Handle, intuendo che nessuno avrebbe vinto la somma in palio, si ritirò dalla competizione dichiarando solidarietà al
"povero ragazzo". Il gesto fu molto apprezzato dalla stampa e gli
valse interviste da ogni parte. Il suo libro balzò in vetta alle classifiche di vendita. Quando partì dall'aeroporto di Rimini, c'era più
gente a salutarlo di quanta nessuno ne avesse mai vista.
    Due giorni dopo, nell'infuriare delle polemiche, la giuria si
dimise in blocco e rinunciò all'assegnazione del premio. Fu

indetta una conferenza stampa nella sala convegni del Grand Hotel. Il presidente giustificò il suo gesto e quello dei suoi giurati con queste parole: "Ci è impossibile nel clima di intimidazioni e di aspre polemiche che si è venuto a creare per un atto che non ha niente a che vedere con il nostro compito, assegnare in questo momento il Premio Internazionale di Letteratura Riviera. Riconfermo la fiducia nei giurati e nelle modalità di svolgimento della nostra manifestazione che nulla ha da nascondere e la cui legittimità procedurale è garantita non soltanto da quasi trent'anni di passate edizioni, ma soprattutto dalla consapevolezza di aver consegnato alla Storia opere ormai entrate, a pieno diritto, nell'olimpo della Letteratura."

La soluzione prospettata dal presidente della giuria fu una soluzione che i cronisti esteri definirono, sorridendo, tutta italiana: si sarebbe cioè tenuta a Roma, sede della presidenza del premio, una sessione autunnale che avrebbe conferito il premio a una delle opere in gara. "Cambia todo, no cambia nada," disse un giornalista di Barcellona.

Oliviero Welebansky, insieme a quella parte della colonia che era ospite nella sua villa, riuscì a far quadrato attorno alla salma di Bruno. Nessuno poté scattare una sola fotografia del suo corpo. Io stesso chiesi a Oliviero di poter mandare Johnny. Il suo no ebbe una forte carica di rimprovero. Cercai di risollevare la questione dicendogli che mi avrebbe fatto piacere avere un pezzo con la sua firma sulla Pagina dell'Adriatico. Oliviero mi lasciò parlare senza interrompermi mai, nemmeno quando la mia voce, inarcandosi in mezze domande, lasciava intuire che mi stavo aspettando una risposta. Alla fine il suo rifiuto si ripeté identico.

Ci incontrammo poi davanti alla camera mortuaria, il pomeriggio in cui la salma di Bruno sarebbe partita per Firenze. Faceva caldo e l'aria sapeva di polvere e di sabbia. I colleghi circondarono il feretro spianando i taccuini per raccogliere le dichiarazioni. La colonia tacque.

"Addio," disse Oliviero stringendomi la mano.

Lo fissai negli occhi. "È un brutto mestiere, il mio," gli dissi. "A volte può assomigliare a quello del becchino."

"Nessun mestiere è in sé buono o cattivo," rispose. Teneva sempre stretta la mia mano.

"Ci penserò sopra." Tentai di lasciare la stretta, ma si fece improvvisamente più forte.

"Lei è stato l'ultimo a cui Bruno ha chiesto aiuto, lo sa?"

Mi sentii a disagio. Ero più che imbarazzato. Tossii. "Ripeto a lei ciò che gli dissi quella notte. Non era il mio tipo. E questo vale per tutto. Addio."

Presi Susy sottobraccio e ci allontanammo. Non mi voltai indietro. Avevo solo voglia di sferrare qualche pugno. Trascorsi solo tutta la serata, sul letto, a sbronzarmi. Mi preparai un *Long Good-bye* e fu il mio saluto. Verso le undici telefonai a Susy. "Ho voglia di fare l'amore con te," implorai. La mia voce era una spugna fradicia di alcool e di lacrime. No, non avrei mai pensato che quel pazzo, andandosene, mi avrebbe lasciato così solo. Quando Susy arrivò all'appartamento quarantuno, mi trovò addormentato. Non mi svegliò. Si spogliò e si infilò silenziosamente accanto a me. Sognai di rotolarmi sul ghiaccio fra le pellicce dei leoni marini.

Nei giorni che seguirono fui assorbito dal lavoro al giornale. Eravamo in pieno agosto e la stagione turistica era al culmine. Era necessario correre da un capo all'altro della costa per coprire gli avvenimenti più interessanti. Anche Zanetti finalmente sentì odore di attivismo e si diede da fare uscendo da quel suo studio ammuffito. Guglielmo, nonostante tutto, riusciva sempre a tirar fuori un'ora per lo squash e un paio per lo sci d'acqua. Susy invece era un continuo smistare inviti per manifestazioni, concerti, teatri, spettacoli, anteprime cinematografiche. Solitamente la accompagnavo. Fu così anche quella sera.

Arrivammo davanti al cinema. C'era una gran folla di gente ai lati dell'ingresso principale. Aspettavano che gli invitati entrassero per occupare i posti rimasti liberi. "È già stato giudicato il miglior film dell'anno," disse Susy, prendendo posto. "A ottobre uscirà nelle sale normali."

"Siamo cavie," dissi, guardandomi attorno.

"In un certo senso sì, siamo cavie privilegiate."

Ci fu un applauso. Gli spettatori si alzarono in piedi e si voltarono verso la galleria della sala. Entrarono un gruppo di persone, un branco ordinato ed elegante di giovanotti.

"Ecco gli attori!" fece eccitata Susy. "Quello in mezzo è il regista. Ha raccolto una parte del danaro qui a Rimini. Dicono sia andato ombrellone per ombrellone a chiedere i finanziamenti."

"E quello là in fondo?"

"Chi?"

Indicai a Susy un uomo di mezza età.

"È Fermignani, il produttore. Viene sempre a Riccione, ogni anno, per le vacanze. L'altr'anno ha incontrato il regista in spiaggia e hanno combinato il film."

In quel momento le luci si spensero e la proiezione partì. Al termine, a giudicare dall'accoglienza del pubblico, il successo fu straordinario.

"Come ti è sembrato?" domandò Susy applaudendo e sorridendo verso gli autori, là in alto.

"Non mi intendo molto di cinema," fu la mia evasiva risposta.

Il giorno seguente, entrando in redazione, incrociai una giovane donna vestita di un grembiule azzurro lungo fino ai piedi. Aveva i capelli neri tagliati corti e un crocefisso le pendeva al collo. La salutai con un cenno della testa. Rispose cortesemente, ma aveva l'aria di essere molto preoccupata.

"Chi era?" chiesi a Guglielmo togliendomi la giacca.

"Una novizia delle suore di Sant'Agata."

"E che voleva?" Scorsi la rassegna stampa segnando con il lapis gli articoli di un certo interesse.

"Hanno bisogno di soldi."

Alzai lo sguardo fino a incontrare il viso di Guglielmo. "E noi cosa possiamo fare?"

"Vorrebbero che raccogliessimo fondi."

"Ma è una mania!" sbottai. "Da queste parti ci sono troppi monasteri e troppa gente che fa collette... Bene! Sai noi che risponderemo? Faremo un servizio sul povero turista che ha risparmiato quattrini tutto l'anno per venire in vacanza e non appena arriva, appena posa il culo sulla sdraio, zac! Subito gli chiedono l'elemosina. Questa sarà la nostra risposta."

"Perché ti scaldi tanto?" La voce di Susy giunse dal corridoio. Un istante dopo fece la sua apparizione in sala.

"Il capo si è alzato male?"

"Ciao, Susy," dissi.

"Allora?" Susy si sedette al tavolo e guardò i giornali del mattino.

"Pare che quei pazzi del film di ieri sera abbiano dato il via a un periodo di collette selvagge."

Abbozzò un sorriso facendo finta di capire. "Se è andata bene a loro, perché non dovrebbe tornare a funzionare?"

"Questa volta si tratta di un convento," dissi.

"Le suore di Sant'Agata sono rimaste al verde. Da quattro mesi non ricevono più finanziamenti. Non sanno come andare avanti," annunciò Guglielmo.

Susy si dimostrò interessata. "Sant'Agata Feltria?"

Guglielmo annuì.

"Hanno una specie di asilo in quel convento, no?"

"Una decina di ospiti solamente. Handicappati gravi."

"Lo Stato non sovvenziona questa loro attività?"

"Ufficialmente no. Non può passare finanziamenti a un istituto privato. Lo fa però il Comune. In più ricevono una sussistenza dalla curia arcivescovile. Così ha detto la ragazza."

"Di quanto?"

"Una stupidaggine. Le spese di manutenzione."

Era ormai una faccenda tra loro due. Restai in silenzio ad ascoltarli. Ma quel nome, Sant'Agata Feltria, non mi risultò assolutamente nuovo. Mi alzai e guardai la cartina appesa alla parete. Fu subito chiaro. La strada era la stessa per Badia Tedalda. Bisognava solamente deviare a metà. Susy mi raggiunse davanti alla cartina. Tenevo l'indice puntato contro la località.

"Sì, è quella," disse.

"Chi passava quel finanziamento?" chiesi.

Guglielmo tossì. "... Non me lo ha detto."

"O non hai ritenuto giusto chiederlo?"

"No. No." Si sentiva d'aver sbagliato.

"Devi fare molte cose oggi Susy?"

"Certamente, capo."

La accarezzai. "Perché non vai a fare un salto da quelle parti?"

Susy allontanò la mia mano. "Che intenzioni hai?"

"Dipende da quello che saprai portarmi indietro."

Afferrò la sua giacca e se ne andò sbattendo la porta. Guardai Guglielmo aprendo le braccia e spalancando gli occhi come per dire che non capivo.

"Per me ti fa le fusa, capo," disse lui tornando con le dita sui tasti della macchina da scrivere.

Susy tornò molto tardi, quando ormai il giornale era stato trasmesso a Milano e stavamo per chiudere la redazione. La invitai al ristorante.

"Non mi va che mi tratti così, soprattutto al giornale," disse, quando fummo soli in macchina.

"Preferisci che ti chiami 'amore' oppure 'cara' e ti dica: 'per favore, gattina, potresti andare per caso in quel tal posto sempre che tu passi anche di là per comprarti le sigarette?' Vuoi che dica questo?"

"Sei il solito imbecille," grugnì.

"Vuoi che tutti sappiano che te la fai con me? Non hai che da dirlo. Rendiamo pubblica la nostra relazione. Domani in prima pagina: lei e lui, un amore tra l'inchiostro e il mare. E sotto le nostre foto, scattate naturalmente da Johnny."

"Sei un gran figlio di puttana."

"È una vita che me lo sento dire... Va bene la strada?"

"Svolta al prossimo semaforo," disse. "E poi non ti capisco proprio. È come se tu fossi realmente due persone diverse. Una quando sei solo con me, e un'altra sul lavoro."

"Tu invece sei sempre la solita micetta arrapante." Spinsi una mano fra le sue gambe.

"Vaffanculo!" sbraitò, togliendola.

Raggiungemmo poco dopo il ristorante. Lasciai scegliere a Susy il tavolo. Scartò il patio. "Troppe zanzare," disse. "Andiamo dentro, anche se moriremo dal caldo."

"Che hai trovato lassù?" domandai dopo aver ordinato la cena.

"Abbastanza per un ottimo servizio."

"Questo lo decido..." Mi arrestai in tempo. "Lo decideremo dopo. Avanti."

Susy mi guardò storto. Fui sicuro che per un attimo mi avesse maledetto. E con me mia madre, mia nonna, la bisnonna e la trisavola.

"Le suore di Sant'Agata sono cinque in tutto," iniziò aprendo il notes. "Una madre superiora, tre sorelle e una novizia, quella che è venuta in redazione. Non ha ancora fatto i voti di clausura..."

"Clausura? Ma come possono tenere ospiti?"

Mi rimproverò seccata. "Abbi un attimo di pazienza."

Divenni remissivo.

"Appartengono a un ordine fondato nel 1952. Dipendono dal vescovo locale. Hanno l'obbligo di restare nel convento. Possono svolgere, come opera di carità, l'assistenza ai ragazzi handicappati. Questi ospiti sono, al momento, otto in tutto: sei femmine e due maschi."

"Hai potuto vederli?"

Annuì. "Ho dovuto attendere che le suore si ritirassero nella cappella per la recita della sesta... Tre ragazze sono abbastanza emancipate. Morbo di Basedow. Riescono a fare qualcosa."

"Chi li assegna lì?"

Sgranò gli occhi. "Sono i figli della miseria della montagna. Li abbandonano, li lasciano lì. Pensi forse che la vita nell'appennino sia così agevole? Fino a dieci anni fa non sapevano nemmeno cosa fosse un televisore. Ci sono interi paesi formati da tre-quattro famiglie. Hanno tutti lo stesso cognome. Bauer!"

Accusai il colpo. "Da chi ricevevano quei soldi?"

"Benefattori."

"Non hai saputo niente di più?"

"Niente sull'identità. Ma una cosa abbastanza insolita. Ogni mese arrivava al convento la copia di un versamento bancario effettuato a suo favore."

"E perché ti sembra strano?"

"Solitamente non si fa beneficenza in questo modo."

Ci portarono il vino. Ne versai nei bicchieri. "E in che modo si fa?"

"In qualsiasi altro modo tranne che mandare copie di versamenti effettuati il cinque di ogni mese."

Cercai di riflettere. Sì, mi pareva una buona osservazione.

"Da quanto hanno smesso?"

"L'ultimo finanziamento è arrivato il cinque di aprile."

"E perché le pie donne hanno tardato tanto a cercare altri fondi?"

Susy sorrise indugiando. Sapevo che stava tenendomi in serbo qualcosa. "Tieniti forte... Si trattava di venticinque milioni al mese."

"Cristo... Una bella sommetta."

"Già," commentò lei. "Hanno aspettato di spendere fino all'ultima goccia quei soldi prima di rivolgersi a noi."

Arrivò la grigliata che avevamo ordinato. Il cameriere ci servì. Quando se ne fu andato tornai alla carica. "Perché, prima di mettere in piazza i loro affari, non hanno tentato di sapere chi mandava quel danaro?"

"Come puoi esserne sicuro? Hanno tentato di sapere qualcosa. Ma di mezzo ci sono le transazioni bancarie e il segreto. E poi se tu tendi la mano e chiudi gli occhi sapendo che solo in quel preciso momento qualcuno ti metterà il soldo in mano, che fai?"

"Il danaro non ha faccia, nemmeno per i religiosi."

"Soprattutto per loro," fece Susy. Mi venne da ridere.

"Allora che facciamo?" insistette.

"Un'ultima domanda. Quando è iniziato quel fiume d'oro?"

Susy consultò il taccuino. Sfogliò alcuni fogli fino a trovare l'appunto che cercava. "Ecco... Dal marzo del 1979... Ha importanza?"

"Non so... Soprattutto non so se ci riguarda."

"Vorresti dire che ho sgobbato tutto il giorno per niente?"

Le accarezzai la mano. "Non c'è niente in questa storia che possa interessare nemmeno il lettore più accanito. Vuoi che facciamo un pezzo del tipo: mentre tutta Italia si diverte a ferragosto un manipolo di sorelle lotta per la sopravvivenza propria e di un gruppo di poveri ragazzi martoriati, figli della mentalità più arretrata della montagna? Così potrebbe anche andare. Ma a Natale. A Pasqua. Forse anche per Carnevale. Ma mai e poi mai a ferragosto."

"E se io raccontassi una storia?"

"Dovresti inventarla. Se è buona vinci il Pulitzer."

Susy guardò nel proprio bicchiere e sorrise. Le versai un goccio di vino. "Ce l'hai o no questa storia?"

"Certo che ce l'ho. Ha dodici anni e un bellissimo paio di occhi verdi. Soffre di una gravissima forma di distrofia muscolare. Inoltre è nata con una lesione cerebrale che le rende impossibile comprendere qualsiasi cosa. Non parla e non può muoversi. Ma è diversa dagli altri. I suoi occhi sono bellissimi... Ha imparato ieri a dire la prima parola della sua vita. Ti basta?"

Mugugnai. "Miracolo a Ferragosto. Ti va bene?"

"Come vuoi. Ma non voglio sprecare una giornata del mio lavoro."

"Non ti facevo così cinica."

"È a starti vicino."

Era straordinariamente dura e bella. Una stupenda pietra della foresta amazzonica che splendeva davanti ai miei occhi. La desiderai. "Affare fatto," dissi. "Come si chiama la tua bambina?"

"Si chiama Thea."

"Bene. Sboccia una rosa a ferragosto. Due cartelle. E ora, se mi vuoi far felice, vieni a casa con me."

Facemmo l'amore sul mio letto. Forse, davvero, quella donna mi stava stregando. Aveva un modo particolare di ricevere i miei abbracci, un modo tutto suo che Katy, per esempio, non conosceva e nemmeno le tante altre ragazze della mia vita. Ci sapeva fare. Conosceva ormai le mie debolezze in fatto di corpo femminile e se le teneva care. Riusciva a giocarci a offrirle, per poi subito riprendersele finché non tornavo all'attacco con forza. Il suo sesso era duro e ispido come una corazza. Chiuso e protetto da quei riccioli sottili che si univano al centro in un ciuffo spesso. Ma bastava che la baciassi, che cercassi con le mie labbra di sgusciarla, che straordinariamente le sue cosce si aprivano e i suoi riccioli si separavano allo stesso modo in cui i tentacoli fluidi e vischiosi di certe bellissime piante carnivore si aprono e fioriscono quando avvertono le vibrazioni di una preda in arrivo. Sentivo così le sue labbra farsi luccicanti e fluide e la punta del mio sesso inumidirsi all'umore del suo ventre. Entrare allora in quella parte del suo corpo disposta ad accogliermi, così ormai pronta al proprio completamento, era un'azione che mi toglieva il respiro. Mi tendevo come un arco, tutti i muscoli del mio corpo si irrigidivano, i miei occhi si stringevano finché una sensazione di riposo non saliva dal mio ventre e mi faceva per un istante riprendere conoscenza: o meglio avere una nuova, diversa conoscenza di me e di lei uniti. Non un centimetro del nostro corpo veniva allora tralasciato all'esplorazione interiore e fisica. Mi piaceva continuare reggendola seduta sul mio sesso e, abbracciandola, accarezzare con la lingua quella linea sinuosa che dalle orecchie scende fino alle spalle e che in lei era meravigliosa. E Susy, da parte sua, non tralasciava di tormentarmi tra le gambe finché non sentivo una spinta irreversibile prender forza e salire e salire fino a scoppiare sulla sua pelle tesa.

"Aspetta," sussurrò quando i miei movimenti si fecero più forti e più completi. "Aspetta ancora."

La sua voce era un lamento irriconoscibile, strano, rivestito di toni profondi. Mi arrestai e scesi a baciarle i seni. Inghiottii il capezzolo scuro, lo mordicchiai. Il suo viso era sudato. Alcune gocce caddero dalla mia fronte ed esplosero sul suo corpo. Mi sembrò di sentirne il rumore. Era un suono primitivo, rivestito di echi lontanissimi. Susy allungò le dita verso il mio sesso. Sovrapposi la mia mano alla sua. Sentii con la punta delle dita il mio sesso gonfio dentro di lei. "Adesso, ti prego, adesso," sospirai. Tentò con le mani di respingermi puntandole contro i muscoli tesi del mio addome. Spinsi ancora più forte. E i suoi fianchi si mossero per contrastare quella spinta. Fu come se la voglia di raggiungere in lei l'orgasmo fosse il risultato della forza che impiegavo per continuare e che lei usava invece per respingermi e farmi attendere. Ecco cos'era. Non eravamo due forze opposte, ma la somma di due spinte che tentavano di raggiungere la stessa meta. Più lei si opponeva, più io entravo, più il nostro piacere si avvicinava all'apice. Presi allora a torcere quelle spinte come se tutto me stesso dovesse essere accolto in lei. Susy si lamentò, vidi il suo volto fisso in una smorfia incredula. Feci sempre più forte, più veloce, più completamente. Avevo la gola secca, la bocca arsa. Susy spinse una mano fra le mie cosce fino a stringermi i testicoli che sbattevano violentemente sulle sue natiche. Fu allora che ci trovammo dalla stessa parte a muoverci accanitamente. Era ormai questione di attimi. "Adesso," singhiozzai, "adesso!" Susy balbettò sillabe strane, disse il mio nome, lo ripeté storpiato dall'eccitazione. Le vene sul suo collo erano fiumi in piena. Mi strinse il volto tra le mani. La testa mi stava scoppiando, sentivo le gambe molli, il ventre di Susy incollato al mio schizzava sudore a ogni contatto. Fu un attimo. Un urlo che ci trovò insieme in quel momento terminale. Fiondai il mio desiderio in lei e lei inondò il suo in me. Correggemmo le ultime spinte tramutandole in movimenti più pacati, più completi, più calmi. Finimmo così, esausti, uno addosso all'altra. Poco dopo le sue dita presero a giocare delicatamente col ciuffo di riccioli della mia nuca appoggiata al suo seno. Fu in quel momento che un'immagine si mise ben a fuoco nel mio cervello. Una immagine strana: c'era una bambina sotto la pioggia completamente fradicia, seduta su un grande cartello di una impresa di costruzioni. La pioggia lavava via le scritte dipinte finché sul cartello non fu possibile leggere un nome e quel nome corrispondeva a quello della bambina. Di più: erano la stessa identica cosa.

Passai alcuni giorni con quel pensiero fisso, appuntato nel cervello come un chiodo. Ovunque andassi c'era sempre una bambina straziata che piangeva e una società immobiliare che aveva un nome simile al suo e che probabilmente si chiamava come lei. Ma non avevo voglia di mettermi a cercare, o meglio, non sapevo cosa cercare. Mi ritenevo soddisfatto per quello che avevo combinato in riviera. La tiratura della Pagina dell'Adriatico era aumentata notevolmente trascinando con sé il giornale. Mi ero conquistato i galloni sul campo. Quando sarei tornato a Milano, inevitabilmente, la mia carriera avrebbe d'improvviso spiccato il volo. Mi sentivo già caposervizio e poi... Poi mi avrebbero affidato la vicedirezione in qualche testata di provincia tanto per farmi le ossa e finalmente avrei avuto nel carniere tutti i gradi per dirigere qualcosa. Non ambivo certo alla direzione di un quotidiano, ci sarebbero volute troppe tessere di partito e telegrammi di gradimento e note di apprezzamento. Però una qualche comoda rivista mensile...

Andai in quei giorni spesse volte a giocare a tennis, la notte in compagnia di Gualtiero e di Carlo, quegli amici di Susy che avevo incontrato in Viale Ceccarini pochi giorni dopo il mio arrivo in riviera. Mi portarono anche su uno yacht, al largo, ad assistere a una partita di *chemin de fer* in cui il banco apriva a dieci milioni di lire. Un giovane industriale brianzolo, un tipetto magro e nervoso, perse più di cento milioni nel giro di venti minuti. Avevo promesso che non ne avrei fatto parola sul giornale. E la mantenni. Ma in quelle notti mi accorsi che in tutta la riviera si giocava più che a Montecarlo, a Venezia o a Campione d'Italia. Le bische erano ovunque: in case private, nei retrobottega di certi ristoranti, in ville sulla collina, sui cabinati che – come quella notte – salpavano da Riccione alle undici per tornare poi all'alba con le stesse persone a bordo ma con uno scambio di danaro nelle tasche da far impallidire. Non mi feci certo trascinare nel vortice del gioco. Le poste erano sempre troppo alte, per uno come me. Accettai solamente una partita a *Mah-jong* in un bar del porto che si protrasse fino a mattino e da cui uscii vincitore di mezzo milione. Combinai prodigiosamente – ma la fortuna, come si sa, aiuta gli audaci – una *rosa dei venti* con coppia finale di rossi. Intascai trecento carte. Per il resto mi mantenni su un buon livello e un *colore con serpente* fece il resto. La Romagna, mi spiegò poi Zanetti, era l'unica regione italiana (e forse l'unico luogo d'occidente) in cui il *Mah-jong* fosse diffuso a livello popolare in tutti i bar di ogni paese. C'era addirittura una fabbrica, a Ravenna, che ne confezionava di perfetti in una piacevolissima e luccicante lega sintetica. Feci un salto là con Johnny e ne ricavammo un buon articolo.

Un giorno andai sull'argomento che mi perseguitava con Zanetti.

"Ho visto che da queste parti stanno costruendo un grosso centro residenziale. L'immobiliare si chiama Silthea o qualcosa del genere."

Zanetti rispose senza alzare lo sguardo dai suoi fogli.

"Sì, lo so."

"Per te val la pena di fare un servizio?"

"Non c'è niente da dire, credo. I giornali ne hanno già parlato a suo tempo."

"Perché?" Masticai il lapis. Mi grattai su una coscia. Il mio tono era quello del finto-distratto. Se un detective fosse entrato, e nella stanza avessero appena rubato centomila dollari, mi avrebbe agguantato immediatamente tanto ero zufolone. Ma Zanetti non era il tipo per queste sottigliezze.

"È una storia lunga e noiosa. Sono anni che va avanti. Il diciotto giugno di quest'anno hanno finalmente iniziato a costruire."

Se non c'era niente per Zanetti, allora era un buon segno.

"Si chiama Thea o Silthea?" dissi. "Non ho letto bene."

"Prima una e poi l'altra. È una Immobiliare del gruppo Sifinv."

"Allora siamo di casa. Hanno il pacchetto di maggioranza del nostro giornale, no?"

Zanetti mugugnò.

"Allora non c'è proprio niente." Mi alzai e mi diressi alla porta. "Un'immobiliare cambia nome e costruisce. Sono cose che capitano."

"In effetti è andata così. Hanno dovuto rifare il progetto per poter costruire e hanno cambiato nome."

"Perché hanno cambiato progetto?"

"Se tu fai un patto con qualcuno e poi ti trovi a doverlo onorare con una persona che ha preso il posto del primo che fai? Sarai pur costretto a cambiare qualcosa anche tu, no?"

Non mi sembrò troppo chiaro. Zanetti, evidentemente, dava per scontato una serie di cose che io non potevo sapere. "Hai scritto qualcosa in proposito?"

"Nell'ottantuno. Il pretore bloccò i lavori del cantiere."

Non volli saperne di più. Era meglio essere diffidenti di tutto e di tutti in questo genere di cose. Stavo procedendo a naso e non intendevo, per nessuna ragione, smascherarmi.

Trovai in archivio l'articolo di Zanetti. Lo lessi. Diceva che nel 1981 il pretore di Rimini aveva posto i sigilli al cantiere della Thea poiché sul terreno risultava gravare un vincolo idrogeologico imposto dal competente ufficio della regione. L'Immobiliare rispondeva, carte alla mano, di aver stipulato nel 1979 una convenzione con il Comune di Rimini per l'edificabilità di quella zona. L'articolista, e cioè Zanetti, faceva anche notare che in quei due anni la giunta municipale aveva cambiato composizione politica e che l'Immobiliare Thea si trovava in mano una convenzione concordata in un orizzonte politico assai differente. In parole povere, era questo a cui Zanetti poco prima alludeva. C'era un'unica cosa da fare. Andare a vedere quei progetti.

L'impiegato comunale a cui mi rivolsi si lasciò convincere senza troppi problemi. Tentò di rimandare la mia visita con la scusa del personale in ferie e dell'archivio chiuso, ma non riuscì a essere convincente. Salimmo all'archivio dell'ufficio tecnico dopo che ebbe trovato gli estremi delle pratiche che cercavo. Buttò sul tavolo quattro contenitori di cartone grigio tenuti insieme da uno spago annodato: due si riferivano alla Thea e due alla Silthea. Si trattava rispettivamente della copia del planivolumetrico e della concessione edilizia che riguardava i fabbricati. Estrassi dalle pratiche le due copie eliografiche del progetto tecnico e le confrontai. Le differenze saltavano immediatamente agli occhi. La parte sud-est del primo progetto era, nel secondo, scomparsa. Al posto di un paio di palazzine e una buona parte del parco stava un timbro dell'ufficio tecnico del comune che vincolava il terreno al nuovo Piano regolatore in data otto febbraio 1981. Questa era dunque, con ogni probabilità, la cessione che la Thea aveva fatto alla nuova giunta per potere almeno edificare sul terreno restante e, in questo modo, non perdere tutto il progetto andando avanti con un braccio di ferro senza realistiche soluzioni.

Non ci vedevo nulla di strano. Se non appariva corretta come "prassi", certamente appariva conforme al costume e all'uso dei tempi per un tale genere di cose: l'equivalente insomma di una bustarella o di una tangente per appalti o concorsi o forniture pubbliche. No, non c'era di che scandalizzarsi. Se quelli della Thea avevano rinunciato a edificare su un pezzo di terreno per poter edificare sul restante avevano semplicemente agito come solitamente si agisce in Italia seguendo cioè la regola dell'"Un po' per tutti purché la fetta maggiore a me." E d'altra parte, la nuova giunta trovandosi con quella fortuna tra le mani non poteva non approfittarne per il "bene pubblico" sottraendo agli speculatori una parte di quel terreno e destinandolo a verde pubblico. In realtà, c'era da scommetterci, in capo a pochi mesi avrebbe apportato una nuova variante al piano regolatore concernente proprio quella zona e avrebbe concesso una licenza edilizia in cambio di qualcos'altro in un gioco di dare e avere assolutamente normale nella nostra amministrazione. Fin qui dunque tutto a posto.

"Ha finito?" chiese l'impiegato.

Composi le pratiche. "Sì, ho finito."

"E ha trovato niente?"

"Niente di interessante. Mi sembra tutto a posto."

"Perché poi non dovrebbe esserlo?" borbottò l'impiegato avvicinandosi al tavolo.

Ripiegai il planivolumetrico della Thea. Sbagliai a seguire le pieghe del foglio, la cui dimensione era all'incirca quella di una cartina dell'intera Europa riprodotta nella normale scala delle cartine automobilistiche. Così non feci coincidere l'intestazione del progetto con la prima pagina. Ritentai. L'impiegato cominciò a innervosirsi e più mi stava addosso bofonchiando più io mi intestardivo a sbagliare. C'era sempre quella pagina scura che saltava fuori al posto della copertina. Il mio sguardo cadde su una costruzione circolare di cui non m'ero accorto.

"Un momento," dissi all'impiegato. "Non ho ancora finito."

Riaprii il foglio. Avevo già riconosciuto in quella pagina la zona che era stata eliminata dal progetto successivo. Scrutai attentamente. Era attraversata da una strada che affondava nel parco. Al centro c'era quella costruzione circolare. Cercai di sapere di cosa si trattasse. Frugai tra le pagine della convenzione. Quando lo scoprii, rimasi sconcertato. Perché un padiglione del genere non c'entrava assolutamente nulla con il resto del villaggio; perché non esisteva un motivo plausibile perché una società privata lo costruisse; perché era semplicemente assurdo che si trovasse in quella posizione, tra palazzine e piscine frequentate solo durante la stagione turistica. Del tutto assurdo. A meno che... certamente. A meno che quella costruzione chiamata "Residenza estiva per portatori di handicap" non interessasse qualcuno in modo particolare. Qualcuno che si accaniva, come accecato da un terribile senso di colpa, a imporre quel nomignolo assurdo, Thea, a qualsiasi cosa. E naturalmente anche a quella residenza.

Senza quasi saperlo, ero già arrivato alla soluzione.

-Quella notte una particolare inquietudine serpeggiava in Alberto fino a scuoterlo con violenti sbalzi di umore. Era giunto al *Top In* in ritardo, ma questo in fondo non era un grosso problema. Gli altri orchestrali avrebbero iniziato anche senza l'apporto del suo sax. Il vero guaio era che Alberto si era infradiciato di alcool in giro per osterie e bar. E aveva voglia di menare le mani.

Non appena arrivò, trovò subito da litigare con il cameriere della sala. Alberto gli urlò di andare a fare il servo e che non stesse a rompergli le palle per una bottiglia di whisky non pagata. Il cameriere riferì al direttore.

"Avanti Al, che ti succede stanotte?" gli disse.

"Affaracci miei," sibilò Alberto.

Il direttore si sedette al suo fianco, nel camerino. Si fece mellifluo: "Se c'è qualcosa che non va possiamo parlarne come e quando vuoi... Hai bisogno di un paio di giorni di riposo? Bene. Ne discutiamo, compatibilmente alle necessità della orchestra. Vuoi più lira? Vuoi più tempo libero? Vuoi suonare di meno? Spostare il tuo giorno di libertà? Non devi far altro che chiedere. Mi vedi... Sono qui per questo... Allora?"

Alberto stappò una birra. "Quanti anni ha lei?" domandò.

"Cinquantotto," rispose il direttore. Era un uomo grasso e calvo. Parlava tenendo un sigaro spento tra le labbra. Vestiva uno smoking americano con il cavallo dei pantaloni troppo basso. Aveva un grosso anello al dito e una catena d'oro al collo. La camicia gli stava infatti larga, rendendo visibile quel luccichio. Il direttore non capì quella domanda. Sorrise, ma pensava in realtà a metterlo fuori gioco.

"Mio padre ha la sua età," disse Alberto allungando i piedi sulla sedia di fronte. "Suona nella banda del paese."

"Mi fa piacere. Vedi? Devi rivolgerti a me come a..."

"Non mi rivolgo a lei. È lei che è venuto qui." Ruttò e scoppiò a ridere. "Mi sembra di avere di fronte il vecchio. Tutti e due credete di avere a che fare con una orchestra. Invece dirigete quattro scazzacani che strimpellano schifezze per turisti imbriachi. Complimenti..."

Il direttore arrossì violentemente di rabbia: "Senti, gran figlio di puttana," sibilò roteandogli davanti al naso quel suo dito che assomigliava a una salsiccia. "Non ti permettere questo tono. Sei un poveraccio di musicista fallito! Bene! Questo lo sappiamo tutti e due! E allora prendi quel cazzo di strumento di latta e vattene di là a suonare perché io ti pago per questo. E quella gente là fuori ha sborsato tanti quattrini per entrare qui quanti tu non ne potrai vedere per il resto della tua vita!" La sua gola aveva riempito, nello sforzo di reprimere la collera, il colletto della camicia che ora, finalmente, gli calzava a pennello.

"Suonerò," disse Alberto alzandosi. "È solo questo che vuole da me?" Si chinò e prese il sax. "Suonerò finché quei grassi maiali saranno talmente ubriachi del vostro schifo di champagne e talmente stanchi di ballare che scoppieranno come tante pere marce, uno dopo l'altro. Suonerò anche per lei, direttore. E spero che le budella le si torcano fino a farla crepare."

Raggiunse il palco e iniziò a suonare, benché lo spartito non prevedesse in quel momento la sua entrata. Suonò così per tutta la notte, senza staccare mai. Si sarebbe detto che volesse lui stesso scoppiare nel suono del suo sax. I compagni non tentarono di calmarlo. Quello era anche il suono di vendetta di tutti i musicisti condannati a suonare per accompagnare il chiacchiericcio della gente, per servire come sottofondo agli intrighi delle troie da balera. Lo lasciarono andare per i fatti suoi finché, esausto, non cadde a terra.

Verso mattino Alberto raggiunse la pensione. I suoi passi erano faticosi. Impiegò molti minuti per salire le rampe di scale. Quando fu sul pianerottolo, gettò lo sguardo verso la porta da cui tante volte era provenuta quella luce calda e femminile. Quella mattina, per la prima volta, era spenta. La porta chiusa. Milvia era partita il giorno prima con i suoi figli. Era arrivato il marito e se li era portati via con sé. Fu la prima volta che sentì una profonda, dolorosa nostalgia per quella luce che non c'era più. Barcollò fino alle tende, in fondo al corridoio che trattenevano la luce del giorno. Si aggrappò e tirò con tutta la sua forza. Il chiarore entrò nel corridoio come un lampo. Strinse gli occhi. Pensò che annegare forse doveva essere la stessa cosa: dissolversi rabbiosamente nella luce troppo forte di un nuovo mattino.

HOTEL KELLY

– L'Hotel Kelly – avevamo mantenuto il nome della vecchia pensione – aprì per la stagione estiva 1963. Era un fabbricato di cinque piani, contando anche il piano terra (magazzini, cucine, ripostigli, garage) e il primo piano in cui stavano la grande sala da pranzo, il bar, la sala della televisione con il salotto, la reception eccetera. Le camere, sistemate sui tre restanti piani, erano trentotto. In più c'era un terrazzo in cima al fabbricato che serviva come stenditoio e lavanderia sia per i clienti che per l'albergo.

Avendo aggiunto un servizio bar e aumentato la capienza di ospiti rispetto alla vecchia pensione, anche il personale, di conseguenza, era aumentato. C'era per esempio Gino, un pensionato delle ferrovie, che faceva il portiere di notte; il giardiniere Vainer – mia madre teneva molto alle sue azalee, ai vasi con le palme, ai cespugli di tuja e al pergolato di uva fragola – e anche un uomo di fatica, Celso. L'Irene aveva in cucina una sottocuoca e una sguattera, più le due cameriere di sala che la aiutavano a riordinare. C'era anche un cameriere che si chiamava Luigi e veniva da un istituto alberghiero di Forlì retto da preti; aveva sedici-diciassette anni, era senza barba ma aveva una peluria nera talmente forte sul labbro che sembravano veri e propri baffi. Mi combinò un sacco di guai. Inoltre tre cameriere pensavano ai piani e alle pulizie delle camere. Crescendo, mi misero a lavorare. Era un lavoro che odiavo. Dovevo ricevere le ordinazioni delle bevande, durante i pasti, poiché non erano comprese nella retta giornaliera. Era umiliante. Ero un bambino molto timido, arrossivo con facilità e anche piangevo spesso perché mi sentivo di sbagliare continuamente. Figuriamoci a trattare con i clienti! Mi facevano sempre sentire un servo. Ero un tipetto sveglio e capivo già come il mondo funzionava. Avevo le mie idee su cosa sarei diventato da grande e non erano sogni o balle del genere, erano veramente dei progetti fatti con carta e penna e nero su bianco. Infatti se un mio amico diceva ah da grande farò l'astronauta e tutte queste cazzate qui io dicevo, bello mio, sono sogni. Voglio dire che avevo già bene in mente quello che era sogno e quello che era realtà. Per questo non mi piaceva stare lì a girare fra i tavoli e ricevere le carezze e come sei diventato grande quest'anno, e che scuola fai, e cosa ti piacerebbe diventare, e tua sorella, e la nonna, e la zia Adele e cazzate del genere. Io ero diverso. Eppoi sbagliavo. Ed erano botte da orbi. Il babbo aveva la cinghia facile e per quanto mamma gli gridasse: "Renato non lo tocchi nemmeno con un dito!" quando restavamo soli, e avevo combinato qualche sgarro, tipo dimenticare di annotare una bottiglia di vino a un cliente, erano botte: mi portava in cantina, mi toglieva i pantaloni e giù una raffica di cinghiate. C'era sempre anche quel rimbambito di Gino, il portiere di notte, da quelle parti. E mai, mai che osasse venirmi in aiuto. Con lui mi vendicai, qualche anno dopo, puntando i piedi e facendo il finimondo per avere il suo incarico. Vinsi e Gino fu licenziato.

Diventavo grande e capivo che l'unica cosa che contava in famiglia era far quadrare quei maledetti conti e poter pagare i debiti con la banca. Per questo mamma si alzava così presto la mattina. Avevano rinunciato a prendere altro personale per risparmiare. Furono anni molto duri, lavoravano come matti e indubbiamente guadagnavano. Però c'era da far quadrare i conti con le banche e gli interessi e i debiti. Il babbo lo sentivo che bestemmiava come un indemoniato contro le banche chiamandoli sfruttatori, ladri e parassiti che vivono sulle spalle della gente che lavora. Ce l'aveva con tutti, anche mamma ce l'aveva con quelli della banca. Alle volte mandavano me a depositare sul conto un po' di soldi. Era penoso. Molto peggio che entrare in chiesa. Dio. Il Danaro. Il Capitale. Il peccato... Non so se mi spiego... le banche mi hanno sempre intimorito... Avrei potuto assaltare una banca, invece di fare quello che ho fatto con quei poveracci, vero?...

– ... Quando le cose andarono meglio per la tua famiglia?

– Nel periodo del boom vero e proprio, metà degli anni sessanta. Le aziende di soggiorno avevano stipulato convenzioni vantaggiosissime con la Svezia. Gli svedesi ce li portavano direttamente in albergo al ritmo di quaranta per quaranta. Restavano due settimane, da un sabato fino a quell'altro dopo. Ogni quindici giorni metà dell'hotel si svuotava e questo da maggio fino a settembre. Chi era in partenza consumava l'ultimo pasto a mezzogiorno con grandi saluti e grandi abbracci con il resto dei clienti e naturalmente grandi sbronze. I gigolò erano tutti fuori in giardino che attendevano per farsi l'ultimo giro. I nuovi arrivavano alle sette di sera e subito li si portava a tavola. L'hotel rimaneva semivuoto solo per poche ore e in quel tempo c'era una sensazione molto strana a girare ai piani. Era tutto un andare e venire. I fusti da spiaggia giravano attorno all'hotel nervosi come avvoltoi senza più carogne. Poi la sera erano di nuovo tutti lì assiepati contro il cancelletto, pestando le azalee della mamma per vedere la prima uscita delle "nuove". E fischiavano e si davano grandi gomitate e si lisciavano i capelli e gridavano i loro apprezzamenti!

Tutti gli svedesi bevevano molto. Dovevo aggiornare continuamente il mio registro delle bevande e per non fare arrabbiare mio padre cominciai, di tanto in tanto, ad aggiungere qualche bottiglia in più. Attesi il momento del cambio del turno, quando veniva saldato il conto, per vedere se il trucco funzionava. Funzionò. Così imparai a fare le "creste" e soprattutto a non beccarle più da mio padre che era passato, diventato io più grande, agli schiaffi e ai pugni.

Lavoravano molto, i miei genitori, in quegli anni. La mamma era sempre stanca e pallida e aveva cominciato a soffrire di male ai piedi e di vene varicose. Una volta la sentii piangere e lamentarsi col babbo. Diceva che avevano fatto il passo più lungo della gamba e che non ce l'avrebbero mai fatta a pagare tutto perché più di ammazzarsi di fatica lei non poteva fare. Fu quella notte, credo, che il babbo decise di rompere gli indugi e buttarsi ancora di più sul lavoro. "Prenderemo una dépendance dalla Flora. Lei penserà alle camere e noi avremo da aggiungere solo qualche tavolo in più in sala. Tanto, far da mangiare per centocinquanta o centottanta persone è la stessa cosa. Vuol dire che diremo all'Irene di fare i piatti più piccoli."

L'esperimento della dépendance andò molto bene. Era una casa a due piani di proprietà della Flora, una amica che ogni tanto veniva a fare i lavori per la mamma. La retta per i clienti era identica a quella dei pensionanti. L'unica differenza è che dormivano fuori dall'Hotel Kelly. Il babbo dava un terzo della tariffa di ogni persona alla Flora per il posto letto. L'anno dopo la cosa continuò e arrivammo nel 1966 ad avere tre dépendance e una unica enorme sala da pranzo che prendeva tutto il piano invadendo la sala della televisione e il bar. In questo modo i miei genitori riuscirono finalmente a entrare in pieno possesso dell'hotel e guadagnare, finalmente, molto bene.

Quando diventai più grande e già facevo la prima media, mi impuntai per quella cosa del portiere di notte e i miei genitori acconsentirono. Mia sorella più piccola, Adriana, prese il mio posto in sala, per le bevande, mentre Mariella, la più grande, si sposò con uno di Milano perché c'era rimasta, e sparì dalla circolazione.

In fondo poi mi piaceva stare lì alla reception tutte le notti. Di giorno infatti potevo fare quello che volevo e starmene in spiaggia con i miei amici e fare il bellimbusto a portare il pattìno e nuotare davanti alle ragazzine. Non dovevo più dire agli altri sempre non posso, devo lavorare, vorrei ma devo fare i conti e cose del genere. Ora mi sentivo finalmente meno servo. Quello fu il periodo in cui mi innamorai per la prima volta. Si chiamava Lucia e faceva la cameriera da noi. Era più grande di me di qualche anno, veniva da un paese vicino a Macerata. Era una morettina minuta con grandi occhi molto belli. Fu con lei che feci le prime cose. Ho già detto dei giornali che gli svedesi lasciavano in camera. A dir la verità loro lasciavano anche tutto aperto. Se mi chiamavano all'intercitofono, di notte, per una bottiglia di minerale, o più spesso, per coca e rum, io sapevo già che li avrei trovati tutti nudi in quattro o cinque sul letto e dal groviglio sarebbe saltato fuori un braccio nero e peloso che mi avrebbe salutato in romagnolo. Ma erano belli e simpatici e certo non paragonabili a quei fottuti inglesi... Insomma, le idee di quel che potesse succedere fra un ragazzo e una ragazza non mi mancavano. Tanto più che la notte, verso le tre o le quattro, quando ormai tutti i clienti erano rientrati e nessuna chiave era più appesa al quadro alle mie spalle, salivo in terrazza. Di fronte c'erano altri alberghi, più bassi del nostro. Dall'alto potevo così spiare, non visto, dentro altre camere. Le insegne accese degli alberghi proiettavano nelle stanze una luce sufficiente a far sì che l'idea di cosa potesse succedere una volta a letto, fra un uomo e una donna, non fosse più un mistero.

Lucia mi piaceva, la vera prima cotta. Ci baciavamo per qualche minuto, dietro le pile di cassette dell'acqua minerale, o nascosti tra i fornelli. Mi piaceva. Volevo che mi facesse provare, ma lei diceva: "Sei troppo piccolo Renato, non sei ancora pronto."

Un pomeriggio, verso le quattro, in un'ora morta e silenziosa, quando la mamma andava a riposare e anche l'Irene e gran parte del personale, scoprii Lucia e Luigi che facevano quel genere di cose giù ai garages. Loro certo non si accorsero di me. Fu un brutto colpo. La mia Lucia! Quanto la odiai! Architettai la mia vendetta. Sottrassi dal cassetto del bar alcune diecimila lire, quelle grosse come tovaglie. In hotel si creò il caso, il barman giurò sul suo onore che non ne sapeva niente e il babbo cominciò a sospettare di tutti. I soldi vennero trovati nel cassetto del comodino di Luigi che venne cacciato. Fu la prima volta, ora mi accorgo, che misi in relazione l'amore con il danaro. Una relazione un po' tortuosa, ma forse già allora il mio destino di puttaniere era segnato. Ho sempre pagato, anche da giovane... Per guardare.

Molte volte, la notte, ero costretto a rincorrere i play-boy che si intrufolavano dalle finestre della sala da pranzo per salire dalle svedesi. Il babbo mi aveva avvertito. Sapeva cosa succedeva e consigliava di tenere gli occhi aperti. Ma anche lì trovai il mio modo per far funzionare le cose. Billy, per esempio, che era un amico di mia sorella grande e che mi pagava i gelati e mi era simpatico, lo facevo entrare di nascosto, a patto però che mi lasciasse vedere. Billy ogni notte saliva di nascosto in una camera e lasciava la porta aperta e a un certo punto io mi mettevo lì e guardavo. Poi quando scendeva, mi salutava e mi dava la mancia e alle volte chiedeva: "A quanto siamo?"

"A centodiciotto," dicevo io.

"Quest'anno arriviamo a trecento, stai tranquillo, Renato." Io infatti gli tenevo il conto delle scopate che faceva. Poi si fece fregare da una svedese e se la sposò e anche lui sparì dalla circolazione con tutti i suoi medaglieri colmi di successi e di tacche sulla pistola.

Il nostro hotel non era più quella pensione povera ma decorosa e intima della mia infanzia con le signorine "vu": Vally, Vanda, Vulmerina e Vera, infatti, avevano scelto la costa del Tirreno perché meno fracassona. Non c'erano più i signori Marcello che mi tenevano in braccio e mi portavano a spasso con la carrozzella. Era tutto diverso. Forse perché facevo le scuole superiori e diventavo grande. La mamma era ormai invalida alle gambe e venne operata tre volte di fila. Non poteva più aiutare in cucina e andare ai mercati. Teneva i conti. Fu in quel periodo che il babbo sgallettò con una cameriera, la Rina, e prese a giocare i soldi (perché ne avevamo) e vivere come un riccone assumendo addirittura un amministratore mentre lui faceva solo il padrone. Mamma non era affatto contenta. Si attaccò a me. Faceva discorsi strani. Diceva che io ero l'unico figlio maschio e non dovevo abbandonarla. Allora io mi attaccai morbosamente a lei. Odiai il babbo, i clienti, tutto. Odiavo le cameriere che si facevano toccare il culo, gli uomini, i vecchi, i bambini, i miei coetanei. Tutto era avvolto in un'atmosfera vaporosa e lessata come di una grande cucina, col puzzo della cucina: vivere, far l'amore, dormire, guadagnare, morire, tradire, vendicarsi... Nei miei incubi c'era sempre quella grande cucina con quell'odore. Così una sera dissi a mia madre: "Per tutta la vita hai fatto la serva agli altri. Ora la farai a me." Questo le dissi.

Verso i sedici-diciotto quindi cominciai ad avere le prime crisi. Non tolleravo più quel nomadismo per cui ogni anno avevamo una casa per soli otto mesi e per il resto ci veniva strappata, sconsacrata, umiliata, distrutta da quei clienti che rompevano le piastrelle, i letti, bruciavano le tovaglie, rubavano i bicchieri e i quadri appesi alle pareti. Per non contare poi quello che avrebbero fatto nelle nostre stanze: pisciare nei lavandini, in terra, sporcare e insozzare. Alle volte aprivi un armadio e ci trovavi nascosta, infilzata, occultata in modo perfetto, una sozzeria incredibile, un preservativo usato, assorbenti, era terribile. No, non era possibile che la mia vita fosse per una parte dell'anno vissuta in una casa che sembrava un monumento vuoto e buio e poi, per il resto dell'anno, una colonia. La mia stanza al primo piano che dovevo lasciare così, senza far niente, alla violenza degli stranieri... Il bancone della reception. Portiere di notte. Era il mio unico rifugio. Se non avessi avuto quello, tutto sarebbe successo molto, molto prima...

Agli inizi degli anni settanta tutto diventò di nuovo diverso. La gente voleva spendere sempre meno e divertirsi di più, voleva cibi più raffinati, servizi più costosi come fossero al Grand Hotel. Clienti spendaccioni che conoscevamo da anni diventarono improvvisamente tirchissimi, come non avessero più una lira bucata. Le dépendances non furono più di moda per via dei sindacati e delle aziende di soggiorno e dei funzionari della Finanza. Erano aziende in nero e furono spazzate via. Il babbo ebbe guai con la Finanza per via di certe tasse di soggiorno che non aveva pagato in misura giusta; e guai con il personale che si rifiutava – se assunto per esempio con un contratto stagionale di cameriera ai piani – di dare una mano in cucina. In più fra la servitù era guerra continua perché una cameriera guadagnava più di una sguattera e quest'ultima, a parità di lavoro, non poteva, per esempio, usufruire delle mance. Io ero sempre, naturalmente, dalla parte dei servi contro il padrone – il babbo – e contro i clienti – i ricchi –. Anche d'inverno, a scuola, ero una testa calda. La situazione peggiorò nel 1974-'75 con la crisi petrolifera e poi andò sempre più giù. L'azienda di soggiorno creò un neologismo che il nostro collettivo politico svillaneggiò un inverno intero: "Mancato incremento". Questo per dire che si andava in basso. Noi dicevamo che lo sviluppo così improvviso della nostra città era basato su fattori "eminentemente" speculativi e di improvvisazione. Mancava una programmazione seria dell'azienda turismo e soprattutto i contatti con i consigli di fabbrica delle aziende del Nord con le quali fare programmi, scaglionare le ferie e fornire vacanze agli operai. Con il babbo ci furono momenti di forte tensione. E di scontro. Ma in fondo io lo accusavo soltanto di trascurare la mamma, di giocare troppi soldi alla roulette e alle carte e di spendere tutto e non fare programmi per l'hotel che da due stagioni ormai non faceva gli ordinari lavori di manutenzione e ristrutturazione. Nel 1976 la situazione fu davvero pesante. Ci trovammo con l'hotel al completo per la sola settimana del ferragosto. A settembre chiudemmo in anticipo. I costi di gestione erano troppo alti.

Un'altra estate, avevo più di vent'anni, ormai, presi in affitto una discoteca con degli amici. La cosa delle discoteche era nell'aria in quel periodo. Pagammo un sacco di soldi per due mesi di attività e alla fine ci rimettemmo. Quando fu il mio turno di pagare i debiti, parlai con mio padre: "Mi è andata male," dissi, "mi servono cinque milioni".

Mi aspettavo una reazione furiosa. Ero già pronto ai cazzotti e magari anche a togliere i pantaloni. Invece il vecchio si prese la testa tra le mani e scoppiò a piangere: "Ho ottanta milioni di debiti," disse.

"Cosa?"

Be', ecco la verità: aveva perduto al gioco e non avevamo più niente. L'hotel fu ipotecato. Poi ci fu il disastro. Se avessimo avuto i soldi per fare i lavori non sarebbe successo, comunque... Una *notte prese fuoco il magazzino. Me ne accorsi verso le tre quando rientrai per dormire. Sentii puzza di bruciato e seguendo l'odore vidi il fumo proveniente dal piano terra. In brevissimo tempo tutto fu invaso da nuvoloni neri che si torcevano a una velocità incredibile. Arrivarono i vigili del fuoco, i clienti furono fatti sloggiare e attesero in mutande, sul viale, di poter rientrare. Bruciò tutto il seminterrato. Quando all'alba tutto fu compiuto lo spettacolo era da stringere il cuore. Trovai la mamma in cucina, seduta su una cassetta di birra con le braccia strette allo stomaco. Il puzzo di fumo e di bruciato era insostenibile. I muri erano come pelle bruciata. In terra una melma nerastra e fumante e schiumosa si stendeva fino all'altezza delle caviglie.*

"Andiamo via, mamma," dissi. "Ci penseremo poi."

Alzò il viso e mi guardò con gli occhi spalancati: "Cosa vuoi capire tu! C'è da lavorare, adesso!" gridò come infuriata. Si alzò e prese a spazzare quel pantano ma solo un pazzo avrebbe potuto farcela senza l'aiuto di una grossa pompa. Seppi poi che non avevamo l'assicurazione. Il babbo s'era giocata anche quella. Tutto il primo piano fu dichiarato inagibile dai vigili del fuoco e l'hotel venne chiuso. Il babbo lavorò da solo tutto l'inverno seguente. L'estate successiva ci furono pochi clienti e chi aveva prenotato, una volta visto l'hotel, se ne andava via. Quell'inverno la mamma morì. E la mia sorellina si sposò con un ragazzo olandese. Rimasi solo con il vecchio. Quando potemmo finalmente riaprire, non avevamo più il permesso per chiamarci hotel e fummo declassati a Meublé. Non avevamo rifatto i muri, solo ridipinti. Per questo ancora adesso c'è quel puzzo e quando piove è disastroso. Abbiamo continuato a gestirlo così, come semplice albergo senza più fornire i pasti e la pensione completa. I clienti lo usavano solamente per una o due notti in attesa di trovare una sistemazione migliore. Altri solamente per qualche ora in compagnia di una mignotta o di un travestito. No, non avevamo i soldi per rimetterlo a nuovo. Lavoravamo per pagare i debiti e c'era sempre quella puzza di bruciato che mi aveva infettato il cervello...

PARTE TERZA

APOCALISSE, ORA

Arrivò alla stazione di Rimini verso le dieci del mattino. Scese dalla vettura di prima classe con calma, cedendo il passo agli altri viaggiatori. Aveva un aspetto cortese e distinto. Vestiva completamente di bianco: giacca e pantaloni di lino, camicia, calzini e scarpe. Il suo viso, nonostante dimostrasse i settant'anni della sua età e fosse solcato da rughe profonde soprattutto sulle guance, appariva fresco e mobile nelle espressioni, in quei suoi cenni gentili per lasciare avanzare le signore nel corridoio dello scompartimento, in quel fissarsi davanti al cartello blu di "Rimini".

Il suo mento era arricchito da un pizzetto di barba bianca con marmoree striature grigie. Portava un paio di occhiali da sole. I suoi capelli erano tagliati a spazzola, candidi e ispidi. Il suo fisico era magro e la sua andatura dinoccolata. Non aveva con sé bagagli all'infuori di una vecchia borsa di cuoio marrone simile alla valigetta di un medico. Si arrestò davanti a quel cartello ferroviario. Poi uscì dalla stazione e chiamò un taxi.

Durante il tragitto il suo sguardo fu attratto dal panorama umano della riviera finché, come spossato da quel viavai frenetico di uomini e donne che attraversavano la strada in costume da bagno, dalle grida e dai richiami che si lanciavano da una parte all'altra dei marciapiedi, si posò sul libro dalla copertina di seta nera che teneva in grembo. Lo aprì facendo una lieve pressione sul segnalibro di pelle che spuntava tra le pagine. Si trovò davanti quella sestina, scritta in latino, che da anni andava studiando tentandone una comprensione e, soprattutto, cercando di svolgerne il significato esoterico. Numerosi appunti tracciati a matita fra i sei versi e poi tutto intorno fino a riempire i bordi della pagina, erano le piccole tracce di quel lavoro. Il professore rilesse la sestina nonostante la conoscesse a memoria e la potesse anche recitare a rovescio, dall'ultimo verso al primo, e addirittura dall'ultima parola alla prima rispettando però la sequenza originale. Erano tentativi che aveva fatto finché non gli era sembrato, un giorno, di procedere nel verso giusto avendo adottato, come chiave di interpretazione, una sequenza di numeri ricavati dalla Kabbalà. Questi numeri potevano riordinare l'intera sestina producendo finalmente un significato profetico. E questo significato era che alla tal ora di un tal giorno di un certo preciso anno la "terra e il sole sarebbero scomparsi e il mare non sarebbe stato più". La grande meretrice seduta sulle molte acque, che aveva inebriato gli abitanti della terra con il vino della sua fornicazione, sarebbe stata consunta dal fuoco e il mare avrebbe sparso le sue rovine fumanti prima di rivoltarsi anch'esso. La grande città di cui si esclamava "Quale città fu mai simile a questa?" sarebbe stata in un attimo ridotta a un deserto di lava, detriti, fango.

Come lui, il professore, fosse riuscito a stabilire l'identità fra la grande meretrice e la costa di Rimini; e soprattutto come potesse essere così certo che proprio in quell'anno, in quel giorno di agosto, l'irreparabile sarebbe accaduto, tutto ciò era oggetto di una conferenza stampa che aveva convocato nella hall del suo hotel il giorno stesso del suo arrivo, alle cinque del pomeriggio. Per questo era arrivato sulla costa. Per avvertire e per ammonire.

Ci trovammo tutti nella hall dell'hotel per la conferenza stampa. Avevo portato Susy con me. Il mio giudizio era quello di non sottovalutare cose del genere, da qualsiasi punto di vista. Un libretto letto anni prima sulla psicologia delle masse mi induceva a pensarla in questo modo. Per questo ero voluto andare di persona. Per rendermi conto se si trattasse di un pazzo, o di uno scherzo, o di un personaggio da tenere sotto controllo con cautela e rispetto. Non appena il vecchio parlò, mi dissi che non sarebbe stato il caso di dare troppa rilevanza alla questione. Il vecchio era dannatamente serio nella sua esposizione. Avrebbe spaventato persino un guru.

"Cosa la induce a pensare che quanto ci ha raccontato accadrà?" chiese un ragazzotto di una radio libera.

Il vecchio mosse le labbra e le mascelle come stesse per masticare qualcosa. "Il libro ha avuto ragione molte altre volte," disse infine. Parlava con lentezza offrendo l'impressione di terminare il discorso a ogni parola.

"Può farci degli esempi?" riprese il cronista.

"Ben volentieri." Consultò il libro che teneva in mano inumidendosi la punta del dito indice per sfogliarlo. Lesse qualche frase in latino. Tutti i colleghi sbuffarono di impazienza.

"Traduca, per favore!" disse qualcuno dalle prime file. La sala era gremita. Eravamo in una cinquantina e l'hotel non era certamente un albergo di lusso. I fotografi stavano inginocchiati ai piedi del vecchio e scattavano senza interruzione pose ora del pubblico ora di chi parlava. Finalmente il vecchio iniziò a tradurre.

"Si tratta della Rivoluzione Francese," annunciò al termine. "È stata annunciata dal profeta trecento anni prima."

"Come può dire che si tratti del 14 luglio?" chiese Susy. "Ha parlato solamente di fasi lunari. Non di date precise."

"Faccio un altro esempio," disse il vecchio. "So che siete increduli quanto lo sono stato io, prima di dedicare gli ultimi vent'anni della mia vita al profeta. Ma ora vi leggerò l'annuncio di una grande sciagura. Resterete sbalorditi." Fece una pausa. "Si tratta di Hiroshima."

Proseguì ancora per qualche minuto con la lettura e le interpretazioni. Ma era come evitasse di spiegare, nel suo rifarsi continuamente ad avvenimenti successivi, i motivi per cui era arrivato a Rimini e soprattutto perché Rimini e non San Francisco o Mogadiscio o Tokio. La Pagina dell'Adriatico non diede troppo rilievo alla conferenza stampa fatta eccezione per un trafiletto di quindici righe che riportava, nuda e cruda, la notizia, e cioè: un professore di latino in pensione è arrivato a Rimini per annunciare ecc. ecc.

Le altre testate non furono avvedute quanto lo fummo noi. Soprattutto le radio private e le televisioni locali si gettarono sull'argomento come iene fameliche. In questo modo cominciò a crescere una psicosi collettiva. Un fatto straordinario, poi, incrementò ancora di più la fobia della gente. Un giovane assalì un pullman di turisti impugnando una pistola e tenendoli in ostaggio per una decina di ore.

Corremmo sul luogo.

La polizia aveva isolato il tratto di lungomare in cui era bloccato il pullman come fa il chirurgo quando chiude una vena con un punto di sutura a monte e uno a valle della zona in cui deve intervenire. Le camionette biancoazzurre della polizia chiudevano il traffico un centinaio di metri prima e uno dopo. C'erano inoltre automezzi blindati dei carabinieri dai cui tettucci sbucavano agenti in assetto di attacco con i lacrimogeni innestati sui fucili. Attorno al pullman c'era il deserto. Riparate dietro una vettura della guardia municipale un paio di persone comunicavano, tramite un megafono, con il terrorista. La scena, vista dall'alto dell'albergo in cui ci eravamo appostati, appariva insensata. Come si stessero girando alcune sequenze di un film. No, non era possibile cercare di capire o anche solo immaginare quello che stavano provando quei poveracci chiusi da ore su quel pullman nel caldo torrido del pomeriggio, senza acqua, servizi igienici, senza mangiare, senza potersi sdraiare, senza, soprattutto, poter capire che cosa volesse da loro quel giovane. E se voleva mai qualcosa, che diavolo c'entrassero loro, con i loro pacchi e le loro sporte e le loro creme solari, sul loro tranquillo omnibus.

"Quanti saranno, là dentro?" chiesi a Guglielmo che era in contatto telefonico con Zanetti.

"Quarantatré," fece lui. "C'è stato un comunicato della agenzia viaggi. Vengono da Manchester. Tutti sui sessant'anni. Avevano in programma una escursione a San Marino e San Leo."

"Si sa chi è quel pazzo?"

"Non sono riusciti a identificarlo. Non ha ancora fatto richieste. Ha urlato semplicemente che se qualcuno si avvicina spara sugli inglesi. C'è da credergli, visto che lo ha già fatto." Tornai alla finestra. I clienti della camera che avevamo occupato non sapevano se guardare con più curiosità me e Guglielmo, che ci davamo da fare con il telefono e la macchina da scrivere, oppure giù in strada la ressa di gente che si ammassava dietro i cordoni della polizia e poi quel tratto di strada improvvisamente deserto, quel pullman, quelle tracce di sangue sull'asfalto.

Durò così per tutto il pomeriggio, fin verso il tramonto. Poi, improvvisamente, nel giro di qualche istante, la situazione si risolse sotto ai nostri occhi senza che avessimo quasi il tempo di accorgercene. Ci fu una corsa velocissima di un gruppo di poliziotti provenienti dalla spiaggia e di un secondo gruppo dalla strada. Il pullman fu circondato. La porta si aprì e un ragazzo scese gettando lontano l'arma. Una donna gli si avvicinò. Lo prese al braccio tentando di allontanare i poliziotti che si erano scagliati sul giovane. Il ragazzo si coprì il viso con le braccia e posò la testa sulle spalle della donna che si sbracciava per farsi largo fra i poliziotti. Raggiunsero l'auto e filarono via inseguiti dalle sirene delle auto della polizia. Sul lungomare restò solo il pullman. Attoniti, esterrefatti, incerti, traballando sulle gambe, spalancando gli occhi, baciando il suolo e l'asfalto torridi e melmosi, i passeggeri uscirono uno a uno. Alcuni crollarono a terra non appena fatto qualche metro. Altri si appoggiarono ai poliziotti, altri ancora furono soccorsi dalle ambulanze. La folla premeva al di là dei cordoni dei poliziotti e applaudiva. I turisti di Manchester crollarono uno dopo l'altro sorridendo e alzando le braccia come quegli atleti che giungono stremati in prossimità del traguardo della maratona olimpica. Erano i vincitori. Ce l'avevano fatta. Ora potevano anche accasciarsi a terra e desiderare di non rialzarsi mai più.

Non appena ci accorgemmo che tutto era finito, scendemmo di corsa dall'hotel e raggiungemmo il pullman. Johnny scattò tre rullini di foto. Dalla questura, più tardi Susy telefonò a Zanetti per dire che il ragazzo era arrivato, si chiamava Renato Zarri, era di Rimini, non faceva parte di nessun gruppo terroristico e stava vuotando il sacco con il magistrato, la dottoressa Giovanna Piola. Era stata questa donna a risolvere la situazione. E lei fu, il giorno seguente, l'eroina delle prime pagine dei giornali.

La buona riuscita di questa operazione non riuscì a frenare la psicosi da fine del mondo che stava ormai stritolando la riviera. Inviati speciali di settimanali nazionali, a corto di notizie, si precipitarono a Rimini e contribuirono non poco a ingigantire il fenomeno. La televisione di Stato mandò in onda uno special nell'ora di massimo ascolto in cui veniva intervistata la gente per strada, si chiedeva cosa pensasse, cosa avrebbe fatto e come avrebbe reagito a quella notte che stava ormai per scadere. Più ci si avvicinava al momento cruciale, più accadevano le cose più impensate. I venditori di attrezzi per campeggio, per esempio, esaurirono i loro magazzini. Tendopoli abusive sorsero qua e là nella campagna a opera di speculatori e di avvoltoi che chiedevano cifre astronomiche per un semplicissimo posto tenda. Una parte dei turisti, soprattutto ragazzi, abbandonò le famiglie e le pensioni per costituirsi in "gruppi di intervento" il cui fine diventò ben presto quello di giocare alla fine del mondo come tanti boy-scouts. Le discoteche più avvedute improvvisarono parties "World's end" e fecero soldi a palate con gente che faceva la fila fino alle tre del mattino per godersi la fine di Babilonia, o di Sodoma o Gomorra. Parties "Caduta di Costantinopoli", "Presa di Bisanzio", "Incendio di Roma" sorsero qua e là dando vita a un look improvvisato fatto soprattutto di veli, parei, fusciacche e nastrini arrotolati attorno ai corpi nudi. Profeti nacquero da un giorno all'altro sulle spiagge. Ammonivano dai mosconi contro la corruzione dei costumi, incitavano a fare penitenza e pregare Dio. Un paio di colonie a Bellaria chiusero i battenti e mandarono a casa i ragazzini. Gli operatori turistici si diedero da fare per screditare quel pazzo fanatico e tenere calma la gente. Poi capirono che non era tutto "male". Infatti la gente che se ne andava disdicendo prenotazioni veniva rimpiazzata sempre di più da curiosi che arrivavano per assistere a quella notte finale. Così, dopo un primo momento di incertezza, anche gli albergatori capirono che la "fine del mondo" aveva dei risvolti positivi. Non avrebbero mai creduto che tanta gente fosse così desiderosa e smaniosa di lasciarsi andare nell'imminenza della fine. In riva al mare, la notte, ardevano grandi falò. La spiaggia sembrava quella di una città del Marocco prima di una tempesta di sabbia quando la gente sfolla verso il mare e fa l'amore continuamente per ore e ore. Tutti i segreti si rendevano palesi, le voglie scoppiavano, i desideri straripavano dalle intimità.

Dal suo hotel, il vecchio guardava la folla. Una grande calma era scesa in lui. Aveva fatto quel che gli spettava. Ora il suo compito era finito.

Il trip della fine certamente non mi scosse più di tanto. Dai fogli della Pagina dell'Adriatico ci limitammo a descrivere gli eventi imponendoci una notevole sobrietà. Quello che stava accadendo fu trattato come si tratta qualsiasi notizia. Eravamo dell'avviso di non cavalcare la tigre. Puntavamo forte sul dopo. Se, come ci aspettavamo, non fosse successo nulla, avremmo sì dato fiato alle trombe una volta dissoltosi l'incubo della catastrofe. Giocavamo sui tempi lunghi. Volevamo vantarci di essere stati gli unici ad avere mantenuto i nervi saldi. Ma quando accadevano fatti gravi – l'assalto a un convoglio ferroviario, completamente prenotato, da parte di passeggeri sprovvisti di biglietto – non era facile restare tranquilli. Si viveva sempre su un equilibrio precario. E spesso la voglia di buttarci tutti da una parte era troppo forte. Nonostante i buoni proposi qualcosa cominciava a incupirsi dentro di me. Tolkien avrebbe scritto: ombre nere, minacciose, si avvicinavano dall'orizzonte.

Una notte decisi di rimanere solo. Salutai Susy. "Sono molto stanco," le dissi. "Non te la prendere."

Mi guardò affettuosa. Scese dalla Rover. Poi si sporse attraverso il finestrino. Mi allungai e ci baciammo.

"Mi piaci, Marco. Sul serio," disse.

Non seppi cosa risponderle.

Arrivai nel mio appartamento verso le undici. Salii di sopra e mi buttai sul letto. Bevvi un sorso di whisky caldo e bruciante. Mi rialzai. I due vecchietti della fotografia di Johnny, appesi di fronte, mi guardarono strani. Forse per effetto della scarsa illuminazione mi sembrarono un po' tetri. Presi il mio blocco di appunti e lo gettai sul letto. Cercai una matita e un foglio bianco. Cominciai a studiare le mie carte. Riportai sul foglio le date e i "passaggi" più importanti in modo da costruirmi uno schema comparato fra le disavventure delle due società immobiliari e quelle delle sorelle di Sant'Agata. Era un'idea. Forse un prurito. Ma da troppi giorni mi stava avvelenando. Così tentai.

Innanzitutto Susy aveva detto che il primo grande versamento di danaro in favore del convento di Sant'Agata era avvenuto nel 1979, a marzo. Nello stesso periodo, diceva l'articolo di Zanetti, la società immobiliare Thea aveva stipulato una convenzione con il comune di Rimini per l'edificazione di quel villaggio turistico. Fin qui tutto era chiaro e procedeva parallelo. I guai cominciavano a saltar fuori negli ultimi tempi. Su al convento avevano smesso di ricevere quei fondi esattamente da quattro mesi. E questo equivaleva a dire che l'ultimo versamento era stato effettuato nel mese di aprile. Parallelamente la società Thea si era rinnovata con quell'altro nome e, ad aprile, aveva stipulato la nuova convenzione rinunciando a costruire la casa per ferie per handicappati. In parole povere un fiume di danaro scorreva verso quel convento finché esisteva la Thea. Una volta soppressa tale sigla, tutto si arrestava. Non c'erano molte conclusioni da trarre. Poteva trattarsi di una coincidenza. Più probabilmente, invece, qualcuno aveva fatto ottenere la convenzione del 1979 alla Thea in cambio di danaro. Una volta sfumata questa società, anche il danaro spariva. Ma chi era questa persona? O era un gruppo? Chi rischiava la galera per corruzione, solamente per dirottare una grossa tangente verso un gruppo di pie donne e di ragazzi infelici? C'era una risposta plausibile. Era la stessa persona che con ogni probabilità aveva preteso che nel progetto originario della Thea risultasse anche una residenza per bambini handicappati. Quindi una persona che aveva molto potere. Chi? Fu un lampo. Corsi a guardarmi i giornali e il "coccodrillo" che Zanetti aveva scritto a suo tempo. Il senatore Attilio Lughi si era ritirato dalla sua carica proprio nel 1979. Cristo! No, non poteva essere per due ragioni: la prima che la tensione politica in quel periodo era talmente alta da provocare poi, mesi dopo, la caduta della giunta e l'assunzione del potere da parte di un altro raggruppamento politico. E per questo Lughi, abituato a ben altri giochi di partito, si era tirato fuori. La seconda, che Lughi si era ucciso, come io stesso avevo provato rinvenendo quel suo biglietto poi dichiarato autentico dal perito. No, avrei dovuto ricominciare da capo. Fingere che si trattasse invece del senatore Lughi. Ripercorsi le date e le tappe della vicenda immaginando il vecchio senatore come il mediatore fra la Thea e il Comune di Rimini. Tutto filava a meraviglia. E soprattutto c'era un particolare che, pur avendo notato fin dall'inizio, solamente ora si ingrandiva fin quasi a raggiungere l'enormità di una prova. Il convento di Sant'Agata era sulla strada per quello di Badia Tedalda. Il senatore, quindi, lasciando credere di far visita al suo amico di partito, avrebbe facilmente potuto, allungando solo di qualche chilometro, far visita a ben altri amici. In particolare a una ragazza, a Thea.

Nessuno lo avrebbe saputo. Nemmeno le monache, essendo votate alla clausura. Avrebbero solamente intravisto la figura di un uomo maturo e poi lo avrebbero lasciato solo con quei ragazzi. Con Thea. Susy aveva detto che compiva dodici anni in quei giorni. Era nata allora nel 1971. Non tornai con lo sguardo sul "coccodrillo" di Zanetti. Sapevo già cosa era successo al senatore Lughi in quel periodo. Forse potevo anche immaginare chi in realtà potesse essere quella disgraziata ragazza. Non certo – come sosteneva Susy – la figlia della miseria della montagna. No, tutt'altro. Era come nel titolo di un vecchio film di Totò.

Il giorno dopo tutti i giornali della costa avvisarono i propri lettori che era venuto il momento tanto atteso: quella stessa notte la verità sarebbe finalmente emersa. Che si trattasse della fine della riviera o invece della fine di un vecchio maniaco non aveva poi tanta rilevanza. L'importante era che, in un caso o nell'altro, la verità sarebbe emersa. L'incubo si sarebbe disciolto trascinando tutti o all'inferno o nel paradiso della vita-che-continua.

Mi svegliai alle otto con la testa pesante. Non mi feci vedere in redazione. Telefonai a Susy avvertendola che mi sarei fatto vivo nel pomeriggio. Presi la Rover e imboccai la strada per il Montefeltro.

Il convento su a Sant'Agata non assomigliava per niente a quello ben più maestoso di Badia Tedalda. Si trattava di una costruzione a un solo piano di epoca abbastanza recente, metà anni cinquanta. Aveva una forma a "t". Un lungo corpo centrale avanzava verso l'ingresso per poi incontrare, in fondo, il braccio perpendicolare alla cui estremità destra si innalzava un piccolo campanile. L'ingresso al convento era protetto da un cancelletto arrugginito. Suonai alla porta. Mi venne ad aprire la ragazza che avevo incontrato in redazione quel giorno.

"Le è piaciuto il nostro articolo?" dissi, mostrando il giornale.

La ragazza abbassò gli occhi incuriosita sul foglio.

"Non compriamo mai i giornali... Ogni tanto qualcuno ci porta una rivista..."

"Lo può tenere," dissi, appoggiandoglielo in mano. "Non mi fa entrare?"

La ragazza si scostò e, scusandosi, mi fece passare. Percorsi un lungo corridoio seminato di giocattoli rotti e palle sgonfie. Un odore fortissimo di disinfettanti mi stordì. Era insopportabile. In fondo una porta chiudeva la prospettiva.

"Vorrei parlare un po' con lei," dissi, non appena fui dentro.

"Perché?"

"Se volete che vi aiutiamo, dovete fornirci almeno qualche informazione, le pare?"

"Ha ragione," disse remissiva. "Dovrò chiedere il permesso alla madre superiora. Può attendere qui, se vuole."

Mi sedetti su un termosifone scrostato lungo il corridoio. Tentai di aprire una finestra, ma erano sigillate. Non faceva caldo, ma l'odore era sempre più forte. La ragazza tornò dopo una decina di minuti: "Può parlare con la madre, se vuole." Dissi che stava bene. La seguii in una stanza spoglia e umida. Una grande chiazza di muffa color ruggine occupava un lato del soffitto e scendeva come una ragnatela lungo una parete. C'era una sedia. Mi sedetti di fronte al pertugio di legno traforato come in un confessionale. Lo vidi attraversare da un bagliore di luce. "Può parlare," disse una voce roca e nello stesso tempo suadente.

"Vorrei sapere qualcosa su una bambina che si chiama Thea."

"Cosa, in particolare?"

"Da quanto è qui."

"Aveva solo qualche mese quando l'abbiamo trovata."

"È stata abbandonata?"

"L'hanno portata qui."

"Sa chi sono i genitori?"

"Sono creature di Dio. A noi non interessa questo. Non possiamo giudicare. Thea è una nostra figlia, come le altre."

"È mai venuto qualcuno a chiedere di lei?"

Aspettò un attimo a rispondere. "Ogni tanto qualcuno viene a darci una mano. Quando siamo ritirate in preghiera."

Non c'era niente da fare. Provai ugualmente. Estrassi una foto di Lughi e la mostrai tenendola a una certa distanza dalla grata per permetterle di riconoscerla.

"No, non so chi sia," disse dopo un po'.

"Attilio Lughi. Le dice niente?"

"Perché mi fa queste domande?"

"È necessario, madre. Se vuol sapere sinceramente come la penso, credo che non riceverete più quelle offerte... Allora? Le dice niente?"

"Attenda un attimo, prego."

Sentii il fruscio della sua tonaca. Lo spioncino fu chiuso. Restai solo. Pochi minuti dopo la novizia che mi aveva fatto entrare tornò nella stanza. Aveva in mano una grossa busta gialla.

"Attilio Lughi, ha detto?" fece lei, guardandomi interrogativa.

Le mostrai la foto. "È questa persona."

"Lo conosco," disse lei. "Ogni tanto si faceva vivo. Restava con i ragazzi. Giocava con Thea. Una brava persona."

Il sangue mi salì, pulsando, al cervello "Ne è sicura?"

"Certo... Ma non si chiamava così."

"E come allora?"

"Signor Francesco..."

Attesi qualche secondo prima di sparare la verità. "Sa che è morto?"

La ragazza si portò una mano al viso e mosse la testa come per dire no. Singhiozzò.

"Mi spiace... Credevo lo sapesse. Era su tutti i giornali."

"Noi... Non leggiamo i giornali," balbettò tra i singhiozzi. Cercai di consolarla. "In realtà si chiamava Attilio Lughi. Era un uomo conosciuto. Un senatore."

"E allora questa cosa c'entra?" disse porgendo il plico.

Guardai la busta. La presi. Sull'intestazione del destinatario era scritto: "Attilio Lughi. Casa Sorelle di Sant'Agata. Sant'Agata Feltria. Pesaro." La busta non era ancora stata aperta. Portava il timbro postale del dodici luglio di quell'anno. Cinque giorni prima che il suo cadavere fosse trovato in mare.

Mi fermai tutto il pomeriggio a leggere quei documenti. Quando la ragazza se ne andò per avvisare le altre suore della disgrazia capitata a quell'uomo, ne approfittai per rompere qualsiasi esitazione. Aprii la busta e mi trovai in mano un pacco di fogli scritti con una calligrafia minuta. Inoltre matrici di assegni bancari, numeri di conti correnti e altri foglietti sottili che avevano tutta l'aria di essere matrici di versamenti bancari. Avevo ragione. Il senatore si era fatto corrompere da quella società immobiliare. Aveva intascato il danaro e l'aveva periodicamente versato al convento. Perché? Per togliersi forse quel dannato senso di colpa per aver messo al mondo dodici anni prima una bambina la cui madre sarebbe morta poco dopo, e averla abbandonata lassù. Ecco chi era Thea. E quale il segreto del senatore. Ma la cosa più incredibile era che, fra quelle carte, emergeva nettamente una situazione a cui non avevo pensato fino a un momento prima. Che Lughi cioè non si era affatto ucciso.

E allora, quel biglietto che io stesso avevo trovato? Non capii nulla finché non trovai un'altra volta quella data. Era la terza volta che saltava fuori. In quel giorno, aveva detto Zanetti, la Silthea aveva finalmente cominciato i lavori al cantiere. E in quel giorno, il diciotto giugno 1983, io, Marco Bauer, giovane arrivista, pollo di turno, caprone testardo che pur di arrivare a emergere non avrebbe guardato in faccia a nessuno, povero idiota inesperto dalla zucca di ariete pronta a sfondare porte aperte o mura che altri già avevano sbrecciato senza che il poverello se ne accorgesse, io, Marco Bauer, avevo accettato il mio nuovo incarico lì sulla costa, pensando che il mondo sarebbe stato finalmente mio e le luci e le stelle e tutte quelle cazzate. Merda! Un brivido di paura mi fece tremare. I miei pensieri si aggrovigliarono nei labirinti paurosi del delirio. Ero stato un fesso! L'idiota di turno che avevano usato come e quando gli era parso. La cara Sifinv! Non si occupava solo di cantieri edili! Non passava solo stipendi a portaborse come il sottoscritto. Giocava pesante. E quella volta aveva giocato con me. Uscii di corsa dal convento. Presi la Rover gettando in macchina la busta gialla. Mi fermai in un bar e telefonai a Milano. Chiesi del direttore. Risposero che era andato in ferie e che non sarebbe più tornato poiché il suo mandato era scaduto. Chiesi allora di Bianchini, il mio collega in cronaca. Gli dissi quello che volevo sapere. Dettai il numero del bar per ricevere la risposta e attesi.

Un'ora dopo arrivò la telefonata.

"Allora?" chiesi impaziente.

"Il diciotto giugno, subito dopo di te, il direttore ha avuto un incontro con il legale della proprietà. Ho controllato nell'agendina della segretaria di redazione. Non è stato facile... Mi vuoi dire che razza di..."

Riappesi. Certo! Era stato tutto troppo facile. Io, il grande cronista, avevo risolto il caso. Attilio Lughi: suicida.

Mi avevano servito lo scoop su un piatto d'argento servendosi di quel tonto di Fosco. E io, a mia volta, l'avevo servito al pubblico. Chiamai Susy.

"Vediamoci fra un'ora al motel dell'autostrada," dissi eccitato. "Non mi fare domande e vieni puntuale."

"Marco... Marco..." gridò lei. Ma io non ebbi voglia di risponderle.

Molte volte mi era capitato di aver paura per la mia vita. Ma questa volta era diverso. Era la paura di essere stritolato da un ingranaggio invisibile eppure potentissimo. Qualcosa senza volto e, paradossalmente, con il volto di tutti gli uomini di questo mondo. Bevvi una mezza bottiglia di whisky fino a stordirmi. Poi entrai in macchina e corsi all'appuntamento.

Le automobili sfrecciavano veloci sulla striscia di asfalto dell'autostrada. Cominciava a far buio. Susy mi era seduta accanto, sulla Rover. Di tanto in tanto stringeva la mia mano tra le sue.

"Forse voleva redimersi," dissi, "almeno agli occhi della propria coscienza. Deve aver interpretato le sue disgrazie, la nascita di Thea, la morte della moglie, come un segno, una prova che gli veniva da Dio. I cattolici sono alle volte così banali. C'è sempre *lui* dietro a tutto."

"Perché Lughi ha mandato questo plico a Sant'Agata? E perché ha raccolto questi documenti?"

"Lo hanno minacciato. Sapeva che stava rischiando troppo. Padre Michele lo ha detto: Attilio era molto preoccupato. Si chiedeva se doveva continuare o mollare tutto... Ha affidato la sua vita a quelle donne. E anche la sua morte."

"Perché non ha avvertito la polizia?" chiese ingenuamente Susy.

"Tu l'avresti fatto? Ti saresti fidata? Se tu avessi avuto una esperienza come la sua in fatto di pubblici poteri, lo avresti fatto? Lui stesso si era fatto corrompere. Come poteva fidarsi di altri? No. È stato un gesto disperato, d'accordo. Questa busta poteva rimanere lì per anni e anni. Ma si è fidato. Questo conta."

Restammo in silenzio. Ero esausto, come avessi cambiato di colpo dieci fusi orari.

"Continuo a non capire perché lo abbiano ammazzato."

Aveva ragione. Susy non conosceva tutti i passaggi. E anch'io avevo molte zone d'ombra sulla vicenda. Ma il quadro complessivo era ormai chiaro nel mio cervello.

"Nel 1979 Lughi riesce a fare avere la convenzione a quella società in cambio della promessa di costruzione dell'asilo e dei soldi. Poi si ritira dalla vita politica. Fin qui è tutto chiaro. Quando però viene il momento di costruire, nel 1981, un pretore interviene e blocca i lavori facendo appello a un vincolo idrogeologico che, a suo dire, gravava su quel terreno prima della convenzione. Lughi ha agito in modo da nascondere questo dettaglio. D'altra parte appare un orpello trascurabile, al punto che la nuova giunta lo insabbierà di nuovo in cambio di quel pezzo di terreno. Guardati attorno. Quante case dovrebbero sbattere giù da queste parti? E in Calabria? E sulla costa amalfitana? E in Puglia? E in Sicilia? No, no. Lughi non ha avuto scrupoli. E io credo che in questo suo agire veramente abbia influito in lui una sorta di certezza del perseguimento del 'bene superiore'. Se guardi la sua formazione politica, la sua attività, tutto diventa chiarissimo. Quanti dei suoi compagni di partito hanno tramato, intascato, corrotto, insabbiato, però con la certezza di agire per qualcosa che in fondo li giustificava? Se non capisci questo, non credo tu possa capire quarant'anni di scandali italiani. Perché non hai mai davanti dei semplici corrotti. Hai gente ben più pericolosa. Gente che agisce con la certezza di seguire la strada giusta. Capisci? In fondo i cattolici sono molto più realisti dei marxisti o dei cosiddetti laici in genere. Ben più machiavellici. Hanno sempre un fine indiscutibile che, appunto, li giustifica agli occhi della propria coscienza. Ma è un fine ultramondano. Cioè tutto e niente. Questo è il punto."

"... Siamo rimasti all'81."

"Già. Il pretore chiude i cantieri della Thea. Quelli della Thea fanno pressione su Lughi. Ma il senatore non ha più molto potere. È fuori dalla giunta amministrativa. Un altro gruppo ha preso il potere. E un altro Cesare vuole il suo tributo. Quelli della Thea si barcamenano. Non posso sapere cosa avranno combinato, ma è chiaro che tengono i piedi su due staffe: il senatore e il nuovo potere. Giungono infine a un accordo. Cedono una parte del terreno e così ottengono il permesso di costruire. Continuano a foraggiare Lughi finché non hanno la certezza dell'accordo. Poi chiudono i rubinetti. Lughi che fa? Si incazza, maledice, fa la voce grossa. Ma ormai è fatta. Siamo ad aprile. La Thea, che ora si chiama Silthea, probabilmente per dare il contentino a Lughi, firma la convenzione. A maggio infatti a Sant'Agata non ricevono niente. Il diciotto giugno iniziano i lavori. Lughi fa la contromossa. È imbestialito. Non solo non ha più i finanziamenti ma, soprattutto, è saltata dal nuovo progetto la residenza per minorati fisici. Probabilmente minaccia di spifferare tutto. Raccoglie le prove. Va un'ultima volta a Badia Tedalda. Se il cantiere chiude una seconda volta, Lughi colerà a picco con loro. Al senatore questo non importa gran che. Ha una buona carta nella manica. Confessare i suoi peccati e ritirarsi a Badia. È per questo che li mette alle strette.

È per questo che viene fatto fuori. Loro hanno già il piano. E il tuo caro Bauer è parte del loro piano."

Susy scrollò la testa incredula. "Ma come?" disse.

"Lo ammazzano. E io fornirò all'opinione pubblica una versione plausibile di un suicidio. Hanno bisogno di un mitomane arrivista come me che condisca per bene il sugo. L'importante per loro non è che si riesca a provare il suicidio quanto che mai e poi mai nessuno riesca a provare l'omicidio, capisci?"

"Sì..." fece lei.

"Così un giorno Lughi scende a Rimini, si incontra con loro e viene fatto fuori dopo essere stato obbligato a scrivere quel foglietto che io ritroverò. Fine della vicenda. Ce l'avrebbero fatta. Ma il senatore è una vecchia volpe. Sa che le pie donne, lassù, custodiscono una busta piena di prove. E che prima o poi, secondo i disegni della provvidenza, tutto verrà a galla. Ecco qui."

"E ora che facciamo?" disse Susy.

Guardai la busta. "Non lo so... Non lo so proprio."

Mangiammo qualcosa al ristorante di fianco al motel. Avevo bisogno di mandar giù un boccone. Lo stomaco mi sembrava una caverna puzzolente di gin e stretta come una bara. Dovevo sforzarmi di mandar giù qualcosa. Altrimenti di lì a poco avrei rigettato in strada anche le viscere.

La sala del ristorante era illuminata e deserta. Gran parte dei clienti infatti si era radunata davanti al televisore per avere notizie di come procedeva la fine imminente. Dal nostro tavolo potevamo sentire gli speakers alternarsi e dare notizie in diretta. Intervistavano il capo della polizia, qualche sindaco, la gente per strada.

"Torniamo a Rimini," disse Susy.

Accennai un sì. Ero distrutto. Continuavo a fissare sul tavolo quella busta gialla. Proprio non sapevo cosa avrei fatto il giorno dopo. Andare alla polizia? Consegnare tutto? Abbandonare il giornale? Far finta di niente? C'era qualcosa per cui valesse la pena di agire? No, non lo sapevo proprio. Susy restò in silenzio per tutta la durata della nostra cena. Il suo cervello cercava di capire i vari passaggi della questione, ma forse ancora non ci riusciva. Anch'io, d'altra parte, vivevo quei momenti come un incubo. Avrei pagato chissà cosa, tutti gli stipendi futuri della mia grande carriera per qualcuno che fosse arrivato lì a dirmi: "Ehi, Bauer, è solo un sogno." Ma nessuno entrava in quel diavolo di ristorante. E il sogno era sempre più simile alla realtà.

"Guida tu, Susy," chiesi. "Lascia la tua macchina al parcheggio; verremo domani. Ho solamente voglia di cacciarmi sul letto, terminare la sbronza e dormire."

Susy acconsentì. Innestò la marcia della Rover e lasciammo il parcheggio in direzione di Rimini. Poco prima di giungere in città ci trovammo inesorabilmente stretti nella morsa di un ingorgo. Molte auto lasciavano la città in direzione della campagna e della collina retrostante. C'erano stati alcuni tamponamenti. Il traffico era interrotto dalle autoambulanze che per poter raggiungere gli ospedali invadevano la corsia opposta di marcia. Così, pur viaggiando in senso contrario alla ressa di auto che fuggivano, ci trovammo ugualmente bloccati.

"Potremmo proseguire a piedi," disse Susy. "Non siamo troppo lontani dal centro."

"Preferirei andare a dormire," dissi.

"Ma dove? Il tuo residence è troppo lontano. Potresti però venire da me."

"È una buona idea. Allora che si fa?"

La colonna accennò a muoversi. Avanzammo lentamente per una ventina di metri, poi di nuovo ci trovammo bloccati.

"Non ce la faccio più," strillò Susy. "Ora lascio la macchina!"

"Appena puoi, Cristo!" urlai. "Appena trovi un viottolo, uno spiazzo. Guarda laggiù."

Tra i fanalini rossi delle vetture che ci precedevano scorsi una strada che si addentrava nella campagna. Svoltammo a destra, lasciammo la Rover e continuammo a piedi. Fummo costretti a camminare al centro della corsia perché da una parte e dall'altra il ciglio era occupato da macchine lasciate in sosta. La gente, dentro alle vetture, aveva espressioni neutre e assenti. Più di noia che di paura. Avrebbero senz'altro passato la notte in quel gigantesco ingorgo da cui non avanzavano né potevano indietreggiare. Cercavano scampo e avrebbero dovuto arrendersi all'immobilità. Proseguimmo verso il centro di Rimini. Ai lati della strada, verso i binari della ferrovia, un'auto bruciava schizzando scintille infuocate sull'asfalto. La gente tentava di tenersi distante. Una ragazza piangeva. C'era del sangue. I poliziotti tentavano di far circolare quelle poche auto che potevano, ma era tutto inutile. Quella notte poteva anche non succedere nulla: la terra non tremare, il mare non riversarsi sulla spiaggia, le fiamme non attaccare le case e le piante e ogni genere di costruzione. Tutto poteva restare tranquillo come in una qualsiasi sera d'agosto sulla costa. Il peggio sarebbe in ogni modo accaduto per conto suo. Stava già accadendo. L'uragano si agitava non sul lungomare, né sulla costa, ma dentro al cervello della gente.

Le strade che portavano a Rimini erano gremite di folla. Lasciata la provinciale ingorgata dalle auto, ora il centro appariva in preda ai pedoni. Migliaia, centinaia di migliaia di formiche che andavano avanti e indietro, vorticosamente, senza conoscere la propria direzione, né tantomeno la propria meta. Afferrai Susy per mano. Con l'altra mi serravo al petto la busta. Avevo il terrore che mi fosse strappata via dall'urto della gente.

"Facciamo il lungomare," disse Susy. "Tagliamo via questa ressa. Vieni."

Dovevamo urlare per capirci tra il chiasso infernale. Raggiungemmo a fatica il grande viale. Lo spettacolo fu impressionante. La spiaggia, davanti a noi era illuminata a giorno da fotoelettriche e da grossi fari appesi ai normali pali della luce. La gente era seduta gomito a gomito con pacchi, tende, asciugamani, sporte, sacchetti di ogni colore e di ogni dimensione. Tutti guardavano in direzione del mare come se da un momento all'altro qualcosa avesse dovuto sgorgare: un'isola, un vulcano, una balena, un mostro. Ogni tanto, la sequenza della gente seduta era interrotta da gruppi che, attorno a un fuoco, saltavano e ballavano e suonavano passandosi fiaschi di vino. Riuscii a vedere i pattini che solitamente stanno all'asciutto, al largo. C'erano delle luci che provenivano dal buio del mare e un cartello che diceva: "La fine del mondo sul moscone. Cinquemilalire l'ora. Per tutta la notte."

Proseguimmo fra le motorette dei ragazzi che sfrecciavano in ogni direzione fra urla, bottiglie gettate in terra, richiami, impennate. Da questa parte della città la forza pubblica era praticamente assente. Ognuno era lasciato solo a se stesso. C'era gente che in ginocchio pregava, altra che ballava, altra ancora che si stringeva e si baciava. Improvvisamente un gruppo di ragazzi dai capelli lunghi fece irruzione sul lungomare provenendo da una trasversale. Gridavano come ossessi e facevano roteare delle catene. Trascinai Susy da una parte. Ci riparammo dietro il tronco di un pino marittimo. "Quanto manca alla tua casa?" chiesi.

"Oltre la rotonda," disse lei.

Feci un lungo sospiro. Le strinsi più forte la mano. "Forza," dissi. Sbucammo dal nascondiglio. Procedevamo svelti con la testa china come se tutto quanto si stava svolgendo sulla strada non ci riguardasse. Ma quando giungemmo alla rotonda, fummo costretti a sollevare gli occhi.

Un paio di negozi al piano terra di un grande edificio bruciavano gettando bagliori infuocati sulla piazzetta. Le macchine erano bloccate in mezzo alla strada. La gente fuggiva terrorizzata dal palazzo, saltando sulle capote delle auto, lasciando brandelli di vestiti sui paraurti, strillando e piangendo. Dal fuoco sbucarono come demoni tre-quattro-cinque ragazzi con il viso nascosto dal passamontagna. Reggevano in mano piastre per hi-fi, dischi, videoregistratori, telecamere. Gridavano per spaventare la gente, ma era inutile. Nessuno si sarebbe sognato di fermarli. Dall'altro lato della piazza, un grosso autobus prese improvvisamente fuoco. Fu il panico. Sentii un rumore provenire alle mie spalle.

Mi voltai, ma fu troppo tardi. Una motoretta mi investì in pieno. Lasciai la mano di Susy. Caddi a terra. Sentii l'odore della benzina. Era tutto buio, là in fondo. Un dolore violento mi torse la gamba sinistra. Un dolore acuto e veloce e rapido. Non lasciai la busta gialla che tenevo serrata al petto come una corazza. L'urto mi spinse sotto a una macchina ferma. Ero incastrato, non riuscivo a uscire. Vidi del fumo e le gambe di Susy e il suo braccio allungato e il suo viso chino che mi parlava e mi diceva qualcosa e io che dicevo no, no, e scuotevo il capo. I clacson urlarono da pazzi, le sirene delle autoambulanze, dei vigili del fuoco, tutto gridava sotto quella maledetta macchina. L'olio del motore mi gocciolava sul volto, Susy continuava, china, ad allungare il braccio. Fu allora che le consegnai il pacco e il dolore alle gambe divenne più forte. Mi aggrappai con le mani ai ferri del telaio dell'auto, riuscii a togliere il viso da quella carrozzeria puzzolente. Vidi le sue gambe, dritte, il suo volto, le sue braccia accanto al fuoco. La sua espressione assente davanti a quei pezzi di carta che incendiati volavano via nel turbine della fine del mondo. Poi tutto divenne nero e caldo e troppo odoroso. Un odore fortissimo e nauseante. Persi i sensi. Per me l'ultima notte del mondo finì in quel momento.

Il giorno dopo la vita sulla costa adriatica riprese lentamente il suo ritmo normale. Il sole splendeva alto nel cielo, la gente prendeva il bagno sguazzando e divertendosi. Le ragazze si abbronzavano sotto gli sguardi dei giovani che strusciavano sulle piccole dune della sabbia i loro ventri eretti. Il calore del sole si diffondeva nitido e chiaro. Negli uffici del comune e della polizia si faceva l'inventario della notte di fuoco. Tutti si sarebbero aspettati molto, molto di più. Nessuno perse la vita. Qualcuno si ferì, altri ci rimisero l'auto. I proprietari di qualche negozio le vetrine e qualche oggetto. Ma l'incubo era passato e la gente tornava a divertirsi, a cercare di trovare un nuovo modo per divertirsi. Mi svegliai nel mio letto, all'appartamento quarantuno con la testa che martellava e la gamba sinistra che doleva, aggredita da fitte continue. Susy era accanto a me.

"Niente di grave. Stai tranquillo," disse, non appena aprii gli occhi.

La guardai sorridendo. Poi ricordai tutto come un incubo. "Perché l'hai fatto?"

"Stai calmo."

"Hai distrutto quella busta!"

Susy mi passò una mano sulla fronte. "Hai ancora un po' di febbre, probabilmente. Vedi di non agitarti troppo."

"Perché?" Stavo implorandola come un bambino.

"Non ho potuto far nulla. L'hai lanciata in mezzo al fuoco. Datti pace. È finita. Ringrazia di essertela cavata senza nemmeno una rottura."

Chiusi gli occhi e ricaddi con la testa sul cuscino. L'aveva distrutta lei, l'avevo vista con i miei occhi. Come avrei potuto sbagliarmi? Ma capii anche che non avevo nessuna prova per dimostrarlo. Susy avrebbe sempre potuto affermare che stavo delirando. Era davvero finita.

"Voglio restar solo," le dissi.

"Sei sicuro?"

"Sì."

Si alzò. "Allora ci vediamo più tardi. Non preoccuparti per il lavoro in redazione. Farò tutto io. Ho avvertito Arnaldi. È d'accordo. Anzi, ti augura di guarire molto presto."

"Addio, Susy."

Si chinò a baciarmi. "Addio, Bauer."

Ripiombai nel sonno. Quando mi svegliai, sentii di avere un po' di forze. Vidi le chiavi della Rover sul tavolino. Chiamai la portineria. Mi dissero che la mia auto era stata riportata in mattinata al residence. Mi vestii e feci le valigie.

Un paio d'ore dopo avevo già scritto la mia lettera di dimissioni dal giornale. Mi licenziai senza pensarci sopra due volte. Susy teneva molto a quell'incarico. Lei avrebbe fatto molta strada. Per me la partita finiva lì. Staccai la foto dei due vecchi. In quell'istante mi sembrò di capirne il significato che per tante notti mi era sfuggito. Johnny era stato davvero abile. L'aveva spacciata per la foto d'apertura di quel parco di divertimenti. In realtà l'Italia in miniatura stava chiudendo i battenti. Senza dubbio era una foto dell'anno prima. E i saluti da Rimini che si leggevano sulla borsa della donna non erano saluti di benvenuto, ma di arrivederci. Mi aveva ingannato molto bene. Tutti mi avevano ingannato. Compresa Susy. Ora anche Bauer chiudeva i battenti. Accartocciai la foto, la gettai nel cestino e me ne andai. Sull'autostrada, correndo veloce verso Milano, mi sentii improvvisamente come liberato da un grosso peso. Forse mi stavo finalmente liberando da me stesso e dal mio sogno. Da qualche parte doveva pur attendermi una qualche tranquilla rivista mensile di sport, di giardinaggio o di arte.

Musiche

BAND AID: *Do they know it's Christmas.* MATT BIANCO: *Whose side are you on?* BRONSKI BEAT: *Smalltown boy, I feel love.* LEONARD COHEN: *Famous blue raincoat, One of us cannot be wrong, Dance me to the end of love.* AL CORLEY: *Square rooms.* ELVIS COSTELLO: *I wanna be loved, Everyday I write the book.* DURAN DURAN: *New moon on Monday.* ECHO AND THE BUNNYMEN: *My white devil, Seven seas, Ocean rain.* EVERYTHING BUT THE GIRL: *Eden.* JOE JACKSON: *Body and Soul.* CYNDI LAUPER: *Time after Time, Money changes everything.* LOTUS EATERS: *The first picture of you.* MEN AT WORK: *Overkill.* ALISON MOYET: *Love Resurrection.* PRINCE: *I want die for you.* PSYCHEDELIC FURS: *Heaven, The ghost in you.* THE SMITHS: *I don't owe you anything, Suffer little boy, Reel around the fountain.* BRUCE SPRINGSTEEN: *Born in the U.S.A.* STYLE COUNCIL: *Shout to the top.* DAVID SYLVIAN: *Forbidden colours.* TALKING HEADS: *Stop making Sense.* THOMPSON TWINS: *Doctor Doctor.* TUXEDO MOON: *Desire.* ULTRAVOX: *Hiroshima mon amour.* LA UNION: *Lobo-Hombre en Paris.* U2: *I will follow, Pride (In the name of love), Sunday Bloody Sunday.*

Nella primavera del 1981, il direttore di un quotidiano alla cui terza pagina collaboravo da poco più di un anno, mi propose di trascorrere due mesi sulla riviera adriatica per lavorare a un inserto speciale. Non partii mai. È per questa semplice ragione che fatti, avvenimenti, personaggi di questo romanzo – pur nel rispetto della realtà e delle fonti d'archivio – sono del tutto immaginari e frutto solamente di una fantasia imbrigliata nei canoni settecenteschi della "verisimiglianza".

L'Autore

BONUS TRACK

Le origini
di Pier Vittorio Tondelli

RIMINI COME HOLLYWOOD, COME NASHVILLE
Scheda di presentazione di *Rimini*[1]

Un giovane giornalista al suo primo incarico importante (dirigerà il supplemento estivo del suo giornale, "La pagina dell'Adriatico") che vuole a tutti i costi risolvere l'enigma di un insolito suicidio; un musicista che compone un'opera rock nei ritagli di tempo consentitegli dalla sua occupazione stagionale di orchestrale in un night club un po' equivoco; una cronista mondana che segue lo svolgersi litigioso e drammatico di un intrigato Premio Letterario Internazionale; una signora tedesca che cala a Rimini per cercare le tracce della giovane sorella scomparsa e che si trova, giorno dopo giorno, sempre più oppressa dall'orgia estiva e infernale del popolo della vacanza; uno scrittore appena uscito da una fortissima crisi personale e letteraria che nel partecipare al Premio Riviera Internazionale reincontra, in modo tragico, il proprio angelo distruttore

---

[1] Pensato, cinque anni prima, subito dopo l'improvviso clamore suscitato dal libro d'esordio *Altri libertini*, quello di *Rimini* è un progetto al quale Tondelli lavora fin dall'inizio degli anni Ottanta. La stesura definitiva del romanzo impegna però lo scrittore per un tempo relativamente breve, gli ultimi mesi del 1984 e i primi del 1985. L'impegno preso con la casa editrice Bompiani viene mantenuto e, in una lettera datata "Bologna, 21 gennaio '85", indirizzata a François Wahl, scrive:

al quale definitivamente capitolerà; un gruppo di travestiti goiosi che percorre in lungo e in largo il panorama godereccio notturno delle centinaia di dancing e discoteche che affollano la riviera; un gruppo di vecchie signore dell'avanspettacolo e dello strip-tease che allietano in tournée le decine e decine di case per ferie per pensionati; e poi la fauna dei gigolos che popola i locali e i caffè e le spiagge, orde di ragazzi violenti e selvaggi che si scontrano la notte sui lungomari deserti, strambi e romantici nottambuli come Fredo, apprendisti stregoni che predicono un'imminente fine del mondo, stelle della canzonetta degli anni sessanta in rentrée sulle scene tra vecchie rivalità e odi, mogli in vacanza di un'Italia provinciale e piccolo borghese che sta tirando i remi in barca e che ritrovano le avventure e i flirts della prima giovinezza, concorsi per pornodive del fumetto, match sportivi, radio libere e su tutto questo intrecciarsi di storie il panorama gremito e ossessivo della riviera adriatica, sfolgorante e metaforico can-can di una Italia che chiude i battenti tra conformismi, corruzione, scandali, brame di successo e insensatezze collettive; che chiude malinconicamente i battenti come il parco dei divertimenti "Italia in miniatura" li chiude sul finire della stagione a Rimini e nelle ultime pagine del romanzo.

Rimini è dunque il racconto fatto a più voci e a differenti livelli narrativi di una stagione sulla riviera di Romagna negli anni ottanta.

La trama principale è quella del giovane giornalista milanese che scende in riviera per lavoro. A lui è affidato il compito

"Ho tardato un poco a rispondere per ricercare, fra i miei cassetti, qualche fotografia. Non ho, purtroppo, un servizio fotografico-stampa. Ad ogni modo, a marzo, ne farò uno per l'uscita del nuovo romanzo "Rimini" (ed. Bompiani) che sarà in libreria a metà maggio.

Sto lavorando molto alla stesura di questo libro e sono in notevole ritardo (dovrò consegnare il 28 febbraio p.v. per non perdere l'uscita estiva). Il fatto di aver cambiato editore mi da un entusiasmo nuovo. Sono già stato criticato per questo ("L'infedelissimo Tondelli", La Stampa) eppure ho ancora più voglia di fare questo narrativo di smistare e far defluire le trame secondarie: la storia della cronista mondana, quella dello scrittore, quella della tedesca in cerca della sorella.

A loro volta le tre sottotrame vengono interrotte o arricchite da altre storie e altri ambienti a volte solamente evocati altre invece dettagliatamente narrati. In questo sistema strutturale, solo apparentemente fluido, la comprensione di alcuni episodi si attua al di fuori del testo, cioè nella testa del lettore, ad esempio: se al medesimo party arrivano il nostro giornalista, la signora tedesca e lo scrittore e ancora non si sono conosciuti, se scelgo di far raccontare il medesimo party dal gruppo delle travestite capitate lì per caso ecco che solo il lettore ha la completezza di comprensione di quanto sta avvenendo. Questo gioco dell'entrare e uscire dalle trame con altri punti di vista narrativi è quello che io chiamo "visione polifonica del romanzo" ed è quella che vorrei realizzare con questo romanzo.

Stilisticamente poi il linguaggio del romanzo è formato nei toni e nei modi della letteratura violenta, patetica, sentimentale che mi sta più a cuore. Ci saranno pagine patetiche, altre "rosa"; ci saranno un paio di episodi di violenza piuttosto dettagliati (la scorribanda dei ragazzi skin; la morte dello scrittore) ma ci sarà anche una visione di speranza, di concretezza, il senso che è possibile, pur fra gli intrighi e gli scandali, lavorare e combinare qualcosa di buono (è la soluzione ottimistica affidata alla storia di due ragazzi che vanno a Rimini per girare un film e che nonostante i guai riusciranno ad avere un contratto). Non mancheranno le scene gioiosamente comiche e divertenti, insomma vorrei fare un ro-

romanzo e di farlo con il nuovo editore. Il "nuovo corso" della Feltrinelli non mi offriva, io credo, sufficienti garanzie per l'uscita. "Rimini" è un romanzo di tipo nuovo per me. Ho voluto staccare anche con la mia vecchia immagine di "enfant terrible". Vedremo poi i risultati".

Sempre a Wahl, da Bologna, il 23 febbraio 1985, scrive: "Sto terminando "Rimini". Sarà un romanzo molto grosso, sulle 400 pagine. Sono esausto. La qualità è buona con pagine che mi sembrano addirittura ottime. E' tutta una cosa differente da quanto ho scritto finora. La trovo più matura e più oggettiva".

manzo in cui gli stili si incrociano così come i sentimenti; vorrei fare un romanzo – e lo sto facendo – che mi assomigli: che sia tenero e disperato, violento e dolce, divertito e assorto, struggente e mistico. È l'unica autobiografia che qui mi permetto. Chiudo con un paio di note, la prima che scrissi quando pensai a questo lavoro; e l'ultima in ordine di tempo. Note che fanno parte del lavoro teorico di tutti questi anni a proposito del romanzo:

"Conseguenza di uno shock-Baldwin vivissimo: il plot deve essere forte, una storia funziona se ha l'intreccio ben congegnato... Ho bisogno di far trame, di raccontare, di scandire i rapporti tra i personaggi. Il fumettone mi va benissimo, più le storie e lo stile sono emotivi meglio è. Inizierei con un ambiente (gli ambienti, i paesaggi dell'oggi, ecco che cosa manca in Italia nei libri) cioè RIMINI, molto chiasso, molte luci, molti cafè chantant, molti gigolos e marchettari..."

(2 luglio 1979)

"Voglio che Rimini sia come Hollywood, come Nashville cioè un luogo del mio immaginario dove i sogni si buttano a mare, la gente si uccide con le pasticche, ama, trionfa o crepa. Voglio un romanzo spietato sul successo, sulla vigliaccheria, sui compromessi per emergere. Voglio una palude bollente di anime che fanno la vacanza solo per schiattare e si stravolgono al sole e in questa palude i miei eroi che vogliono emergere, vogliono essere qualcuno, vogliono il successo, la ricchezza, la notorietà, la fama, la gloria, il potere, il sesso. E Rimini è questa Italia del "sei dentro o sei fuori". La massa si cuoce e rosola, gli eroi sparano a Dio le loro cartucce."

(giugno 1984)

Ritengo di poter presentare una prima stesura del romanzo entro sessanta giorni.

Bologna, 12 novembre 1984

LETTERA A MARIO ANDREOSE
Proposte per la copertina[2]

Bologna, 16 gennaio '85

Caro A.,
eccole un paio di riproduzioni del pezzo che avrei scelto per
la copertina e la locandina.

Purtroppo non sono riuscito a reperirne una riproduzione
a colori. I colori di Ontani sono comunque tempere o chine
molto delicate e tenui. Come vede si potrebbero isolare alcuni
particolari (la parte sinistra: albero, mare, angelo) e nel retro
mettere DIO. Ma vedremo non appena la gallerista Lia RUM-
MA le avrà inviato una riproduzione a colori. Anche il pezzo
intero non mi dispiacerebbe.

Il carattere postmoderno del disegno si intona perfettamente
(ed espressivamente) al romanzo per via degli echi classici, mistici, divertenti.

Altre proposte: collage di Richard Hamilton da scegliere. Ma
qui saremmo ancora negli anni sessanta.

Credo comunque che il pezzo di Ontani le piacerà.

Tanti cari saluti

Pier Vittorio Tondelli

---

[2] Tondelli partecipa attivamente e in prima persona anche al lavoro editoriale relativo
al romanzo, formulando ad esempio proposte per la copertina. Lui vorrebbe un'opera di
Luigi Ontani, come riferito all'allora direttore editoriale della casa editrice Bompiani. Alla
fine però la proposta non soddisfa e viene scelto un altro dipinto, "Le parentesi dell'estate" di Leonardo Cremonini (lo stesso usato per la presente edizione, *N.d.R.*)

Rimini è innanzitutto il tentativo di costruire un romanzo "polifonico" in cui la pluralità delle voci (i personaggi) si sviluppi in una pluralità di punti di vista (le trame) in modo tale per cui il senso globale del romanzo si costituisca esclusivamente in uno spazio esterno a quello testuale, cioè nello spazio di lettura.

In questo senso il testo chiama continuamente il lettore a operare collegamenti, rimandi, riferimenti prendendolo nel vortice delle sue trame:

– la storia del giornalista Marco Bauer inviato in Riviera per dirigere "La pagina dell'Adriatico"

– la storia di Beatrix Rheinsberg antiquaria berlinese calata in Italia alla ricerca della sorella scomparsa

– l'avventura di due giovani amici romani decisi a raccogliere i fondi necessari a finanziare il loro primo film

– la storia di un suonatore di sax, delle sue notti e delle sue albe, dei suoi rientri in pensione

– la parabola terminale di uno scrittore arrivato a Rimini per partecipare all'assegnazione di un premio letterario

– la storia di una pensione familiare dagli anni cinquanta a oggi, dalla ricostruzione al boom, alla crisi degli anni settanta raccontata in presa diretta.

Rimini è un romanzo impastato di vari generi narrativi non parodiati ma assunti nelle loro migliori possibilità di "avanzamento dell'intreccio". Così al giallo politico si affianca la commedia sentimentale con risvolti Kitsch; al romanzo esistenziale quello di indagine sociologica. Mischiando i toni epici e quelli drammatici, i toni sentimentali a quelli apocalittici, le intensità mistiche a quelle erotiche "Rimini" dimostra il tentativo pienamente riuscito di assumere l'Italia stessa (il suo panorama, la sua gente, la sua storia) per offrire, senza mediazioni, uno spaccato della propria realtà. Nello stesso tempo, la straordinaria felicità inventiva del testo costituisce un apporto considerevole alle sorti del nostro romanzo.

1985

L'AVVENTURA DI *RIMINI* CONTINUA...
Dal romanzo alla realtà nella frenetica
capitale delle vacanze[3]

Un giovane giornalista milanese, Marco Bauer, riceve dalle mani
del vecchio direttore l'incarico di recarsi a Rimini per dirigere il
supplemento estivo del quotidiano in cui da qualche anno svolge il proprio lavoro senza infamia e senza lode. Come accade ai
giovani di ogni tempo e di ogni paese anche Bauer riveste questa
novità di molteplici significati: è la grande occasione per far vedere al mondo quello che vale, è il momento scelto dal destino per
emergere, cercare successo e vincere nella corsa spietata della vita.
Arrivato a Rimini Bauer si getta a testa bassa come un "toro"
scatenato nella sua impresa. Ha ai suoi ordini tre giornalisti e
un fotografo. Fa le ramanzine, i discorsi programmatici, le tirate d'orecchi. Poi, iniziata la stagione balneare inizia la sventura.
La storia della redazione riminese della "Pagina dell'Adriatico" è una delle sei trame che compongono l'intreccio di *Rimini*,
un romanzo ambientato sulla riviera adriatica cui ho lavorato
per molti anni e che ora è finalmente un libro. A questo punto,
quando cioè è consegnato ai lettori, solitamente un autore si ritira, fa un viaggio, pensa ai prossimi progetti. Nonostante si impegni in un piacevole tour de force di incontri e interviste e visite in
libreria, la sua fatica è, da un punto di vista letterario, terminata.
Le precedenti volte che mi è capitato (*Altri libertini* nel 1980
e *Pao Pao* nell'82) il lavoro finiva nel momento dell'arrivo del
volume in libreria. Questa volta invece...

---

[3] Il 2 luglio 1985 Pier Vittorio Tondelli presenta sull'*Unità*, l'inserto "Unità Vacanze", le pagine per l'estate realizzate dal quotidiano e racconta anche un aspetto
importante del suo nuovo romanzo.

Ecco qui una agguerrita pattuglia di giovani cronisti che, chi da Milano, chi da Bologna, arrivano a Rimini per montare il supplemento estivo del vostro quotidiano: proprio la pagina su cui state leggendo queste note: Ecco una coordinatrice Susanna Ripamonti, un baldo e barbuto giovane Andrea Guermandi, un "toro scatenato" Franco De Felice, un distinto e maturo cronista milanese Ennio Elena che avrà un bel da fare per trattenere la scatenata Alice Presti. Ecco una bellissima fotografa dai riccioli rossi infuocati Loretta e due apprendiste riminesi. La pattuglia inizia oggi, ufficialmente, quella grande avventura in riviera che mi ero augurato io stesso di vivere qualche anno fa. Alloggiata in una palazzina (come nel romanzo) la pattuglia di cronisti all'assalto lavorerà per i due mesi della stagione balneare per fare quello che ogni buon giornalista fa ogni giorno: immergersi nella realtà, uscire dagli uffici e dalle redazioni per osservare la gente, capirla, descriverla, per fiutare i comportamenti, le novità, le mode. Per offrire ai lettori un giornale il cui movimento interno (le notizie, i commenti, le osservazioni) corrisponda al movimento della realtà, ne sia la fedele e intelligente trasposizione.

Cosa troverà l'agguerrita pattuglia sulla strada della propria avventura? Tutto il meglio e tutto il peggio della nostra gente in vacanza. Troverà le gioie di lavorare da un punto di osservazione assolutamente privilegiato per raccontare la nostra Italia contemporanea (Rimini e la riviera adriatica) e troverà i difetti e forse le angosce di una massa che vorrà a tutti i costi divertirsi e che produrrà inevitabilmente "difficili": la ressa, il caos, il sovraffollamento. Si troveranno questi cronisti di fronte ai problemi di questa stupenda fascia costiera (eutrofizzazione delle acque, prezzi crescenti, calo degli stranieri) e di fronte ad invidiabili occasioni di divertimento che racconteranno con brio: la Presti è entrata addirittura in una giuria per l'elezione del maschio dell'anno.

Il lavoro del romanzo *Rimini* è quindi solo apparentemente terminato. La realtà superando ancora una volta la finzione *Rimini* continua nelle avventure della pattuglia ormai proiettata in pieno romanzo. Conoscerà Susy un nuovo pretendente? E Bauer, uno scrittore ormai a secco? Troveranno sulle loro tracce cadaveri e misteriose sparizioni. La stupida e insolente ventata anti britannica conseguente alla barbarie di Bruxelles produrrà dirottamenti di pullman con a bordo turisti inglesi? Ci sarà un Agca pronto a predire per l'ennesima volta la fine del mondo? E come reagirà la gente?

Le risposte appariranno ogni giorno sul vostro inserto "Unità Vacanze". Auguri.

2 luglio 1985

LETTERA A MARIO ANDREOSE
Seconda edizione, dopo l'estate[4]

Bologna, 2 sett. 1985

Caro Mario,
  alla ripresa della campagna autunnale vorrei sottoporti questioni in attesa, magari, di discuterle lunedì 9 settembre quando
sarò a Milano per un servizio fotografico per "Linea Capital"
cui ruberò un po' di tempo per venirti a trovare.

  Innanzitutto vorrei ripeterti, se ancora ce ne fosse bisogno,
che l'avventura di Rimini è andata, per quanto mi riguarda,
assai bene. Seppure il tour de force si è dimostrato faticoso e
a volte (in certi Festival dell'Unità) anche un po' angoscioso, i
"venditori" hanno sempre risolto la situazione della mancanza
di dibattito improvvisandosi non solo presentatori ma anche
critici letterari. E questo ha avuto i suoi risvolti divertenti sia a
Massa (con Ghelfi che pareva Baudo) sia a Fidenza (con Carta
che faceva Carlo Bo). Ora sto partendo per Roma per un servizio fotografico (l'intervista è già stata fatta) per "Rockstar",
la più diffusa rivista musicale che per la prima volta dedicherà

---

[4] Tondelli è contento dei risultati ottenuti con il nuovo romanzo, nonostante le polemiche e lo scarso entusiasmo della critica. Già in una lettera a Francois Wahl da Bologna,
il 23 maggio 1985 scrive: "Qui in Italia la grancassa pubblicitaria si è mossa molto bene
a proposito di *Rimini*. Due grandi settimanali hanno fatto grandi articoli e interviste piovono ogni giorno sui quotidiani, Manderò al più presto la documentazione. So che è
arrivata da Bompiani la vostra lettera. Si è tutti d'accordo nel dare il romanzo a Seuil.
Io ho detto: 'O Wahl o nessuno'. In questa lettera, dopo l'estate, riconferma il giudizio
positivo e propone un'ulteriore "giro di stampa" per riportare l'attenzione sul romanzo,
tra i più venduti dell'estate 1985.

quattro pagine a uno scrittore, come fosse Michael Jackson. Mi aspettano poi i Festival dell'Unità di Reggio, Modena, Firenze e Ferrara.

Credo insomma che tutti ce l'abbiamo messa tutta per fare andare questo libro, e di questo do atto a te e alla Casa Editrice. L'unica cosa che chiederei è un secondo "giro stampa" di pubblicità sui principali quotidiani. Non solo perché una sola finestra su il "Corriere" o su "Repubblica" non dà sufficiente peso al nostro sforzo, ma soprattutto per informare della seconda edizione e di qualche giudizio critico espresso nel corso degli ultimi mesi ("Panorama", "La Stampa", "Il Mattino"...).

Parallelamente sta per scadere la finalissima del Premio Ater-Riccione. L'ultima stesura di *Dinner Party* (ora *La notte della vittoria*) sembra – a dar ascolto alle indiscrezioni che pervengono dalla Riviera – piacere molto. Non ti nascondo che ormai il ballottaggio è fra due testi, di cui uno è il soprannominato. La premiazione avrà luogo il 14 settembre (giorno – sia detto appunto tra parentesi – del mio trentesimo compleanno) a Riccione. Io faccio grandi scongiuri. Nel caso comunque l'esito sia favorevole io chiederei all'ufficio stampa di tenersi pronto a emettere un comunicato in cui si dice che il testo verrà pubblicato ecc. ecc. Tipo: L'autore di *Rimini* ecc. ecc.

Nel frattempo infatti ho ricevuto una molto seria proposta da parte del Teatro dell'Elfo (incontrati a Viareggio) per questa messa in scena. E Siciliano, su "Panorama" di questa settimana rilancia la proposta. Benché un testo teatrale non possa dare alla Casa Editrice le soddisfazioni del Romanzo io credo che sarebbe importante un impegno anche su questo fronte dal punto di vista della globalità del lavoro di un autore. Ma ne parleremo.

Scusa il letterone decreto
Tanti cari saluti
Pier Vittorio Tondelli

Thank you for visiting today.
As a charity, your admission fee
supports our important work.

For general enquiries please email
contact@iwm.org.uk

IWML People Power Exhibition
02/07/2017

VISIT US AT:
LONDON
NORTH
DUXFORD
CHURCHILL WAR ROOMS
HMS BELFAST
IWM.ORG.UK

Cashier No: cwatts
Booking Ref: 36071531
Filming and photography is not permitted.

£0.00

6541 98641 9666

HO GIÀ VISTO TUTTO IN UN FILM GIÀ FATTO
Dalla cronaca all'immagine
di una vecchia sceneggiatura[5]

Un pezzo di lamiera infuocata attraversa il cielo estivo della riviera adriatica come una meteorite. Cade nei pressi del lungomare schiantandosi su un paio di auto in sosta. Subito una piccola folla si raduna attorno al luogo dell'incidente. Un fotoreporter scatta rapidamente un rullino e corre in redazione. Più tardi la notizia: due F-16, aerei in dotazione alle forze Nato di stanza a Rimini, sono venuti in collisione durante una esercitazione di volo. Uno dei caccia si è inabissato. Il pilota è incolume ma, ecco l'imprevisto, nell'incidente è andato smarrito un ordigno a testata nucleare. La psicosi della bomba atomica si abbatte sulla riviera al colmo della sua festa estiva. Le autorità tentano di calmare l'opinione pubblica; albergatori e vertici militari si incontrano segretamente per concordare il da farsi. L'ordigno non si trova. In breve il missile diventa l'emblema della vita in riviera. C'è chi fa accorrere in riva al mare squadre di militari dicendo di aver avvistato l'ordigno. In realtà si tratta di un vecchio scafo portato alla deriva. Nella cucina di un grande albergo, indeciso sul da farsi, lo chef prepara un enorme sandwich a forma di missile da servire al culmine di una festa in piscina. Una ex diva degli anni

---

[5] Intervenendo, in prima pagina, su "L'Unità", 13 luglio 1986, a commento di un episodio di cronaca, Tondelli racconta anche alcuni aspetti del film che a lungo ha preparato con il regista Luciano Manuzzi, tratto dal romanzo e mai realizzato.

Cinquanta, madrina di un premio rivierasco, intervistata al suo arrivo all'aeroporto di Miramare di Rimini risponde: Io paura del missile? Sapete quanti missili mi hanno colpita in tutti questi anni? Missili veri, intendo...

Questa era la situazione di partenza di un iniziale progetto di sceneggiatura che con Luciano Manuzzi, regista, s'era stesa l'autunno scorso per il film *Rimini* prodotto da Maurizio Carrano. In sostanza immaginare che una atmosfera da fine del mondo attanagliasse la Babilonia estiva della vacanza in modo da poter raccontare storie e trame che, proprio per essere inserite in un tale contenitore, divenissero più forti. Più rappresentative. E quindi il racconto dell'insensatezza, della futilità della frivolezza, della stupidità, ma anche dell'emozione, dei momenti eccitanti di vita, degli incontri, del sesso balneare tutto ci sembrava molto più forte se visto sotto questa specie di campana di vetro di un reale pericolo nucleare di cui nessuno però sembrava o voleva accorgersi. Questo progetto, anche per incoerenze interne, è stato abbandonato e sostituito pur restando come atmosfera generale la cui elaborazione si annuncia imminente. Ma trovando ieri sul "Corriere della Sera" nella sua corrispondenza da Rimini, una scena esatta, assolutamente identica di quella vecchia sceneggiatura (I giornalisti sono ai cancelli dell'aeroporto di Miramare per verificare sul posto la notizia venuta dal Dipartimento della Difesa degli Stati Uniti) non so più quale sia realtà e quale fantasia. Se siamo noi vittime di un sogno o se invece è la realtà pesante come un incubo.

13 luglio 1986

Ritagli stampa
di Fulvio Panzeri

Il romanzo esce a giugno, all'inizio dell'estate 1985 e trova i giornalisti "culturali" impegnati a far conoscere una "nuova" generazione di scrittori, tra i quali Tondelli è uno dei più conosciuti.

La scelta è quindi quella di privilegiare la presentazione attraverso le interviste, accompagnate da servizi fotografici "curiosi", in grado di creare interesse sul "nuovo" corso degli autori. Tondelli è tra i più intervistati della stagione, grazie al tema "alla moda" del romanzo. Appare, ad esempio, su "L'Europeo", in una dimensione *fashion* stile anni Ottanta, tra le cabine della riviera, su una spiaggia deserta, con scarpe da tennis e abbigliamento casual. Il titolo dice "Tutte le strade portano a Rimini" e spiega "Adesso il Bukowsky emiliano si è fermato sulla Riviera Adriatica. Trasformandola in una grande Nashville nostrana".

Il romanzo s'impone subito come un best-seller, tanto che nella sua analisi delle classifiche di quell'anno Alberto Cadioli commenta: "Che la politica editoriale sia sempre la stessa lo confermano i titoli presentati a ridosso delle letture estive (e in termini quantitativi, lo confermano le maggiori vendite di narrativa straniera rispetto a quelle di narrativa italiana). Ai primi posti delle classifiche dell'estate c'erano Alberto Moravia con

L'uomo che guarda, Pier Vittorio Tondelli con *Rimini*, e infine Carlo Sgorlon, al cui romanzo (*L'armata dei fiumi perduti*) è assegnato il premio Strega".

C'è anche una polemica: la cancellazione della presentazione del romanzo nel salotto di Pippo Baudo a *Domenica in*, già annunciata da "Sorrisi e Canzoni TV" per il 23 giugno 1985. Più di un mese prima, l'ufficio stampa Bompiani comunica a Tondelli che Pippo Baudo è d'accordo a parlare del romanzo nella sua trasmissione, anzi chiede immagini, filmati, foto sulla riviera per illustrare parole e trame. Tondelli si mette al lavoro ed è lui stesso a rivelare: "Mi sono dato da fare. Ho coinvolto il fotografo Davide Minghini in un bel lavoro di ricerca di immagini anni cinquanta della perla della riviera. Un lavoro inutile". L'amarezza di Tondelli è proprio per questa ricerca andata a vuoto. "Che m'importa se il libro non va in televisione, se non fosse per tutto il lavoro del povero Minghini andato a vuoto. Tante immagini scoperte per nulla".

Sulla "Gazzetta di Reggio", il 20 giugno 1985 così viene riportata la notizia: "Pier Vittorio Tondelli non piace a Pippo Baudo. Il popolare anchorman avrebbe dovuto ospitare il giovane scrittore per la presentazione al grande pubblico televisivo del suo ultimo romanzo nella puntata conclusiva di *Domenica in*, ma dopo settimane di accordi e di trattative tutto è saltato all'improvviso. A che cosa è dovuto il 'bidone'? La motivazione ufficiale spiega che, come non vengono accettati film e video vietati ai minori, così sono censurate opere letterarie che narrano, tra l'altro, episodi di sesso. In realtà, dopo aver raccolto entusiastici pareri da parte del capostruttura di Raiuno che ne ha sottolineato gli 'intrinsechi valori', il romanzo è restato sullo stomaco a qualche dirigente della Commissione di Vigilanza, che probabilmente non ha gradito la storia del senatore cattolico che muore misteriosamente. Tondelli ha evitato di far drammi. Disappunto maggiore per quanti avevano collaborato con lo scrittore per la regia della trasmissione: lo stilista Enrico Coveri (che aveva preparato un défilé in costumi balneari) e un gruppo di fotografi riminesi che aveva curato una videocassetta da mandare in onda con l'intervista su espressa richiesta della tivù".

Rimini diventa soprattutto un fenomeno di costume. Silvano Cardellini su "Il Resto del Carlino" (4 luglio 1985) scrive: "L'altra sera al *Paradiso Club* di Rimini alta, sale Umberto Eco, guarda giù e dice: 'Meglio di Los Angeles....!'. Lu Colombo trionfa a Saint Vincent col suo disco *Rimini – Quagadougou* dove strilla che 'Rimini sembra l'Africa'. Nel suo romanzo Tondelli paragona Rimini a Nashville, a Hollywood. Stefania Craxi, che lo dice il cognome stesso chi è, arriva stasera in zona vacanze adriatiche: Rimini è la nuova Las Vegas."

Il romanzo viene presentato, insieme all'omonimo successo discografico di Lu Colombo, con buffet in giardino e ballo nei saloni felliniani, al Grand Hotel, da Roberto D'Agostino, l'inventore delle *Look Parade* di *Quelli della notte*, in una serata di inizio luglio "all'insegna dell'immaginario collettivo su Rimini", in concomitanza con l'inaugurazione della mostra bolognese (stessa organizzazione della festa) *Anniottanta*. Su "La Repubblica" così viene raccontato il clima della serata: "Alle 23 al Grand Hotel chiudono i battenti, troppi ospiti. Il comitato di ricevimento è organizzato da quelli dell'Arci, poco abituati al Grand Hotel. Qualcuno porta farfallini di latta (fatti costruire da un fabbro), il segretario dell'organizzazione è stranamente agghindato con una spilla luminosa. Abbigliamenti tra i più strani, tutta roba da 'look parade', Renata Sukopova mostra un abito e velette da anni 30. C'è il pubblico delle grandi occasioni (magistrati, vicequestore, nobiltà politica locale) mescolato con ragazzini alla Frigidaire e critici d'arte. Pier Vittorio Tondelli, timidissimo, passeggia nervosamente nella hall mente i camerieri servono fiumi di aperitivi (il Bellini di Domenico Benzi, chef barman dell'Hotel se ne va in un lampo). Roberto D'Agostino presenta il pezzo più interessante del suo nuovo look: turbante nero in testa e lampade (o alabarde) sulle spalle. Lu Colombo veste in blu. Bassissima l'amplificazione del microfono".

Se il libro è accolto con grande entusiasmo dal pubblico, la critica si dimostra dubbiosa. L'accusa è quella di aver cavalcato la voglia di best-seller, cedendo alle lusinghe del romanzo tradizionale, alla Robbins (tra i nomi più citati e forse incongrui anche come modelli). Ecco alcuni "ritagli stampa".

Tondelli non scrive un romanzo ma dimostra di saper scrivere un romanzo. Cosa vogliamo dire? Vogliamo dire che Tondelli non scrive in proprio, alla ricerca di un mondo tutto suo ed in vista di effetti a lui ancora sconosciuti, ma scrive per conto della letteratura, la quale è come se già commissionasse l'opera, di essa fornendogli le misure essenziali, il timbro, il ritmo, il tono, il colore.

Angelo Guglielmi, "Paese sera", 11 agosto 1985

Tondelli sembra aver puntato troppo basso per le sue doti: *Rimini*, nell'insieme è un disastro, ma la scrittura qua e là tiene, ha una sua amara, cinica durezza (e fra parentesi, anzi fra virgolette, quando "rifà" Chandler è davvero godibile).

Giovanni Raboni, "Il Messaggero", 11 febbraio 1986

Tondelli è intellettualmente e storicamente un apolide, non soggiace a preoccupazioni o vincoli ambientali muovendosi come a casa propria tanto nella Riviera romagnola quanto nei pubs di Londra, imprime ai suoi vari Bauer, May, Robby e Tony e Aerled e Johnny e Susy (anche la scelta dei nomi è sintomatica) un'aria cosmopolita e un po' disincantata in linea beninteso con quell'universo artificiale e con quella realtà da proscenio che è la "sua" Rimini, ma che pure, nell'insieme, lascia come l'impressione d'aver sfogliato la vita sulle pagine di un rotocalco.

Mario Pomilio, "Il Tempo", 19 luglio 1985

Tondelli si trova oggi ad approdare a una prosa "orizzontale", che punta tutto sulla velocità, in una sorta di raptus moltiplicati in totale assenza di pause e (parrebbe) di ripensamenti. In realtà la sua scrittura risulta invariabilmente molto controllata, e la sua bruciante fisicità tutta filtrata al crivello di una ironia secca e sprezzante. Ciò che colpisce soprattutto nel libro di Tondelli che galoppa per una riviera adriatica talmente iper-realistica da slittare nel metafisico, è l'abilità muscolare e schermistica, quasi il giovane narratore fosse impegnato allo spasimo in un match che sia obbligo d'onore tirare in fondo con brillante disinvoltura.

Mario Lunetta, "Rinascita", 19 ottobre 1985

Qui Tondelli ha raggiunto ciò cui ha teso da sempre: la capacità non di scrivere del mondo in generale e di giudicarlo, ma di raccontarlo scegliendone le storie in segmenti, se possibile, precisi e non blandi. Al principio sembra di entrare in un giallo poliziesco, poi sembrerebbe prevalere una vicenda di amori con contrasto, quindi i due piani si intersecano e la narrazione procede amplificata nel senso che scava dentro al racconto rivoltandone i margini. Anche per farlo vedere. Infatti è molto cinematografico.

Roberto Roversi, "Panorama", 26 maggio 1985

È come se, delle sue tipiche, "non storie", ne avesse scritte contemporaneamente sei o sette, portandole poi a scorrere in parallelo, a intrecciarsi all'ombra di un enorme contenitore, la tipica capitale delle vacanze della nostra società postindustriale, Rimini appunto, luogo ove trionfa lo statuto ambiguo caratteristico della nostra attuale condizione, sospesa tra natura e cultura, povertà e ricchezza, affermazione di sé e invece repressione, patimento di ingiurie, di deprivazioni.

Renato Barilli, "Alfabeta", n.78, 1985

Rimini è un titolo molto bello. A me ricorda quello analogo di un'opera di Pizzuto *Ravenna*, geniale etichetta di un testo che non faceva menzione della città. Del resto anche qui Rimini è molto meno il nome di un luogo che la convocazione di un frammento d'immaginario costruito equamente dalla pubblicistica turistica e dal desiderio collettivo – si potrebbe dire: una citazione.

Giuliano Gramigna, "Corriere della Sera", 14 novembre 1985

Di nuovo c'è che il *milieu* conta più dei personaggi. Li produce, riverbera su di loro una luce particolare. E si sa come oggi certi ambienti siano legati all'immaginario collettivo, siano gli sfondi dove si consuma il tempo del piacere. I paradisi per eccellenza sono per molti i luoghi della villeggiatura. Ebbene siamo già dentro il libro di Tondelli che è anche estivo e festivo e non senza odore di pubblicità (per Rimini e dintorni naturalmente).

Giovanni Mameli, "L'Unione Sarda", 6 giugno 1985

L'orecchio di Tondelli fin dal suo primo libro era ben sintonizzato sulla lunghezza d'onda della letteratura made in Usa. Allora s'ispirava ai cantori dei *beats* e degli *hipsters*, adesso a Raymond Chandler e un po' a Francis Scott Fitzgerald, capendo che gli allievi si giudicano dai maestri.

Giampaolo Martelli, "Il Giornale", 14 luglio 1985

349

Rimini compilation
di Fulvio Panzeri

Quella che Pier Vittorio Tondelli indica alla fine del libro è la prima "colonna sonora" esplicitata della narrativa italiana. Con le canzoni che sceglie, lo scrittore indirettamente indica anche una "compilation" musicale d'autore dei primi anni Ottanta. La sua diventa una colonna sonora tutta internazionale e delinea uno spaccato delle sonorità anni Ottanta, con una particolare attenzione a ciò che succede sulla scena londinese e nelle nuove tendenze britanniche, a partire dal fenomeno della "new wave". Ecco la storia e la discografia delle canzoni, accompagnate dalla relazione con il mondo musicale che Tondelli preferiva.

BAND AID
Do They Know It's Christmas
Bob Geldof, irlandese, allora cantante dei Boomtown Rats, scioccato da un servizio della BBC sulle condizioni di vita del popolo etiope, decide di riunire i grandi nomi della musica e di creare un progetto per aiutare quelle popolazioni. Con l'apporto di Midge Ure, leader degli Ultravox nasce la "Band Aid", un gruppo di superstar del pop inglese che il 25 novembre 1984 incide "Do They Know It's Christman". Subito balza in testa alle classifiche britanniche e diventerà il centro dell'operazione "Live Aid". La "Band Aid" era composta dai nomi più popolari di quegli anni: Paul Young, Geor-

ge Michael, i Duran Duran, gli Spandau Ballet, Bono degli U2, Boy George, le Bananarama, Sting, Paul McCartney, Annie Lennox, Ultravox, Boomtown Rats, Frankie Goes to Hollywood.

MATT BIANCO
Whose Side Are You On?

Il trio, composto dal cantante Mark Reilly, dal pianista Danny e dall'affascinante vocalist Basia Trzetrzelewska, di origine polacca, a partire dal 1984 ha grande successo attraverso musicalità pop farcite di sonorità jazz e ritmi latini. Il nome viene preso in prestito da un agente segreto di un serial di vent'anni prima. La canzone "Whose side are you on?" è anche il titolo del loro primo album, pubblicato nel 1984, in testa a tutte le classifiche europee.

BRONSKI BEAT
Small Town Boy
I Feel Love

I Bronski Beat sono uno dei gruppi storici che hanno lanciato la new wave. Il singolo con cui la band esordisce è "Smalltown boy", un successo immediato in tutto il mondo. La band, capitanata da Jimmy Sommerville, ha breve vita. Jimmy continuerà ad avere un grande successo con i Communards e infine da solista. Il suo apporto è decisivo, con il suo inconfondibile falsetto e le sue lotte per i diritti degli omosessuali tanto che diventa la prima icona gay militante oltre che un punto di riferimento musicale artisticamente assai apprezzato, grazie all'album "The Age of Consent" (1984) e alla cover di "I Feel Love" di Donna Summer cantata in duetto con Marc Almond, scelta anche da Tondelli. Del resto lo scrittore ai Bronski Beat aveva dedicato un articolo, sottolineando il rapporto tra musica e realtà giovanile. Scrive a proposito di Sommerville: "La sua voce, quel particolare falsetto, sta mandando in delirio folle di giovani perbene in tutto il continente, dando fiato e ugola a tutti gli smalltown boys di questa grande e immensa provincia che è l'Europa; il grido che ora si impenna in toni acutissimi canta la desolazione, la protesta garbata, le piccole angosce, i risentimenti, le contrarietà, i riscatti di una minoranza omosessuale." Entrambe le canzoni sono contenute nell'album citato.

LEONARD COHEN
Famous Blue Raincoat
One Of Us Cannot Be Wrong
Dance Me To The End Of Love

Leonard Cohen è un altro degli artisti preferiti da Tondelli, al quale ha dedicato molte pagine. Del cantautore canadese per la colonna sonora di *Rimini* Tondelli non sceglie le canzoni più recenti, ma quelle che ama di più o che più sottolineano un aspetto del romanzo. Del resto nella cronaca del "suo" primo concerto di Cohen spiega che "il nostro Cohen migliore e più venerato è quello della chitarra acustica: un accordo, un arpeggio e la Voce cavernosa che si trascina impastata di stanchezza e sigarette. E un coro angelico di venerabili puttane o di santi ubriaconi alle spalle."

Aggiunge: "A distanza di parecchi anni sono ancora visceralmente innamorato della musica di Leonard Cohen, della sua voce e del suo personaggio. Ascoltandolo per la prima volta dal vivo nel concerto milanese del Teatro Orfeo, maggio 1988, ecco d'improvviso immagini e sensazioni del passato, commozioni, struggimenti, ricordi di amiche, di pomeriggi emiliani chiuso in una stanza con 'Famous Blue Raincoat' ossessivamente presente sullo stereo."

AL CORLEY
Square Rooms

Inizia come vice del capo dei buttafuori al mitico Studio 54 di New York ed era colui che decideva se eri abbastanza bello, abbastanza oltraggioso o abbastanza famoso per essere ammesso. Al Corley sarà poi star di "Dinasty" e cantante HI-NRG di "Square Rooms", hit pop rock in tutto il mondo nel 1984 e, quasi di diritto, presente nella compilation tondelliana.

ELVIS COSTELLO
I Wanna Be Loved
Everyday I Write The Book

Del cantautore che si presenta sulla scena londinese nel 1977, mentre infuria il ciclone punk, Tondelli sceglie due tra i singoli più recenti, rispetto all'uscita del libro, "Everyday I Write The Book" del 1983 e "I Wanna Be Loved" del 1984, in cui Costello si affida alle sonorità sintetiche allora di moda.

DURAN DURAN
New Moon On Monday

Al debutto, con un successo di dimensioni mondiali, i Duran Duran sono stati uno dei gruppi più amati e rappresentativi della new wave. Tondelli sceglie "New Moon On Monday" da "Seven And The Ragged Tiger" del 1983, il terzo album in cui si affina il sound della band sempre più costruito attorno al basso di John Taylor e dove Simon Le Bon mette in luce, le fino ad allora nascoste, doti d'interprete, un disco ancora oggi tra i più amati dai fan storici del gruppo inglese.

ECHO AND THE BUNNYMEN
My White Devil
Seven Seas
Ocean Rain

Gli Echo and The Bunnymen sono stati, all'inizio degli anni Ottanta, con gli Orchestral Manoeuvres, i capi-popolo del rinascimento di Liverpool. In contrapposizione al modernismo post-punk il gruppo ha coniato un nuovo stile melodico, un ibrido di psichedelia e pop con arrangiamenti relativamente suntuosi, in un originale progetto di pop sinfonico. Tondelli sceglie le loro canzoni da due album, "Porcupine" del 1983 e "Ocean Rain" del 1984.

EVERYTHING BUT THE GIRL
Eden

Gli inglesi Ben Watt e Tracey Thorn nel 1984 esordiscono con l'album "Eden", che è già diventato un classico. Le atmosfere rimandano al jazz, al Brasilian Pop anni '60 e alla ballata. Naturalmente Tondelli lo include nella sua personale compilation.

JOE JACKSON
Body and Soul

Tondelli sceglie solo una canzone per il nume tutelare, a livello musicale, della colonna sonora di *Rimini*, più volte citato dallo scrittore emiliano, tanto che dice che " è la musica che ha sparato nelle orecchie a tutto volume mentre ha scritto il libro". È però un pezzo di alto livello, grazie alla sapiente miscela di atmosfere jazz, ritmi latini ed energia rock.

Del resto l'album, con lo stesso titolo, è uno dei migliori degli anni Ottanta e delinea il punto di svolta di Jackson che, capitato nei sottoscala del punk per errore, a metà degli anni Ottanta ne esce con due album/capolavoro, segnati da vicinanza e sconfinamento nel jazz e che, non a caso, portano i titoli di due standard del jazz più classico: "Night And Day" del 1982 e "Body and Soul" del 1984, quest'ultimo composto da nove brani di citazioni e di amori dichiarati.

CYNDI LAUPER
Time After Time
Money Changes Everything
Non poteva mancare la celeberrima e struggente "Time After Time" che ha avuto il privilegio di essere eseguita anche da Miles Davis, Tuck & Patty e altri e fatto conoscere l'artista newyorkese che negli anni Ottanta è stata la vera reginetta del pop con le sue acconciature eccentriche, i look sfavillanti e

originali e successi internazionali come "Girls Just Want To Have Fun" e "True Colors". Entrambe le canzoni sono tratte dal suo primo album "She's So Unusual" del 1983.

LOTUS EATERS
The First Picture of you
Da una delle band "new romantic" più significative degli anni Ottanta, ecco un altro esempio di musica new wave, caratterizzata dalla simbiosi tra sintetizzatori e chitarre, ballate dolcissime offuscate da tracce dark, melanconiche e decadenti. Tondelli sceglie il loro primo singolo, che viene pubblicato nel 1983 e che raggiunge il 15° posto nelle classifiche britanniche. Inizialmente erano in due, Peter Coyle e Jerry Kelly alla chitarra, caratterizzati da un look demodé che li rappresentava come ragazzi puliti, con la cravatta e i capelli tagliati in stile anni quaranta.

MEN AT WORK
Overkill
Solo tre dischi per la band australiana dei "Men At Work", che resta nella memoria di molti come forse la migliore

delle band che hanno seguito, per tipo di sound, impostazione e ironia di fondo, le tracce dei Police. "Business As Usual", l'LP d'esordio, è stato un successo non solo in Australia. Poi la storia dei Men At Work assomiglia a quella degli 'one hit wonder', quelli che hanno ballato per una notte sola. Nel 1982 esce "Cargo", che è ancora un buon successo grazie a singoli come "Overkill" (scelto da Tondelli) e "It's A Mistake".

ALISON MOYET
Love Resurrection
L'inglese Alison Moyet, un'icona del pop rock britannico degli anni Ottanta, nel 1981 fonda, con l'ex tastierista del Depeche Mode, Vince Clarke, il gruppo "Yazoo" che pubblica due LP: "Upstairs at Eric's" nel 1982 e "You and Me" nel 1983. Il gruppo si scioglie nel 1984 ed Alison Moyet prosegue da sola, nella linea dell'elettropop, con il successo di "Alf" nel 1984, che rimane tra le hit per due anni, grazie anche a singoli famosi come "Invisible", "All Cried Out" e "Love Resur-

rection", scelto appunto da Tondelli.

PRINCE
I Would Die 4U
(indicato erroneamente nel libro come I want Die For You)
Anche qui Tondelli si affida a un clamoroso successo discografico, legato al disco "Purple Rain", colonna sonora dell'omonimo film, che la rivista "Vanity Fair" ha definito come miglior colonna sonora di tutti i tempi Giuseppe Videtti, allora direttore di "Rockstar", la rivista musicale alla quale Tondelli inizia a collaborare proprio nel 1985 con la fortunata rubrica "Culture club", scriveva: "Entrando in studio per la preparazione di "Purple Rain", Prince sapeva di far parte dell'Olimpo, era conscio che nessuno aveva più il potere di fermare i suoi ambiziosi progetti. A quel punto la Warner non poteva più rifiutargli niente, neanche la folle idea di produrre un film intitolato come l'album che sarebbe diventato il suo più clamoroso successo, "Purple rain", che schiodò dal primo posto della classi-

fica americana "Born in the U.S.A." di Bruce Springsteen. Genio e sregolatezza vanno spesso d'accordo, e se è vero che Prince non è mai riuscito a calibrare le sue attività "parallele" (regista, produttore, talent-scout), è fuori discussione che da "1999" almeno fino a "Diamonds and Pearls" il genio dell'artista di Minneapolis è stato inarrestabile, producendo capolavori a catena, con picchi che passano da "Purple Rain" al monumentale "Sign o' the times".

PSYCHEDELIC FURS
Heaven
The Ghost In You
   Tondelli sceglie un'altra tra le band più significative della new wave britannica, con i pezzi che li hanno resi famosi, tratti dall'album "Mirror Moses" del 1984, anche se non ci troviamo di fronte al solito gruppo synth pop di successo degli anni Ottanta. Il loro sound, infatti, unisce la psichedelia stile Velvet Underground e certo dark-punk (Cure) le melodie pop e il romanticismo "glam" dei Roxy Music, sottolineati dal-

la voce grezza e monocorde di Richard Butler, cantante e leader della band.

THE SMITHS
I Dont't Owe You Anything
Suffer Little Children
Reel Around The Fountain
   È senz'altro uno dei gruppi più amati da Tondelli che, alle loro canzoni e all'icona di Morrisey, dedica più di un articolo. Scrive spiegando la scelta di alcune canzoni: "In questo immaginario ambiguo in cui piacere e dolore sono inestricabilmente avvinti, in cui la pena della sconfitta diviene il piacere della sensibilità, ecco una sequenza di temi culturali molto Old England, addirittura elfici, elementi di saghe nordiche, di poesie e filastrocche infantili che magicamente sprizzano come spiritelli in alcune composizioni. È il caso di alcune ballate come 'Reel Around The Fountain' e la bellissima 'Suffer Little Children', molto *Spoon River* di Edgar Lee Masters. Ma anche qui, come sempre, il verme sottile e nauseabondo della morte, della decomposizione fisica, serpeggia invincibile." Le canzoni, apparse an-

che come singoli, fanno parte dell'album d'esordio del gruppo, "The Smiths" del 1984.

BRUCE SPRINGSTEEN
Born In The U.S.A.

Che cosa rappresenti un'icona del rock come Springsteen, lo spiega benissimo Gino Castaldo, proprio nel giugno 1985, in occasione del suo concerto milanese, un anno dopo il successo mondiale di "Born In The U.S.A.", scelto da Tondelli: "La sua voce roca, ruvida, sofferta, è l'incarnazione del rock, ma anche il segno di una vitale sopravvivenza, il gesto dell'ultimo degli eroi romantici che con istinto da ribelle e intensità da puritano riesce a infiammare i giovani. È, in fondo, un grande narratore, autore di un'epopea della strada in cui è facile riconoscere tutta la letteratura che negli anni passati ci aveva abituato a immaginare un'altra America."

STYLE COUNCIL
Shout To The Top

I Jam furono il primo gruppo di Paul Weller, nato sull'onda del punk. Non ottengono però il successo internazionale come accade ai Clash. Nel 1983 avviene così un cambio radicale: Weller si prende l'amico Mick Talbot e forma gli Style Council, un duo di pop sofisticato ed elegante che si inserisce, con risultati decisamente più alti, nell'ondata musicale britannica degli anni Ottanta, quella dei videoclip, della nuova dance, iniziando un periodo di sette anni di grande successo in tutto il mondo. Tondelli sceglie una delle hit dal primo album del duo, "Café Blue" del 1984, che guarda a molti generi musicali: soul, jazz, funk, rap e rock.

DAVID SYLVIAN
Forbidden Colours

L'esordio artistico di Sylvian avviene con il gruppo dei Japan, all'insegna dell'incontro tra sonorità orientali e occidentali un'esperienza durata pressappoco fino alla prima metà degli anni '80. Lasciato solo, la creatività di Sylvian si affina e i singoli "Bamboo Houses" e "Forbidden Colours" (pezzo scelto da Tondelli e usato come colonna sonora di "Furyo", il film giapponese di Nagisa Oshima con David

Bowie), classici esempi dell'avant-pop, supportati dall'importante sodalizio con il genio di Ryuichi Sakamoto, lo testimoniano. Sylvian e Sakamoto consolidano definitivamente il loro legame spirituale e artistico con "Brilliant Trees" (1984), album capolavoro.

TALKING HEADS
Stop Making sense

È il titolo di una delle canzoni che David Byrne e il gruppo dei Talking Heads eseguirono in un concerto del dicembre 1983 al Pantages Theatre di Hollywood. Dà il titolo a quello che è diventato anche, con la regia di Jonathan Demme, uno dei migliori film-concerto sul rock che siano mai stati realizzati, grazie all'accurata preparazione e al rapporto musica e immagine. L'audio del film è diventato anche un album, il primo a essere registrato in digitale.

THOMPSON TWINS
Doctor Doctor

Il 1984 è l'anno del successo pieno e del primo posto nelle classifiche britanniche per il gruppo nato nella Londra del 1977, grazie proprio al singolo scelto da Tondelli, orecchiabile e ballabile, cui segue subito "Into The Gap", il nuovo album del trio, caratterizzato da un look, volutamente arruffato e coloratissimo, da emarginati metropolitani post atomici.

TUXEDOMOON
Desire

Ecco un altro gruppo new wave avantgarde, nato in California intorno alla metà degli anni Settanta. I Tuxedomoon però occupano una posizione a parte nel panorama del rock contemporaneo: gruppo multimediale per eccellenza, vivono un'evoluzione artistica che dalla scena new wave di San Francisco li porta a ricercare le proprie radici culturali in Europa, con molte puntate in Italia, toccando generi molto diversi. Tondelli sceglie una canzone dal loro primo album europeo, che segna il passaggio dalle alchimie oltraggiose di "Half-Mute" alle dolcezze ineffabili di "Desire", pubblicato nel 1981, dopo una tournée europea e un concerto bolognese del novembre 1980.

ULTRAVOX
Hiroshima Mon Amour

Epici e decadenti, eleganti e malinconici, gli Ultravox hanno colorato la new wave delle tinte astratte dell'elettronica, aprendo la strada alla stagione del synth-pop e ai movimenti "new romantic" dei quali sono rimasti sempre all'avanguardia: un'altra band della new wave britannica per la colonna sonora di Tondelli che non si affida all'ultimo hit, ma va a ripescare "Hiroshima Mon Amour", dal primo album, "Ha! Ha! Ha!" del 1977, che si avvale della collaborazione del grande Brian Eno, con le sue atmosfere cupe, nevrasteniche, spregiudicate, tra incubi mitteleuropei e fosche visioni tecnotroniche.

LA UNIIÓN
Lobo – Hombre En Paris

Tondelli inserisce anche la storia del lupo-uomo, con la luna piena su Parigi, tra boulevard e sporchi hotel, singolo del 1984 di un gruppo spagnolo "La Unión", canzone che deve la sua fortuna al fatto di essere stata inclusa nella compilation "Freeway 2", vendutissima nel 1984.

U2
I Will Follow
Pride (In The Name Of Love)
Sunday Bloody Sunday

Chiudono la compilation tondelliana tre canzoni del "gruppo degli anni Ottanta", come proclamato dalla rivista americana, "Rolling Stone" "I Will Follow", dedicata alla morte della madre di Bono, è tratta dall'album "Boy" del 1980. La marziale "Sunday Bloody Sunday" sulla guerra civile irlandese è uno dei pezzi trainanti invece di "War" del 1983, l'album che li consacra star mondiali, una canzone che nel tempo è diventata uno degli inni della storia del rock. È ancora forte l'immagine di un giovane Bono che, imitando il passo militare, alza un'enorme bandiera bianca cantando e gridando al mondo il suo disprezzo per la guerra fratricida che ancora sconvolge l'Irlanda. La commovente "Pride" in memoria di Martin Luther King è invece contenuta nell'album successivo del 1984, "Unforgettable Fire", un tributo ai valori della nazione americana.

Postfazione*
di Elisabetta Sgarbi

Nel 1985 la pubblicazione del romanzo *Rimini* segnò il passaggio di Pier Vittorio Tondelli dalla casa editrice Feltrinelli alla Bompiani. Tondelli aveva già pubblicato per Feltrinelli *Altri libertini* e *Pao Pao*, ma questo passaggio fu, per certi versi, spontaneo: si stava già pensando all'impostazione della rivista *Panta*, diretta da Pier Vittorio, Alain Elkann, Elisabetta Rasy e da me coordinata. Il primo numero, "La paura", uscì nel 1990. Tondelli era entusiasta del progetto. Per la prima volta si profilava la possibilità di mettere in cantiere una "rivista di mondi narrati", aliena da ogni pregiudizio ideologico e stilistico. Se rileggiamo l'editoriale che apre il primo numero, scritto proprio da Pier Vittorio, avvertiamo subito quel suo entusiasmo quasi adolescenziale, cui si affianca però anche una profonda consapevolezza degli strumenti linguistici e degli ideali che si volevano far circolare attraverso la rivista, in piena libertà. Scriveva qui Pier Vittorio che *Panta* "è realizzata da un gruppo di autori la cui appartenenza a una stessa generazione si esprime nella ritrovata fiducia del narrare; e che la linea di tendenza della rivista intende valorizzare, e non mortificare, le differenze tra i vari modi di vedere la realtà, i diversi itinerari di forma-

* Testo originariamente pubblicato su *Panta Tondelli Tour*, del febbraio 2003 con il titolo "Nostalgie per paradosso e non".

zione, gli stili e le personali scritture. A questo punto *Panta* viene a esprimere una convinzione forte e precisa: e cioè che oggi la letteratura possa raccontare il mondo facendo riferimento solo a se stessa, e alle proprie motivazioni". Raccontare il mondo così come esso è, oggettivamente, era la felice ossessione di Tondelli. Era un'ossessione condivisa anche dai cosiddetti "giovani scrittori", ossia, sempre nelle parole di Tondelli, "quel gruppo di autori italiani, fra i trenta e i quarant'anni, che hanno esordito nel corso degli anni ottanta". Agli italiani si erano poi aggiunti gli stranieri, secondo un percorso necessario e prevedibile; tutti uniti dalla fede nel potere innovativo della scrittura. Perché attraverso la scrittura si può comporre un "affresco", una "sinfonia" (sono parole care a Tondelli) della realtà contemporanea, nell'eterogeneità delle sue forme, dei suoi anche minimi risvolti quotidiani e sociali, privati e pubblici. E tale sinfonia risuona fortemente nell'opera più audace di Tondelli, *Un weekend postmoderno*, il suo "romanzo critico" per eccellenza, o, con le sue parole, "un viaggio per frammenti, reportage, illuminazioni interiori, riflessioni, descrizioni partecipi e dirette, nella parte degli anni '80 più creativa e sperimentale". Un libro che vuole dire il caos della provincia italiana e non, delle menti dei giovani e meno giovani, con tenerezza e insieme crudeltà. Un'opera aperta che parla della perdita del baricentro morale della nostra società, una perdita colta soprattutto nel trapasso della giovinezza, in cui la volontà costituisce un'unica grande volontà destinata spesso a naufragare insieme all'io individuale. E a questo naufragio, pur vissuto sulla propria pelle, Tondelli diceva no, caparbiamente, come i giovani arrabbiati di una contestazione ormai svuotatasi di contenuti. Dopo la scomparsa di Pier Vittorio, il Comitato editoriale si è arricchito della presenza di Jay McInerney, un autore diverso da Tondelli per molti aspetti, ma accomunato a lui dalla medesima urgenza dell'imperativo di narrare sempre e comunque, quasi risolvendo il mondo in un lungo, complesso, sfaccettato racconto. Questo, e non altro, è il senso ultimo della "ritrovata fiducia del narrare" a cui si riferiva Tondelli con tanta insistenza e passione. D'altronde, la stessa linea editoriale Bompiani, perseguita in questi anni, ha tenuto conto di queste esperienze e riflessioni. L'attenzione prestata ai "giovani", agli outsider della letteratura, italiana e no, alle esperienze marginali di scrittura, spesso non-occidentali, è sempre stata una direttiva implicita. Basti pensare, ma gli esempi sarebbero tanti, alla scelta di ospitare le opere di un talento assoluto e inclassificabile come Carmelo Bene nella collana dei Classici Bompiani, oppure alla riscoperta degli scritti sparsi di Savinio, che Bompiani ha pubblicato non solo e non tanto nella consapevolezza di compiere un'operazione 'puramente' editoriale, ma in obbedienza a quell'attenzione per la "diversità" culturale che da qualche tempo è motore vivo della programmazione all'interno della casa editrice. Di Tondelli ho molti ricordi personali, che si sovrappongono a quelli di lavoro. Quello che penso di lui lo ha forse espresso nel migliore dei modi una sua grande estimatrice e amica, Fernanda Pivano: "Pier era molto elegante. Aveva un'eleganza dentro. Aveva questa sua percezione, questa sua sensibilità che gli permetteva di capire anche le letterature che non erano quelle vicine alla sua." La dolcezza e l'ironia di Tondelli erano chiavi per aprire tutte le porte. I suoi libri sono saturi di un humour dolente che culmina negli straordinari *Biglietti agli amici*, un testo difficile che non si può non amare, anche nelle sue (volute) oscurità. L'influsso di Tondelli sulla narrativa di oggi è composito. Non è detto che tutti gli scrittori si siano ritrovati nelle sue idee, nei suoi progetti, nelle felici ossessioni di cui si parlava poco fa. Ma sicuramente senza di lui non sarebbe esistita nessuna nuova letteratura italiana. Tondelli, come dice ancora Fernanda Pivano, è stato, per molti giovani inesperti che si affacciavano alla soglia della scrittura d'arte, un "gran signore del Cinquecento", che aveva da offrire soltanto se stesso. Nei suoi libri bisognerà ancora andare a ritrovare quelle tracce, che potranno gettare luce, per contrasto, su quel miscuglio di malinconia e nostalgia di una infantile comunicazione piena che lo faceva sentire (lo si dice nei *Biglietti*) come uno che "riusciva a intravedere come forma di desiderio, soltanto un quieto immaginario famigliare, Correggio, la sua casa, la casa dei suoi genitori". "Voglio tornarmene fra la brava gente di campagna / Voglio sposare una povera ragazza"... dice Carmelo Bene nel suo *Hamlet Suite da Laforgue*, incontrando per paradosso la stessa nostalgia di Pier Vittorio Tondelli.

Indice

Bompiani ha raccolto l'invito della campagna
"Scrittori per le foreste" promossa da Greenpeace.
Questo libro è stampato su carta certificata FSC,
che unisce fibre riciclate post-consumo a fibre vergini
provenienti da buona gestione forestale e da fonti controllate.
Per maggiori informazioni: http://www.greenpeace.it/scrittori/

Finito di stampare nel mese di giugno 2015 presso
il Nuovo Istituto Italiano d'Arti Grafiche - Bergamo

Printed in Italy